GOLDMANNS GELBE TASCHENBÜCHER
Band 410
—
Heinrich Heine, Reisebilder

Heinrich Heine

Ausgewählte Werke in fünf Bänden

HEINRICH HEINE

REISEBILDER

—

MÜNCHEN

WILHELM GOLDMANN VERLAG

1964   Made in Germany

Umschlagfoto: Historisches Bildarchiv Handke, Bad Berneck.
Radierung nach einer Federzeichnung von Ludwig Grimm
aus dem Jahre 1827. Gesetzt aus der Linotype-Garamond-
Antiqua. Druck: Presse-Druck- und Verlags-GmbH. Augsburg.

Verlagsnummer 410 · A

EINLEITUNG

HEINRICH HEINE ist nicht zuerst als Lyriker, sondern durch seine Prosa berühmt geworden. Der erste Band der ›Reisebilder‹ erregte außerordentliches Aufsehen. Bereits innerhalb eines Jahres war die erste Auflage verkauft, und das Werk erreichte noch zu Lebzeiten des Dichters vier Neuauflagen.

›Die Harzreise‹ wurde 1826 in verstümmelter, d. h. zensierter Fassung im ›Gesellschafter‹ abgedruckt und erschien, ebenfalls 1826, im ersten Teil der ›Reisebilder‹. Im Herbst 1824 machte der Student Heine von Göttingen aus eine Fußwanderung durch den Harz. Er bestieg den Brocken und besuchte die Zechen in Clausthal. Er hat auf dieser Reise auch in Weimar bei Goethe vorgesprochen, wo er übrigens eine recht kühle Aufnahme fand. »Das Hübscheste, was ich unterdessen schrieb, ist die Beschreibung einer Harzreise, die ich vorigen Herbst gemacht, eine Mischung von Naturschilderung, Witz, Poesie und Washington Irving'scher Beobachtung«, schreibt Heine an Ludwig Robert am 4. März 1825. Heine zeigt sich in diesem Werk noch stark der Romantik verbunden, nicht zuletzt auch formal, in der Auflockerung des Textes durch eingestreute Lieder und Verse. Auch ist die Lyrik in der ›Harzreise‹ noch sehr viel lieblicher und naiver als vergleichsweise die Gedichte aus dem Buch ›Buch der Lieder‹. Aber auch das erste Stück der ›Reisebilder‹ zeigt schon Heines Begabung für einen witzig-ironischen Stil, nicht nur in den Spottreden des Studenten auf die vielgehaßte Universitätsstadt Göttingen und ihr einförmiges Philisterleben, sondern in der Charakterisierung von skurrilen Typen und köstlich geschilderten Erlebnissen.

Im zweiten Teil der ›Reisebilder‹ war ›Die Nordsee‹ abgedruckt. Das kleine Werk trägt den Untertitel: ›Geschrieben auf der Insel Norderney‹. Hier – wie in den zwei Nordseezyklen aus dem ›Buch der Lieder‹ – haben sich Heines Eindrücke von der Nordseeküste niedergeschlagen. 1825/26, und in den darauffolgenden Jahren, besuchte er die Meerbäder auf Norderney und die Insel Helgoland zur Kräftigung seiner Gesundheit. »Mit meiner Gesundheit geht es immer besser. Zu ihrer völligen Herstellung brauche ich das hiesige Seebad und schwimme wieder auf den Wellen der Nordsee, die mir jetzt sehr gewogen ist, weil sie weiß, daß ich sie besinge« (Brief an Varnhagen von Ense am 20. Juli 1828). Heine hat, wenn überhaupt, am ehesten zum Meer ein echtes Naturverhältnis gehabt. Verschiedene Briefstellen aus dieser Zeit bezeugen, wie sehr er sich vom Meer angezogen fühlte und welche Ruhe er inmitten

dieser erhabenen und einfachen Landschaft genoß. Er erzählt vom
Leben der Inselbewohner, von einsamen Spaziergängen am Strand,
und beschäftigt sich vor allem mit den Sagen- und Märchengestalten
dieser Gegend. Berühmt geworden ist auch die scharfsinnige und
treffende Würdigung, die er Goethe hier angedeihen läßt.

Im Anschluß an das Werk veröffentlichte Heine einige Xenien
des Freundes Immermann, die noch erwähnt werden müssen, da sie
Anlaß zu den Auseinandersetzungen mit August Graf von Platen
gaben. Heine hatte die Verse durch diese Veröffentlichung auch als
seine eigene Meinung dargetan, und so mußte Platen folgende
Spottlieder über sich ergehen lassen:

»Von den Früchten, die sie aus dem Gartenhain von Schiras stehlen,
Essen sie zu viel, die Armen, und vomieren dann Ghaselen.«

Platen, der Heines Werk sonst nicht kannte, fühlte sich aufs tiefste
beleidigt und antwortete mit seiner Komödie ›Der Romantische
Ödipus‹, in welcher er Immermann (»Nimmermann«) und Heine
lächerlich machte. Heine fühlte sich durch die Anspielungen Platens
auf seine jüdische Abstammung sehr gekränkt und sah in Platen einen
prinzipiellen Judenfeind, Reaktionär und Pfaffendiener, womit er
Platen zweifellos unrecht tat. Heine hat dann im 11. Kapitel der
›Bäder von Lucca‹ eine heftige Polemik gegen Platen veröffentlicht,
die vor allem durch ihre Hinweise auf die homosexuelle Veran-
lagung Platens überall Ärgernis erregte. Heine hat sich mit diesem
Kapitel sehr geschadet und die Veröffentlichung später verschiedentlich bereut. Dennoch muß man begreifen, daß er bei seiner ohnedies
unsicheren und schwierigen Position als Jude in Deutschland jeden
Angriff von dieser Seite her als existentielle Gefahr betrachten
mußte. Goethe hat sicherlich die gerechteste Darstellung dieser problematischen Lage gegeben, wenn er sagt: »Ein Begabter und ein
Talent verfolgt das andere. Platen ärgert Heine, und Heine Platen,
und jeder sucht den anderen schlecht und verhaßt zu machen, da
doch zu einem friedlichen Hinwirken die Welt groß und weit genug
ist, und jeder schon an seinem eigenen Talent einen Feind hat, der
ihm hinlänglich zu schaffen macht.«

›Die Bäder von Lucca‹ bringen aber nicht nur die Polemik gegen
Platen, sondern auch Heines berühmtes jüdisches Paar, den Marchese di Gumpelino und seinen Diener Hirsch-Hyazinth, eine Hei-
nische Version des Don Quichotte – Sancho Pansa Motives, das zu
den liebenswertesten und geistreichsten Skizzen Heines gehört.

›Die Stadt Lucca‹ bringt, angeregt durch das katholische Leben
in Italien, eine Auseinandersetzung des Dichters mit Adel und

Geistlichkeit. Hier zeigt sich schon deutlich Heines Talent als politischer Schriftsteller, der für Recht und Freiheit des Volkes kämpft.

Heines ›Reisebilder‹ bieten dem Leser weder Bildungslektüre noch eigentlich Naturschilderungen. Vergleicht man seine Erzählungen aus Italien mit Goethes berühmter ›Italienischer Reise‹, so wird der Abstand deutlich zwischen dem Italienerlebnis der deutschen Klassik und den oberflächlichen Reiseabenteuern der späten Romantik. Übrigens hat Heine das selbst deutlich erkannt und bemerkt in Bezug auf Goethes ›Italienische Reise‹: »Das ist ein Verdienst Goethes, das erst spätere Zeiten erkennen werden; denn wir, die wir meist alle krank sind, stecken viel zu sehr in unseren kranken zerrissenen, romantischen Gefühlen, die wir aus allen Ländern und Zeitaltern zusammengelesen, als daß wir unmittelbar sehen könnten, wie gesund, einheitlich und plastisch sich Goethe in seinen Werken zeigt« (›Die Nordsee‹).

Aber Heine besitzt letztlich auch kein romantisches Naturgefühl mehr, und selbst die ›Harzreise‹, die noch am stärksten im Banne der Romantik steht, zeigt schon ein merkwürdig ›klischiertes‹ Naturgemälde. Es ist sehr bezeichnend, daß jede Naturschilderung bei Heine schon nach wenigen Zeilen in einen anderen Ton umschlägt, daß der Zusammenhang eines geschilderten Bildes zerstört und die Einheit der Stimmung bewußt abgebrochen wird oder doch wenigstens die Person des Dichters wieder in den Vordergrund rückt. Das reine Stimmungsgemälde einer Landschaft löst sich auf, es endet in einer realistischen Szene, einer rationalen Begründung oder in kunstvoll-ironischer Zurücknahme. Heine ist kein Reiseschriftsteller, der durch einmalige Beobachtungen auffällt. An dem, was die Allgemeinheit interessiert, eilt er vorüber, aber aus kleinen Zufälligkeiten gestaltet er die pittoresken Wunderbauten seiner Erlebnisse und Episoden. Seine dichterische Phantasie knüpft an alltägliche Ereignisse ständig neue Bilder und Eindrücke, folgt launisch jedem Augenblicksimpuls, und das Bild ist desto reizvoller, je subjektiver es ist.

Hier zeigt sich eine starke Ähnlichkeit mit Laurence Sterne, dessen ›Empfindsame Reise durch Frankreich und Italien‹ Heine in gewisser Weise Vorbild gewesen sein mag, bemerkt er doch in einem Brief an Eduard Schenk vom 1. Oktober 1828 aus Florenz: »Im Bade zu Lucca, wo ich die längste und göttlichste Zeit verweilte, habe ich schon zur Hälfte ein Buch geschrieben, eine Art sentimentaler Reise.«

Gerade diese eigenwillige Mischung persönlichster Erlebnisse und

Eindrücke und witzig-ironischer Beobachtung machen Heines ›Reisebilder‹ so eindringlich. Seine geistvollen Plaudereien über Land und Leute sind weder belehrend noch ermüdend, sondern wirken immer wieder frisch, lebendig und abwechslungsreich.

Der Text der Auswahl folgt der kritischen Ausgabe von Ernst Elster, Leipzig 1887–1890. Orthographie und Zeichensetzung wurden unter Wahrung kennzeichnender Eigentümlichkeiten den heute geltenden Vorschriften angeglichen.

Susanne Teichgräber

DIE HARZREISE

(1824)

Nichts ist dauernd, als der Wechsel; nichts beständig, als der Tod. Jeder Schlag des Herzens schlägt uns eine Wunde, und das Leben wäre ein ewiges Verbluten, wenn nicht die Dichtkunst wäre. Sie gewährt uns, was die Natur versagt: eine goldene Zeit, die nicht rostet, einen Frühling, der nicht abblüht, wolkenloses Glück und ewige Jugend.   BÖRNE

Schwarze Röcke, seidne Strümpfe,
Weiße, höfliche Manschetten,
Sanfte Reden, Embrassieren –
Ach, wenn sie nur Herzen hätten!

Herzen in der Brust, und Liebe,
Warme Liebe in dem Herzen –
Ach, mich tötet ihr Gesinge
Von erlognen Liebesschmerzen.

Auf die Berge will ich steigen,
Wo die frommen Hütten stehen,
Wo die Brust sich frei erschließet,
Und die freien Lüfte wehen.

Auf die Berge will ich steigen,
Wo die dunkeln Tannen ragen,
Bäche rauschen, Vögel singen,
Und die stolzen Wolken jagen.

Lebet wohl, ihr glatten Säle,
Glatte Herren! Glatte Frauen!
Auf die Berge will ich steigen,
Lachend auf euch niederschauen.

Die Stadt Göttingen, berühmt durch ihre Würste und Universität, gehört dem Könige von Hannover und enthält 999 Feuerstellen, diverse Kirchen, eine Entbindungsanstalt, eine Sternwarte, einen Karzer, eine Bibliothek und einen Ratskeller, wo das Bier sehr gut ist. Der vorbeifließende Bach heißt »die Leine« und dient des Sommers zum Baden; das Wasser ist sehr kalt und an einigen Orten so breit, daß Lüder[1] wirklich einen großen Anlauf nehmen mußte, als er hinübersprang. Die Stadt selbst ist schön und gefällt einem am besten, wenn man sie mit dem Rücken ansieht. Sie muß schon sehr lange stehen; denn ich erinnere mich, als ich vor fünf Jahren dort immatrikuliert und bald darauf konsiliiert wurde, hatte sie schon dasselbe graue, altkluge Ansehen und war schon vollständig eingerichtet mit Schnurren, Pudeln, Dissertationen, Teedansants, Wäscherinnen, Kompendien, Taubenbraten, Guelfenorden, Promotionskutschen, Pfeifenköpfen, Hofräten, Justizräten, Relegationsräten, Profaxen und anderen Faxen. Einige behaupten sogar, die Stadt sei zur Zeit der Völkerwanderung erbaut worden, jeder deutsche Stamm

[1] Wilhelm Lüder war als Göttinger Student durch seine Körperkraft und als bester Schläger berühmt.

habe damals ein ungebundenes Exemplar seiner Mitglieder darin zurückgelassen, und davon stammten all die Vandalen, Friesen, Schwaben, Teutonen, Sachsen, Thüringer usw., die noch heutzutage in Göttingen, hordenweis und geschieden durch Farben der Mützen und der Pfeifenquäste, über die Weenderstraße einherziehen, auf den blutigen Wahlstätten der Rasenmühle, des Ritschenkrugs und Bovdens[2] sich ewig untereinander herumschlagen, in Sitten und Gebräuchen noch immer wie zur Zeit der Völkerwanderung dahinleben und teils durch ihre Duces, welche Haupthähne heißen, teils durch ihr uraltes Gesetzbuch, welches Komment heißt und in den legibus barbarorum eine Stelle verdient, regiert werden.

Im allgemeinen werden die Bewohner Göttingens eingeteilt in Studenten, Professoren, Philister und Vieh, welche vier Stände doch nichts weniger als streng geschieden sind. Der Viehstand ist der bedeutendste. Die Namen aller Studenten und aller ordentlichen und unordentlichen Professoren hier herzuzählen, wäre zu weitläufig; auch sind mir in diesem Augenblick nicht alle Studentennamen im Gedächtnisse, und unter den Professoren sind manche, die noch gar keinen Namen haben. Die Zahl der Göttinger Philister muß sehr groß sein, wie Sand, oder besser gesagt, wie Kot am Meer; wahrlich, wenn ich sie des Morgens mit ihren schmutzigen Gesichtern und weißen Rechnungen vor den Pforten des akademischen Gerichtes aufgepflanzt sah, so mochte ich kaum begreifen, wie Gott nur so viel Lumpenpack erschaffen konnte.

Ausführlicheres über die Stadt Göttingen läßt sich sehr bequem nachlesen in der Topographie derselben von K. F. H. Marx[3]. Obzwar ich gegen den Verfasser, der mein Arzt war und mir viel Liebes erzeigte, die heiligsten Verpflichtungen hege, so kann ich doch sein Werk nicht unbedingt empfehlen, und ich muß tadeln, daß er jener falschen Meinung, als hätten die Göttingerinnen allzu große Füße, nicht streng genug widerspricht. Ja, ich habe mich sogar seit Jahr und Tag mit einer ernsten Widerlegung dieser Meinung beschäftigt, ich habe deshalb vergleichende Anatomie gehört, die seltensten Werke auf der Bibliothek exzerpiert, auf der Weenderstraße stundenlang die Füße der vorübergehenden Damen studiert, und in der grundgelehrten Abhandlung, so die Resultate dieser Studien enthalten wird, spreche ich 1) von den Füßen überhaupt, 2) von den

---

[2] Bovden ist eine Abkürzung für Bovenden, ein kleines Dorf nördlich von Göttingen. [3] K. F. H. Marx (1796–1877), Professor in Göttingen, bekannt durch seine Schriften zur Geschichte der Medizin. Das zitierte Werk führt den Titel: ›Göttingen in medizinischer, physischer und historischer Hinsicht‹ (Göttingen, 1824). Dort heißt es S. 138: »Hübsch gebildete Füße will mancher Tadelsüchtige unseren Schönen absprechen; gewiß mit Unrecht.«

Füßen bei den Alten, 3) von den Füßen der Elefanten, 4) von den Füßen der Göttingerinnen, 5) stelle ich alles zusammen, was über diese Füße auf Ullrichs Garten schon gesagt worden, 6) betrachte ich diese Füße in ihrem Zusammenhang und verbreite mich bei dieser Gelegenheit auch über Waden, Kniee usw., und endlich 7), wenn ich nur so großes Papier auftreiben kann, füge ich noch hinzu einige Kupfertafeln mit dem Faksimile göttingischer Damenfüße.

Es war noch sehr früh, als ich Göttingen verließ, und der gelehrte[4] lag gewiß noch im Bette und träumte wie gewöhnlich: er wandle in einem schönen Garten, auf dessen Beeten lauter weiße, mit Zitaten beschriebene Papierchen wachsen, die im Sonnenlichte lieblich glänzen, und von denen er hier und da mehrere pflückt und mühsam in ein neues Beet verpflanzt, während die Nachtigallen mit ihren süßesten Tönen sein altes Herz erfreuen.

Vor dem Weender Tore begegneten mir zwei eingeborne kleine Schulknaben, wovon der eine zum andern sagte: »Mit dem Theodor will ich gar nicht mehr umgehen, er ist ein Lumpenkerl, denn gestern wußte er nicht mal, wie der Genitiv von Mensa heißt.« So unbedeutend diese Worte klingen, so muß ich sie doch wieder erzählen, ja, ich möchte sie als Stadtmotto gleich auf das Tor schreiben lassen; denn die Jungen piepen, wie die Alten pfeifen, und jene Worte bezeichnen ganz den engen, trocknen Notizenstolz der hochgelahrten Georgia Augusta.

Auf der Chaussee wehte frische Morgenluft, und die Vögel sangen gar freudig, und auch mir wurde allmählich wieder frisch und freudig zu Mute. Eine solche Erquickung tat not. Ich war die letzte Zeit nicht aus dem Pandektenstall herausgekommen, römische Kasuisten hatten mir den Geist wie mit einem grauen Spinnweb überzogen, mein Herz war wie eingeklemmt zwischen den eisernen Paragraphen selbstsüchtiger Rechtssysteme, beständig klang es mir noch in den Ohren wie »Tribonian[5], Justinian, Hermogenian und Dummerjahn«, und ein zärtliches Liebespaar, das unter einem Baume saß, hielt ich gar für eine Korpusjurisausgabe mit verschlungenen Händen. Auf der Landstraße fing es an, lebendig zu werden. Milchmädchen zogen vorüber; auch Eseltreiber mit ihren grauen Zöglingen.

[4] Heine spielt hier wahrscheinlich auf den gelehrten Historiker J. H. Eichhorn (1781–1854) an, mit dem er später befreundet war. [5] Tribonianus, berühmter römischer Rechtsgelehrter, sammelte unter Kaiser Justinian mit sechzehn anderen Juristen um 530 den ganzen Vorrat von zweitausend rechtswissenschaftlichen Schriften in ein einheitliches Ganzes: die Pandekten und gab den berühmten Codex Justinianeus heraus. Hermogenianus war ein Rechtsgelehrter in der ersten Hälfte des vierten Jahrhunderts, dessen berühmter Codex Hermogenianus den Pandekten einverleibt wurde.

Hinter Weende begegneten mir der Schäfer und Doris. Dieses ist nicht das idyllische Paar, wovon Geßner[6] singt, sondern es sind wohlbestallte Universitätspedelle, die wachsam aufpassen müssen, daß sich keine Studenten in Bovden duellieren und daß keine neue Ideen, die noch immer einige Dezennien vor Göttingen Quarantäne halten müssen, von einem spekulierenden Privatdozenten eingeschmuggelt werden. Schäfer grüßte mich sehr kollegialisch; denn er ist ebenfalls Schriftsteller und hat meiner in seinen halbjährigen Schriften oft erwähnt; wie er mich denn auch außerdem oft zitiert hat, und, wenn er mich nicht zu Hause fand, immer so gütig war, die Zitation mit Kreide auf meine Stubentür zu schreiben. Dann und wann rollte auch ein Einspänner vorüber, wohlgepackt mit Studenten, die für die Ferienzeit oder auch für immer wegreisten. In solch einer Universitätsstadt ist ein beständiges Kommen und Abgehen, alle drei Jahre findet man dort eine neue Studentengeneration, das ist ein ewiger Menschenstrom, wo eine Semesterwelle die andere fortdrängt, und nur die alten Professoren bleiben stehen in dieser allgemeinen Bewegung, unerschütterlich fest, gleich den Pyramiden Ägyptens – nur daß in diesen Universitätspyramiden keine Weisheit verborgen ist.

Aus den Myrthenlauben bei Rauschenwasser sah ich zwei hoffnungsvolle Jünglinge hervorreiten. Ein Weibsbild, das dort sein horizontales Handwerk treibt, gab ihnen bis auf die Landstraße das Geleit, klätschelte mit geübter Hand die mageren Schenkel der Pferde, lachte laut auf, als der eine Reiter ihr hinten auf die breite Spontaneität einige Galanterien mit der Peitsche überlangte, und schob sich alsdann gen Bovden. Die Jünglinge aber jagten nach Nörten und johlten gar geistreich und sangen gar lieblich das Rossinische Lied: »Trink' Bier, liebe, liebe Liese!« Diese Töne hörte ich noch lange in der Ferne; doch die holden Sänger selbst verlor ich bald völlig aus dem Gesichte, sintemal sie ihre Pferde, die im Grunde einen deutsch langsamen Charakter zu haben schienen, gar entsetzlich anspornten und vorwärtspeitschten. Nirgends wird die Pferdeschinderei stärker getrieben als in Göttingen, und oft, wenn ich sah, wie solch eine schweißtriefende, lahme Kracke für das bißchen Lebensfutter von unsern Rauschenwasserrittern abgequält ward oder wohl gar einen ganzen Wagen voll Studenten fortziehen mußte, so dachte ich auch: »O du armes Tier, gewiß haben deine Voreltern im Paradiese verbotenen Hafer gefressen!«

Im Wirtshause zu Nörten traf ich die beiden Jünglinge wieder.

[6] Salomon Geßner (1730–87), dessen Idyllen in ganz Europa mit Beifall aufgenommen wurden.

Der eine verzehrte einen Heringsalat, und der andere unterhielt sich mit der gelbledernen Magd, Fusia Canina, auch Trittvogel genannt. Er sagte ihr einige Anständigkeiten, und am Ende wurden sie handgemein. Um meinen Ranzen zu erleichtern, nahm ich die eingepackten blauen Hosen, die in geschichtlicher Hinsicht sehr merkwürdig sind, wieder heraus und schenkte sie dem kleinen Kellner, den man Kolibri nennt. Die Bussenia, die alte Wirtin, brachte mir unterdessen ein Butterbrot und beklagte sich, daß ich sie jetzt so selten besuche; denn sie liebt mich sehr.

Hinter Nörten stand die Sonne hoch und glänzend am Himmel. Sie meinte es recht ehrlich mit mir und erwärmte mein Haupt, daß alle unreife Gedanken darin zur Vollreife kamen. Die liebe Wirtshaussonne in Nordheim ist auch nicht zu verachten; ich kehrte hier ein und fand das Mittagessen schon fertig. Alle Gerichte waren schmackhaft zubereitet und wollten mir besser behagen als die abgeschmackten akademischen Gerichte, die salzlosen, ledernen Stockfische mit ihrem alten Kohl, die mir in Göttingen vorgesetzt wurden. Nachdem ich meinen Magen etwas beschwichtigt hatte, bemerkte ich in derselben Wirtsstube einen Herrn mit zwei Damen, die im Begriff waren abzureisen. Dieser Herr war ganz grün gekleidet, trug sogar eine grüne Brille, die auf seine rote Kupfernase einen Schein wie Grünspan warf, und sah aus, wie der König Nebukadnezar in seinen spätern Jahren ausgesehen hat, als er, der Sage nach, gleich einem Tiere des Waldes, nichts als Salat aß. Der Grüne wünschte, daß ich ihm ein Hotel in Göttingen empfehlen möchte, und ich riet ihm, dort von dem ersten besten Studenten das Hotel de Brühbach zu erfragen. Die eine Dame war die Frau Gemahlin, eine gar große, weitläuftige Dame, ein rotes Quadratmeilen-Gesicht mit Grübchen in den Wangen, die wie Spucknäpfe für Liebesgötter aussahen, ein langfleischig herabhängendes Unterkinn, das eine schlechte Fortsetzung des Gesichtes zu sein schien, und ein hochaufgestapelter Busen, der mit steifen Spitzen und vielzackig festonierten Krägen, wie mit Türmchen und Bastionen umbaut war, und einer Festung glich, die gewiß ebensowenig wie jene anderen Festungen, von denen Philipp von Macedonien spricht, einem mit Gold beladenen Esel widerstehen würde. Die andere Dame, die Frau Schwester, bildete ganz den Gegensatz der eben beschriebenen. Stammte jene von Pharaos fetten Kühen, so stammte diese von den magern. Das Gesicht nur ein Mund zwischen zwei Ohren, die Brust trostlos öde, wie die Lüneburger Heide; die ganze ausgekochte Gestalt glich einem Freitisch für arme Theologen. Beide Damen fragten mich zu gleicher Zeit: ob im Hotel de Brühbach auch ordentliche Leute logierten. Ich bejahte es mit gutem Gewissen, und als das holde Kleeblatt abfuhr, grüßte ich nochmals zum Fenster hinaus. Der Sonnenwirt lächelte gar schlau und mochte wohl wissen, daß der Karzer von den Studenten in Göttingen Hotel de Brühbach genannt wird.

Hinter Nordheim wird es schon gebirgig und hier und da treten schöne Anhöhen hervor. Auf dem Wege traf ich meistens Krämer, die nach der Braunschweiger Messe zogen, auch einen Schwarm Frauenzimmer, deren jede ein großes, fast häuserhohes, mit weißem Leinen überzogenes Behältnis auf dem Rücken trug. Darin saßen allerlei eingefangene Singvögel, die beständig piepsten und zwitscherten, während ihre Trägerinnen lustig dahinhüpften und schwatzten. Mir kam es gar närrisch vor, wie so ein Vogel den andern zu Markte trägt.

In pechdunkler Nacht kam ich an zu Osterode. Es fehlte mir der Appetit zum Essen und ich legte mich gleich zu Bette. Ich war müde wie ein Hund und schlief wie ein Gott. Im Traume kam ich wieder nach Göttingen zurück, und zwar nach der dortigen Bibliothek. Ich stand in einer Ecke des juristischen Saals, durchstöberte alte Dissertationen, vertiefte mich im Lesen, und als ich aufhörte, bemerkte ich zu meiner Verwunderung, daß es Nacht war und herabhängende Kristalleuchter den Saal erhellten. Die nahe Kirchenglocke schlug eben zwölf, die Saaltüre öffnete sich langsam, und herein trat eine stolze, gigantische Frau, ehrfurchtsvoll begleitet von den Mitgliedern und Anhängern der juristischen Fakultät. Das Riesenweib, obgleich schon bejahrt, trug dennoch im Antlitz die Züge einer strengen Schönheit, jeder ihrer Blicke verriet die hohe Titanin, die gewaltige Themis[7], Schwert und Waage hielt sie nachlässig zusammen in der einen Hand, in der andern hielt sie eine Pergamentrolle, zwei junge Doctores juris trugen die Schleppe ihres grau verblichenen Gewandes; an ihrer rechten Seite sprang windig hin und her der dünne Hofrat Rusticus[8], der Lykurg Hannovers, und deklamierte aus seinem neuen Gesetzentwurf; an ihrer linken Seite humpelte, gar galant und wohlgelaunt, ihr Cavaliere servente, der geheime Justizrat Cujacius[9], und riß beständig juristische Witze und lachte selbst darüber so herzlich, daß sogar die ernste Göttin sich mehrmals lächelnd zu ihm herabbeugte, mit der großen Pergamentrolle ihm

[7] Göttin des Rechts. [8] Anspielung auf den Hofrat Anton Bauer (Rustikus = Bauer, 1772–1843), der damals Professor des Staatsrechts zu Göttingen war und an der Abfassung des Strafgesetzbuchs für Hannover teilhatte. [9] Professor Gustav Hugo (1764–1844), der berühmte Jurist, der sich um das Quellenstudium des römischen Rechts besonders verdient gemacht hat. Heine, der diesen Gelehrten übrigens sehr verehrte, vergleicht ihn hier mit dem gefeierten Rechtslehrer Cujacius, eigentlich Jacques de Cujas (1522–1590).

auf die Schulter klopfte und freundlich flüsterte: »Kleiner, loser
Schalk, der die Bäume von oben herab beschneidet!« Jeder von den
übrigen Herren trat jetzt ebenfalls näher und hatte etwas hin zu
bemerken und hin zu lächeln, etwa ein neu ergrübeltes Systemchen
oder Hypotheschen oder ähnliches Mißgebürtchen des eigenen Köpf-
chens. Durch die geöffnete Saaltüre traten auch noch mehrere fremde
Herren herein, die sich als die andern großen Männer des illustren
Ordens kundgaben, meistens eckige, lauernde Gesellen, die mit breiter Selbstzufriedenheit gleich drauf los definierten und distinguier-
ten und über jedes Titelchen eines Pandektentitels disputierten. Und
immer kamen noch neue Gestalten herein, alte Rechtsgelehrte, in
verschollenen Trachten, mit weißen Allongeperücken und längst
vergessenen Gesichtern, und sehr erstaunt, daß man sie, die Hoch-
berühmten des verflossenen Jahrhunderts, nicht sonderlich regar-
dierte; und diese stimmten nun ein, auf ihre Weise, in das allgemeine
Schwatzen und Schrillen und Schreien, das, wie Meeresbrandung,
immer verwirrter und lauter, die hohe Göttin umrauschte, bis diese
die Geduld verlor und in einem Tone des entsetzlichsten Riesen-
schmerzes plötzlich aufschrie: »Schweigt! schweigt! ich höre die
Stimme des teuren Prometheus, die höhnende Kraft und die stumme
Gewalt schmieden den Schuldlosen an den Marterfelsen, und all euer
Geschwätz und Gezänke kann nicht seine Wunden kühlen und seine
Fesseln zerbrechen!« So rief die Göttin, und Tränenbäche stürzten
aus ihren Augen, die ganze Versammlung heulte wie von Todes-
angst ergriffen, die Decke des Saales krachte, die Bücher taumelten
herab von ihren Brettern, vergebens trat der alte Münchhausen[10]
aus seinem Rahmen hervor, um Ruhe zu gebieten, es tobte und
kreischte immer wilder – und fort aus diesem drängenden Toll-
hauslärm rettete ich mich in den historischen Saal, nach jener Gna-
denstelle, wo die heiligen Bilder des belvederischen Apolls und der
mediceischen Venus nebeneinander stehen, und ich stürzte zu den
Füßen der Schönheitsgöttin, in ihrem Anblick vergaß ich all das
wüste Treiben, dem ich entronnen, meine Augen tranken entzückt
das Ebenmaß und die ewige Lieblichkeit ihres hochgebenedeiten
Leibes, griechische Ruhe zog durch meine Seele, und über mein
Haupt, wie himmlischen Segen, goß seine süßesten Lyraklänge Phö-
bus Apollo.

Erwachend hörte ich noch immer ein freundliches Klingen. Die
Herden zogen auf die Weide, und es läuteten ihre Glöckchen. Die
liebe, goldene Sonne schien durch das Fenster und beleuchtete die

[10] Minister Frhr. v. Münchhausen (1688–1770) war der erste Kurator der Göttinger Universität.

Schildereien an den Wänden des Zimmers. Es waren Bilder aus dem Befreiungskriege, worauf treu dargestellt stand, wie wir alle Helden waren, dann auch Hinrichtungsszenen aus der Revolutionszeit, Ludwig XVI. auf der Guillotine und ähnliche Kopfabschneidereien, die man gar nicht ansehen kann, ohne Gott zu danken, daß man ruhig im Bette liegt und guten Kaffee trinkt und den Kopf noch so recht komfortabel auf den Schultern sitzen hat.

Nachdem ich Kaffee getrunken, mich angezogen, die Inschriften auf den Fensterscheiben gelesen, und alles im Wirtshause berichtigt hatte, verließ ich Osterode.

Diese Stadt hat so und so viel Häuser, verschiedene Einwohner, worunter auch mehrere Seelen, wie in Gottschalks ›Taschenbuch für Harzreisende‹ genauer nachzulesen ist. Ehe ich die Landstraße einschlug, bestieg ich die Trümmer der uralten Osteroder Burg. Sie bestehen nur noch aus der Hälfte eines großen, dickmaurigen, wie von Krebsschäden angefressenen Turms. Der Weg nach Klausthal führte mich wieder bergauf, und von einer der ersten Höhen schaute ich nochmals hinab in das Tal, wo Osterode mit seinen roten Dächern aus den grünen Tannenwäldern hervorguckt wie eine Moosrose. Die Sonne gab eine gar liebe, kindliche Beleuchtung. Von der erhaltenen Turmhälfte erblickt man hier die imponierende Rückseite.

Nachdem ich eine Strecke gewandert, traf ich zusammen mit einem reisenden Handwerksburschen[11], der von Braunschweig kam und mir als ein dortiges Gerücht erzählte: der junge Herzog sei auf dem Wege nach dem gelobten Lande von den Türken gefangen wor-

[11] Das Abenteuer, das Heine hier erzählt, beruht auf einer Mystifikation, der er selbst zum Opfer gefallen. Etwa fünf Monate, nachdem die ›Harzreise‹ im ›Gesellschafter‹ veröffentlicht worden, brachte dieselbe Zeitschrift eine humoristische Erklärung, in der ein Herr Karl Dörne in Osterode sich als jener obengeschilderte Reisebegleiter Heines zu erkennen gab. Diese Erklärung lautet: »Im Herbst 1824 kehrte ich von einer Geschäftsreise von Osterode nach Klausthal zurück. Etwa auf der Hälfte des Weges traf ich mit einem jungen Manne zusammen, den ich genau beschreibe, damit er sich überzeugt, daß ich ihn wirklich damals gesehen. Er war etwa 5 Fuß 6 Zoll groß, konnte 25–27 Jahr' alt sein, hatte blondes Haar, blaue Augen, eine einnehmende Gesichtsbildung, war schlank von Gestalt, trug einen braunen Überrock, gelbe Pantalons, gestreifte Weste, schwarzes Halstuch und hatte eine grüne Kappe auf dem Kopfe und einen Tornister von grüner Wachsleinwand auf dem Rücken ... Der Fremde sah mich mit einem sardonischen Lächeln von der Seite an, nannte sich Peregrinus und sagte, er sei ein Kosmopolit, der auf Kosten des türkischen Kaisers reise, um Rekruten anzuwerben. Um Gleiches mit Gleichem zu vergelten, gab ich mich für einen Schneidergesellen aus und erzählte dem türkischen Geschäftsträger, daß der junge Landesherr auf einer Reise nach dem Gelobten Lande von den Türken gefangen sei und ein ungeheures Lösegeld bezahlen solle. Herr Peregrinus versprach, sich dieserhalb bei dem Sultan zu verwenden.«

den und könne nur gegen ein großes Lösegeld frei kommen. Die
große Reise des Herzogs mag diese Sage veranlaßt haben. Das Volk
hat noch immer den traditionell fabelhaften Ideengang, der sich so
lieblich ausspricht in seinem ›Herzog Ernst‹[12]. Der Erzähler jener
Neuigkeit war ein Schneidergesell, ein niedlicher, kleiner junger
Mensch, so dünn, daß die Sterne durchschimmern konnten, wie
durch Ossians Nebelgeister, und im ganzen eine volkstümlich ba-
rocke Mischung von Laune und Wehmut. Dieses äußerte sich besonders in der drollig rührenden Weise, womit er das wunderbare
Volkslied sang: »Ein Käfer auf dem Zaune saß; summ, summ!« Das
ist schön bei uns Deutschen; keiner ist so verrückt, daß er nicht
einen noch Verrückteren fände, der ihn versteht. Nur ein Deutscher
kann jenes Lied nachempfinden und sich dabei totlachen und tot-
weinen. Wie tief das Goethesche Wort ins Leben des Volks gedrungen, bemerkte ich auch hier. Mein dünner Weggenosse trillerte ebenfalls zuweilen vor sich hin: »Leidvoll und freudvoll, Gedanken
sind frei!« Solche Korruption des Textes ist beim Volke etwas Gewöhnliches. Er sang auch ein Lied, wo »Lottchen bei dem Grabe
ihres Werthers« trauert[13]. Der Schneider zerfloß vor Sentimentalität
bei den Worten: »Einsam wein' ich an der Rosenstelle, wo uns oft
der späte Mond belauscht! Jammernd irr' ich an der Silberquelle,
die uns lieblich Wonne zugerauscht.« Aber bald darauf ging er in
Mutwillen über und erzählte mir: »Wir haben einen Preußen in
der Herberge zu Kassel, der eben solche Lieder selbst macht; er
kann keinen seligen Stich nähen; hat er einen Groschen in der Tasche, so hat er für zwei Groschen Durst, und wenn er im Tran ist,
hält er den Himmel für ein blaues Kamisol und weint wie eine
Dachtraufe und siegt ein Lied mit der doppelten Poesie!« Von
letzterem Ausdruck wünschte ich eine Erklärung, aber mein Schnei-
derlein, mit seinen Ziegenhainer Beinchen, hüpfte hin und her und
rief beständig: »Die doppelte Poesie ist die doppelte Poesie!« Endlich
brachte ich es heraus, daß er doppelt gereimte Gedichte, namentlich
Stanzen im Sinne hatte. – Unterdes durch die große Bewegung
und durch den konträren Wind war der Ritter von der Nadel
sehr müde geworden. Er machte freilich noch einige große Anstalten
zum Gehen und bramarbasierte: »Jetzt will ich den Weg zwischen
die Beine nehmen!« doch bald klagte er, daß er sich Blasen unter
die Füße gegangen und die Welt viel zu weitläufig sei; und endlich,
bei einem Baumstamme, ließ er sich sachte niedersinken, bewegte

---

[12] Herzog Ernst von Schwaben (1007–1030) war schon gegen Ende des zwölften
Jahrhunderts der Stoff eines Heldengedichts.   [13] Das Gedicht ›Lotte bei Werthers
Grab‹ erschien zuerst, Wahlheim 1775, als fliegendes Blatt.

sein zartes Häuptlein wie ein betrübtes Lämmerschwänzchen, und wehmütig lächelnd rief er: »Da bin ich armes Schindluderchen schon wieder marode!«

Die Berge wurden hier noch steiler, die Tannenwälder wogten unten wie ein grünes Meer, und am blauen Himmel oben schifften die weißen Wolken. Die Wildheit der Gegend war durch ihre Einheit und Einfachheit gleichsam gezähmt. Wie ein guter Dichter, liebt die Natur keine schroffen Übergänge. Die Wolken, so bizarr gestaltet sie auch zuweilen erscheinen, tragen ein weißes, oder doch ein mildes, mit dem blauen Himmel und der grünen Erde harmonisch korrespondierendes Kolorit, so daß alle Farben einer Gegend wie leise Musik ineinander schmelzen und jeder Naturanblick krampfstillend und gemütberuhigend wirkt. – Der selige Hoffmann[14] würde die Wolken buntscheckig bemalt haben. – Eben wie ein großer Dichter, weiß die Natur auch mit den wenigsten Mitteln die größten Effekte hervorzubringen. Da sind nur eine Sonne, Bäume, Blumen, Wasser und Liebe. Freilich, fehlt letztere im Herzen des Beschauers, so mag das Ganze wohl einen schlechten Anblick gewähren, und die Sonne hat dann bloß so und so viel Meilen im Durchmesser, und die Bäume sind gut zum Einheizen, und die Blumen werden nach den Staubfäden klassifiziert, und das Wasser ist naß.

Ein kleiner Junge, der für seinen kranken Oheim im Walde Reisig suchte, zeigte mir das Dorf Lerbach, dessen kleine Hütten mit grauen Dächern sich über eine halbe Stunde durch das Tal hinziehen. »Dort«, sagte er, »wohnen dumme Kropfleute und weiße Mohren« – mit letzterem Namen werden die Albinos vom Volke benannt. Der kleine Junge stand mit den Bäumen in gar eigenem Einverständnis; er grüßte sie wie gute Bekannte, und sie schienen rauschend seinen Gruß zu erwidern. Er pfiff wie ein Zeisig, ringsum antworteten zwitschernd die andern Vögel, und ehe ich mich dessen versah, war er mit seinen nackten Füßchen und seinem Bündel Reisig ins Walddickicht fortgesprungen. Die Kinder, dacht' ich, sind jünger als wir, können sich noch erinnern, wie sie ebenfalls Bäume oder Vögel waren, und sind also noch im stande, dieselben zu verstehen; unsereins aber ist schon alt und hat zu viel Sorgen, Jurisprudenz und schlechte Verse im Kopf. Jene Zeit, wo es anders war, trat mir bei meinem Eintritt in Klausthal wieder recht lebhaft ins Gedächtnis. In dieses nette Bergstädtchen, welches man nicht früher erblickt, als bis man davor steht, gelangte ich, als eben die Glocke zwölf

[14] Der Dichter E. T. A. Hoffmann war in seinen Versuchen als Maler ebenso phantastisch wie in seinen poetischen Schöpfungen.

schlug. und die Kinder jubelnd aus der Schule kamen. Die lieben Knaben, fast alle rotbäckig, blauäugig und flachshaarig, sprangen und jauchzten, und weckten in mir die wehmütig heitere Erinnerung, wie ich einst selbst, als ein kleines Bübchen, in einer dumpf-katholischen Klosterschule zu Düsseldorf[15] den ganzen lieben Vormittag von der hölzernen Bank nicht aufstehen durfte, und so viel Latein, Prügel und Geographie ausstehen mußte, und dann ebenfalls unmäßig jauchzte und jubelte, wenn die alte Franziskanerglocke endlich zwölf schlug. Die Kinder sahen an meinem Ranzen, daß ich ein Fremder sei, und grüßten mich recht gastfreundlich. Einer der Knaben erzählte mir, sie hätten eben Religionsunterricht gehabt, und er zeigte mir den Königl. Hannöv. Katechismus, nach welchem man ihnen das Christentum abfragt. Dieses Büchlein war sehr schlecht gedruckt, und ich fürchte, die Glaubenslehren machen dadurch schon gleich einen unerfreulich löschpapierigen Eindruck auf die Gemüter der Kinder; wie es mir denn auch erschrecklich mißfiel, daß das Einmaleins, welches doch mit der heiligen Dreiheitslehre bedenklich kollidiert, im Katechismus selbst, und zwar auf dem letzten Blatte desselben, abgedruckt ist und die Kinder dadurch schon frühzeitig zu sündhaften Zweifeln verleitet werden können. Da sind wir im Preußischen viel klüger, und bei unserem Eifer zur Bekehrung jener Leute, die sich so gut aufs Rechnen verstehen, hüten wir uns wohl, das Einmaleins hinter dem Katechismus abdrucken zu lassen.

In der »Krone« zu Klausthal hielt ich Mittag. Ich bekam frühlingsgrüne Petersiliensuppe, veilchenblauen Kohl, einen Kalbsbraten, groß wie der Chimborazo in Miniatur, sowie auch eine Art geräucherter Heringe, die Bückinge heißen, nach dem Namen ihres Erfinders, Wilhelm Bücking, der 1447 gestorben, und um jener Erfindung willen von Karl V. so verehrt wurde, daß derselbe anno 1556 von Middelburg nach Bievlied in Seeland reiste, bloß um dort das Grab dieses großen Mannes zu sehen. Wie herrlich schmeckt doch solch ein Gericht, wenn man die historischen Notizen dazu weiß und es selbst verzehrt! Nur der Kaffee nach Tische wurde mir verleidet, indem sich ein junger Mensch diskursierend zu mir setzte und so entsetzlich schwadronierte, daß die Milch auf dem Tische sauer wurde. Es war ein junger Handlungsbeflissener mit fünfundzwanzig bunten Westen und ebensoviel goldenen Petschaften, Ringen, Brustnadeln usw. Er sah aus wie ein Affe, der eine rote Jacke angezogen hat und nun zu sich selber sagt: Kleider machen Leute. Eine ganze Menge Scharaden wußte er auswendig sowie auch

[15] Heine trat im Alter von 10 Jahren in das Düsseldorfer Lyceum ein.

Anekdoten, die er immer da anbrachte, wo sie am wenigsten paß-
ten. Er fragte mich, was es in Göttingen Neues gäbe, und ich erzählte ihm: daß vor meiner Abreise von dort ein Dekret des akademischen Senats erschienen, worin bei drei Taler Strafe verboten
wird, den Hunden die Schwänze abzuschneiden, indem die tollen
Hunde in den Hundstagen die Schwänze zwischen den Beinen tragen und man sie dadurch von den nichttollen unterscheidet, was
doch nicht geschehen könnte, wenn sie gar keine Schwänze haben. –
Nach Tische machte ich mich auf den Weg, die Gruben, die Silberhütten und die Münze zu besuchen.

In den Silberhütten habe ich, wie oft im Leben, den Silberblick
verfehlt. In der Münze traf ich es schon besser und konnte zusehen,
wie das Geld gemacht wird. Freilich, weiter hab' ich es auch nie
bringen können. Ich hatte bei solcher Gelegenheit immer das Zusehen, und ich glaube, wenn mal die Taler vom Himmel herunter
regneten, so bekäme ich davon nur Löcher in den Kopf, während
die Kinder Israel die silberne Manna mit lustigem Mute einsam-
meln würden. Mit einem Gefühle, worin gar komisch Ehrfurcht und
Rührung gemischt waren, betrachtete ich die neugebornen blanken
Taler, nahm einen, der eben vom Prägstocke kam, in die Hand
und sprach zu ihm: junger Taler! welche Schicksale erwarten dich!
wieviel Gutes und wieviel Böses wirst du stiften! wie wirst du das
Laster beschützen und die Tugend flicken, wie wirst du geliebt und
dann wieder verwünscht werden! wie wirst du schwelgen, kuppeln,
lügen und morden helfen! wie wirst du rastlos umherirren, durch
reine und schmutzige Hände, jahrhundertelang, bis du endlich,
schuldbeladen und sündenmüd', versammelt wirst zu den Deinigen
im Schoße Abrahams, der dich einschmelzt und läutert und umbil-
det zu einem neuen besseren Sein.

Das Befahren der zwei vorzüglichsten Klausthaler Gruben, der
»Dorothea« und »Karolina«, fand ich sehr interessant, und ich
muß ausführlich davon erzählen.

Eine halbe Stunde vor der Stadt gelangt man zu zwei großen
schwärzlichen Gebäuden. Dort wird man gleich von den Bergleuten
in Empfang genommen. Diese tragen dunkle, gewöhnlich stahl-
blaue, weite, bis über den Bauch herabhängende Jacken, Hosen von
ähnlicher Farbe, ein hinten aufgebundenes Schurzfell und kleine
grüne Filzhüte, ganz randlos, wie ein abgekappter Kegel. In eine
solche Tracht, bloß ohne Hinterleder, wird der Besuchende ebenfalls eingekleidet, und ein Bergmann, ein Steiger, nachdem er sein
Grubenlicht angezündet, führt ihn nach einer dunklen Öffnung, die
wie ein Kaminfegeloch aussieht, steigt bis an die Brust hinab, gibt

Regeln, wie man sich an den Leitern festzuhalten habe, und bittet angstlos zu folgen. Die Sache selbst ist nichts weniger als gefährlich; aber man glaubt es nicht im Anfang, wenn man gar nichts vom Bergwerkswesen versteht. Es gibt schon eine eigene Empfindung, daß man sich ausziehen und die dunkle Delinquententracht anziehen muß. Und nun soll man auf allen vieren hinab klettern, und das dunkle Loch ist so dunkel, und Gott weiß, wie lang die Leiter sein mag. Aber bald merkt man doch, daß es nicht eine einzige, in die schwarze Ewigkeit hinablaufende Leiter ist, sondern daß es mehrere von fünfzehn bis zwanzig Sprossen sind, deren jede auf ein kleines Brett führt, worauf man stehen kann und worin wieder ein neues Loch nach einer neuen Leiter hinableitet. Ich war zuerst in die Karolina gestiegen. Das ist die schmutzigste und unerfreulichste Karolina, die ich je kennen gelernt habe. Die Leitersprossen sind kotig naß. Und von einer Leiter zur andern geht's hinab, und der Steiger voran, und dieser beteuert immer: es sei gar nicht gefährlich, nur müsse man sich mit den Händen fest an den Sprossen halten und nicht nach den Füßen sehen und nicht schwindlicht werden und nur beileibe nicht auf das Seitenbrett treten, wo jetzt das schnurrende Tonnenseil heraufgeht und wo vor vierzehn Tagen ein unvorsichtiger Mensch hinunter gestürzt und leider den Hals gebrochen. Da unten ist ein verworrenes Rauschen und Summen, man stößt beständig an Balken und Seile, die in Bewegung sind, um die Tonnen mit geklopften Erzen oder das hervorgesinterte Wasser herauf zu winden. Zuweilen gelangt man auch in durchgehauene Gänge, Stollen genannt, wo man das Erz wachsen sieht, und wo der einsame Bergmann den ganzen Tag sitzt und mühsam mit dem Hammer die Erzstücke aus der Wand heraus klopft. Bis in die unterste Tiefe, wo man, wie einige behaupten, schon hören kann, wie die Leute in Amerika »Hurra Lafayette!« schreien[16], bin ich nicht gekommen; unter uns gesagt, dort, bis wohin ich kam, schien es mir bereits tief genug: — immerwährendes Brausen und Sausen, unheimliche Maschinenbewegung, unterirdisches Quellengeriesel, von allen Seiten herabtriefendes Wasser, qualmig aufsteigende Erddünste, und das Grubenlicht immer bleicher hinein flimmernd in die einsame Nacht. Wirklich, es war betäubend, das Atmen wurde mir schwer, und mit Mühe hielt ich mich an den glitschrigen Leitersprossen. Ich habe keinen Anflug von sogenannter Angst empfunden,

---

[16] Der französische General Marquis Lafayette folgte 1824 einer Einladung des Kongresses der Vereinigten Staaten von Nordamerika und wurde als ›Gast der Nation‹ und Helfer im Unabhängigkeitskrieg gegen England mit großer Auszeichnung empfangen.

aber, seltsam genug, dort unten in der Tiefe erinnerte ich mich, daß ich im vorigen Jahre, ungefähr um dieselbe Zeit, einen Sturm auf der Nordsee erlebte, und ich meinte jetzt, es sei doch recht traulich angenehm, wenn das Schiff hin und her schaukelt, die Winde ihre Trompetenstückchen losblasen, zwischendrein der lustige Matrosenlärmen erschallt und alles frisch überschauert wird von Gottes lieber, freier Luft. Ja, Luft! – Nach Luft schnappend stieg ich einige Dutzend Leitern wieder in die Höhe, und mein Steiger führte mich durch einen schmalen, sehr langen, in den Berg gehauenen Gang nach der Grube Dorothea. Hier ist es luftiger und frischer, und die Leitern sind reiner, aber auch länger und steiler als in der Karolina. Hier wurde mir auch besser zu Mute, besonders da ich wieder Spuren lebendiger Menschen gewahrte. In der Tiefe zeigten sich nämlich wandelnde Schimmer; Bergleute mit ihren Grubenlichtern kamen allmählich in die Höhe mit dem Gruße »Glückauf!« und mit demselben Widergruße von unserer Seite stiegen sie an uns vorüber; und wie eine befreundet ruhige und doch zugleich quälend rätselhafte Erinnerung trafen mich, mit ihren tiefsinnig klaren Blicken, die ernstfrommen, etwas blassen und vom Grubenlicht geheimnisvoll beleuchteten Gesichter dieser jungen und alten Männer, die in ihren dunkeln, einsamen Bergschachten den ganzen Tag gearbeitet hatten und sich jetzt hinauf sehnten nach dem lieben Tageslicht, und nach den Augen von Weib und Kind.

Mein Cicerone selbst war eine kreuzehrliche, pudeldeutsche Natur. Mit innerer Freudigkeit zeigte er mir jene Stolle, wo der Herzog von Cambridge, als er die Grube befahren, mit seinem ganzen Gefolge gespeist hat, und wo noch der lange hölzerne Speisetisch steht, sowie auch der große Stuhl von Erz, worauf der Herzog gesessen. Dieser bleibe zum ewigen Andenken stehen, sagte der gute Bergmann, und mit Feuer erzählte er: wie viele Festlichkeiten damals stattgefunden, wie der ganze Stollen mit Lichtern, Blumen und Laubwerk verziert gewesen, wie ein Bergknappe die Zither gespielt und gesungen, wie der vergnügte, liebe, dicke Herzog sehr viele Gesundheiten ausgetrunken habe und wie viele Bergleute und er selbst ganz besonders sich gern würden totschlagen lassen für den lieben, dicken Herzog und das ganze Haus Hannover. – Innig rührt es mich jedesmal, wenn ich sehe, wie sich dieses Gefühl der Untertanstreue in seinen einfachen Naturlauten ausspricht. Es ist ein so schönes Gefühl! Und es ist ein so wahrhaft deutsches Gefühl! Andere Völker mögen gewandter sein und witziger und ergötzlicher, aber keines ist so treu wie das treue deutsche Volk. Wüßte ich nicht, daß die Treue so alt ist wie die Welt, so würde ich

glauben, ein deutsches Herz habe sie erfunden. Deutsche Treue! sie
ist keine moderne Adressenfloskel. An euren Höfen, ihr deutschen
Fürsten, sollte man singen und wieder singen das Lied von dem
getreuen Eckart von dem bösen Burgund, der ihm die lieben Kinder
töten lassen und ihn alsdann doch noch immer treu befunden hat.
Ihr habt das treueste Volk, und ihr irrt, wenn ihr glaubt, der alte,
verständige, treue Hund sei plötzlich toll geworden, und schnappe
nach euern geheiligten Waden.

Wie die deutsche Treue, hatte uns jetzt das kleine Grubenlicht,
ohne viel Geflacker, still und sicher geleitet durch das Labyrinth
der Schachten und Stollen; wir stiegen hervor aus der dumpfigen
Bergnacht, das Sonnenlicht strahlt' – Glück auf!

Die meisten Bergarbeiter wohnen in Klausthal und in dem damit
verbundenen Bergstädtchen Zellerfeld. Ich besuchte mehrere dieser
wackern Leute, betrachtete ihre kleine häusliche Einrichtung, hörte
einige ihrer Lieder, die sie mit der Zither, ihrem Lieblingsinstru-
mente, gar hübsch begleiten, ließ mir alte Bergmärchen von ihnen
erzählen und auch die Gebete hersagen, die sie in Gemeinschaft zu
halten pflegen, ehe sie in den dunkeln Schacht hinunter steigen, und
manches gute Gebet habe ich mit gebetet. Ein alter Steiger meinte
sogar, ich sollte bei ihnen bleiben und Bergmann werden; und als
ich dennoch Abschied nahm, gab er mir einen Auftrag an seinen
Bruder, der in der Nähe von Goslar wohnt, und viele Küsse für
seine liebe Nichte.

So stillstehend ruhig auch das Leben dieser Leute erscheint, so ist
es dennoch ein wahrhaftes, lebendiges Leben. Die steinalte, zit-
ternde Frau, die, dem großen Schranke gegenüber, hinterm Ofen
saß, mag dort schon ein Vierteljahrhundert lang gesessen haben,
und ihr Denken und Fühlen ist gewiß innig verwachsen mit allen
Ecken dieses Ofens und allen Schnitzeleien dieses Schrankes. Und
Schrank und Ofen leben, denn ein Mensch hat ihnen einen Teil
seiner Seele eingeflößt.

Nur durch solch tiefes Anschauungsleben, durch die »Unmittelbarkeit« entstand die deutsche Märchenfabel, deren Eigentümlich-
keit darin besteht, daß nicht nur die Tiere und Pflanzen, sondern
auch ganz leblos scheinende Gegenstände sprechen und handeln.
Sinnigem, harmlosen Volke, in der stillen, umfriedeten Heimlichkeit seiner niedern Berg- oder Waldhütten offenbarte sich das innere
Leben solcher Gegenstände, diese gewannen einen notwendigen,
konsequenten Charakter, eine süße Mischung von phantastischer
Laune und rein menschlicher Gesinnung; und so sehen wir im Märchen, wunderbar und doch als wenn es sich von selbst verstände:

Nähnadel und Stecknadel kommen von der Schneiderherberge und verirren sich im Dunkeln; Strohhalm und Kohle wollen über den Bach setzen und verunglücken; Schippe und Besen stehen auf der Treppe und zanken und schmeißen sich; der befragte Spiegel zeigt das Bild der schönsten Frau; sogar die Blutstropfen fangen an zu sprechen, bange, dunkle Worte des besorglichsten Mitleids[17]. – Aus demselben Grunde ist unser Leben in der Kindheit so unendlich bedeutend, in jener Zeit ist uns alles gleich wichtig, wir hören alles, wir sehen alles, bei allen Eindrücken ist Gleichmäßigkeit, statt daß wir späterhin absichtlicher werden, uns mit dem Einzelnen ausschließlicher beschäftigen, das klare Gold der Anschauung für das Papiergeld der Bücherdefinitionen mühsam einwechseln und an Lebensbreite gewinnen, was wir an Lebenstiefe verlieren. Jetzt sind wir ausgewachsene, vornehme Leute; wir beziehen oft neue Wohnungen, die Magd räumt täglich auf und verändert nach Gutdünken die Stellung der Möbeln, die uns wenig interessieren, da sie entweder neu sind oder heute dem Hans, morgen dem Isaak gehören; selbst unsere Kleider bleiben uns fremd, wir wissen kaum, wieviel Knöpfe an dem Rocke sitzen, den wir eben jetzt auf dem Leibe tragen; wir wechseln ja so oft als möglich mit Kleidungsstücken, keines derselben bleibt im Zusammenhange mit unserer inneren und äußeren Geschichte; – kaum vermögen wir uns zu erinnern, wie jene braune Weste aussah, die uns einst so viel Gelächter zugezogen hat und auf deren breiten Streifen dennoch die liebe Hand der Geliebten so lieblich ruhte!

Die alte Frau, dem großen Schrank gegenüber, hinterm Ofen, trug einen geblümten Rock von verschollenem Zeuge, das Brautkleid ihrer seligen Mutter. Ihr Urenkel, ein als Bergmann gekleideter, blonder, blitzäugiger Knabe, saß zu ihren Füßen und zählte die Blumen ihres Rockes, und sie mag ihm von diesem Rocke wohl schon viele Geschichtchen erzählt haben, viele ernsthafte, hübsche Geschichten, die der Junge gewiß nicht so bald vergißt, die ihm noch oft vorschweben werden, wenn er bald, als ein erwachsener Mann, in den nächtlichen Stollen der Karolina einsam arbeitet, und die er vielleicht wieder erzählt, wenn die liebe Großmutter längst tot ist und er selber, ein silberhaariger, erloschener Greis, im Kreise seiner Enkel sitzt, dem großen Schranke gegenüber, hinterm Ofen.

Ich blieb die Nacht ebenfalls in der Krone, wo unterdessen auch der Hofrat B.[18] aus Göttingen angekommen war. Ich hatte das Ver-

---

[17] Sämtliche Beispiele sind aus den ›Kinder- und Hausmärchen‹ der Brüder Grimm entlehnt. [18] Professor F. W. Bouterwek (1766–1828), der bekannte Literarhistoriker, der Heine freundschaftlich zugetan war.

gnügen, dem alten Herrn meine Aufwartung zu machen. Als ich mich ins Fremdenbuch einschrieb und im Monat Juli blätterte, fand ich auch den vielteuern Namen Adalbert von Chamisso, den Biographen des unsterblichen Schlemihl. Der Wirt erzählte mir: dieser Herr sei in einem unbeschreibbar schlechten Wetter angekommen und in einem ebenso schlechten Wetter wieder abgereist.

Den andern Morgen mußte ich meinen Ranzen nochmals erleichtern, das eingepackte Paar Stiefel warf ich über Bord, und ich hob auf meine Füße und ging nach Goslar. Ich kam dahin, ohne zu wissen wie. Nur so viel kann ich mich erinnern: ich schlenderte wieder bergauf, bergab; schaute hinunter in manches hübsche Wiesental; silberne Wasser brausten, süße Waldvögel zwitscherten, die Herdenglöckchen läuteten, die mannigfaltig grünen Bäume wurden von der lieben Sonne goldig angestrahlt, und oben war die blauseidene Decke des Himmels so durchsichtig, daß man tief hinein schauen konnte, bis ins Allerheiligste, wo die Engel zu den Füßen Gottes sitzen und in den Zügen seines Antlitzes den Generalbaß studieren. Ich aber lebte noch in dem Traum der vorigen Nacht, den ich nicht aus meiner Seele verscheuchen konnte. Es war das alte Märchen, wie ein Ritter hinab steigt in einen tiefen Brunnen, wo unten die schönste Prinzessin zu einem starren Zauberschlafe verwünscht ist. Ich selbst war der Ritter und der Brunnen die dunkle Klausthaler Grube, und plötzlich erschienen viele Lichter, aus allen Seitenlöchern stürzten die wachsamen Zwerglein, schnitten zornige Gesichter, hieben nach mir mit ihren kurzen Schwertern, bliesen gellend ins Horn, daß immer mehr und mehre herzu eilten, und es wackelten entsetzlich ihre breiten Häupter. Wie ich darauf zuschlug und das Blut herausfloß, merkte ich erst, daß es die rotblühenden, langbärtigen Distelköpfe waren, die ich den Tag vorher an der Landstraße mit dem Stocke abgeschlagen hatte. Da waren sie auch gleich alle verscheucht, und ich gelangte in einen hellen Prachtsaal; in der Mitte stand, weiß verschleiert, und wie eine Bildsäule starr und regungslos, die Herzgeliebte, und ich küßte ihren Mund, und, beim lebendigen Gott! ich fühlte den beseeligenden Hauch ihrer Seele und das süße Beben der lieblichen Lippen. Es war mir, als hörte ich, wie Gott rief: »Es werde Licht!« blendend schoß herab ein Strahl des ewigen Lichts; aber in demselben Augenblick wurde es wieder Nacht, und alles rann chaotisch zusammen in ein wildes, wüstes Meer. Ein wildes, wüstes Meer! über das gärende Wasser jagten ängstlich die Gespenster der Verstorbenen, ihre weißen Totenhemde flatterten im Winde, hinter ihnen her, hetzend, mit klatschender Peitsche lief ein buntscheckiger Harlekin, und dieser war ich selbst – und plötzlich aus den dunkeln Wellen reckten die Meer-Ungetüme ihre mißgestalteten Häupter und langten nach mir mit ausgebreiteten Krallen, und vor Entsetzen erwacht' ich.

Wie doch zuweilen die allerschönsten Märchen verdorben werden! Eigentlich muß der Ritter, wenn er die schlafende Prinzessin gefunden hat, ein Stück aus ihrem kostbaren Schleier herausschneiden; und wenn durch seine Kühnheit ihr Zauberschlaf gebrochen ist und sie wieder in ihrem Palast auf dem goldenen Stuhle sitzt, muß der Ritter zu ihr treten und sprechen: Meine allerschönste Prinzessin, kennst du mich? Und dann antwortet sie: Mein allertapferster Ritter, ich kenne dich nicht. Und dieser zeigt ihr alsdann das aus ihrem Schleier herausgeschnittene Stück, das just in denselben wieder hineinpaßt, und beide umarmen sich zärtlich, und die Trompeter blasen, und die Hochzeit wird gefeiert.

Es ist wirklich ein eigenes Mißgeschick, daß meine Liebesträume selten ein so schönes Ende nehmen.

Der Name Goslar klingt so erfreulich, und es knüpfen sich daran so viele uralte Kaisererinnerungen, daß ich eine imposante, stattliche Stadt erwartete. Aber so geht es, wenn man die Berühmten in der Nähe besieht! Ich fand ein Nest mit meistens schmalen, labyrinthisch krummen Straßen, allwo mittendurch ein kleines Wasser, wahrscheinlich die Gose, fließt, verfallen und dumpfig, und ein Pflaster, so holprig wie Berliner Hexameter. Nur die Altertümlichkeiten der Einfassung, nämlich Reste von Mauern, Türmen und Zinnen, geben der Stadt etwas Pikantes. Einer dieser Türme, der Zwinger genannt, hat so dicke Mauern, daß ganze Gemächer darin ausgehauen sind. Der Platz vor der Stadt, wo der weitberühmte Schützenhof gehalten wird, ist eine schöne große Wiese, ringsum hohe Berge. Der Markt ist klein, in der Mitte steht ein Springbrunnen, dessen Wasser sich in ein großes Metallbecken ergießt. Bei Feuersbrünsten wird einigemal daran geschlagen; es gibt dann einen weitschallenden Ton. Man weiß nichts vom Ursprunge dieses Beckens. Einige sagen, der Teufel habe es einst zur Nachtzeit dort auf den Markt hingestellt. Damals waren die Leute noch dumm, und der Teufel war auch dumm, und sie machten sich wechselseitig Geschenke.

Das Rathaus zu Goslar ist eine weiß angestrichene Wachtstube. Das daneben stehende Gildenhaus hat schon ein besseres Ansehen. Ungefähr von der Erde und vom Dach gleich weit entfernt stehen da die Standbilder deutscher Kaiser, räucherig schwarz und zum Teil vergoldet, in der einen Hand das Zepter, in der andern die Weltkugel; sehen aus wie gebratene Universitätspedelle. Einer dieser Kaiser hält ein Schwert statt des Zepters. Ich konnte nicht erraten, was dieser Unterschied sagen soll; und es hat doch gewiß seine Bedeutung, da die Deutschen die merkwürdige Gewohnheit haben, daß sie bei allem, was sie tun, sich auch etwas denken.

In Gottschalks ›Handbuch‹ hatte ich von dem uralten Dom und von dem berühmten Kaiserstuhl[19] zu Goslar viel gelesen. Als ich aber beides besehen wollte, sagte man mir: der Dom sei niedergerissen[20] und der Kaiserstuhl nach Berlin gebracht worden. Wir leben in einer bedeutungsschweren Zeit: tausendjährige Dome werden abgebrochen und Kaiserstühle in die Rumpelkammer geworfen.

Einige Merkwürdigkeiten des seligen Doms sind jetzt in der Stephanskirche aufgestellt. Glasmalereien, die wunderschön sind, einige schlechte Gemälde, worunter auch ein Lukas Cranach sein soll, ferner ein hölzerner Christus am Kreuz und ein heidnischer Opferaltar aus unbekanntem Metall; er hat die Gestalt einer länglich viereckigen Lade und wird von vier Karyatiden getragen, die, in geduckter Stellung, die Hände stützend über dem Kopfe halten und unerfreulich häßliche Gesichter schneiden. Indessen noch unerfreulicher ist das dabeistehende, schon erwähnte große hölzerne Kruzifix. Dieser Christuskopf mit natürlichen Haaren und Dornen und blutbeschmiertem Gesichte zeigt freilich höchst meisterhaft das Hinsterben eines Menschen, aber nicht eines gottgebornen Heilands. Nur das materielle Leiden ist in dieses Gesicht hineingeschnitzelt, nicht die Poesie des Schmerzes. Solch Bild gehört eher in einen anatomischen Lehrsaal als in ein Gotteshaus.

Ich logierte in einem Gasthofe nahe dem Markte, wo mir das Mittagessen noch besser geschmeckt haben würde, hätte sich nur nicht der Herr Wirt mit seinem langen, überflüssigen Gesichte und seinen langweiligen Fragen zu mir hingesetzt; glücklicherweise ward ich bald erlöst durch die Ankunft eines andern Reisenden, der dieselben Fragen in derselben Ordnung aushalten mußte: quis? quid? ubi? quibus auxiliis? cur? quomodo? quando? Dieser Fremde war ein alter, müder, abgetragener Mann, der, wie aus seinen Reden hervorging, die ganze Welt durchwandert, besonders lang auf Batavia gelebt, viel Geld erworben und wieder alles verloren hatte, und jetzt, nach dreißigjähriger Abwesenheit, nach Quedlinburg, seiner Vaterstadt, zurückkehrte, – »denn«, setzte er hinzu, »unsere Familie hat dort ihr Erbbegräbnis.« Der Herr Wirt machte die sehr aufgeklärte Bemerkung: daß es doch für die Seele gleichgültig sei, wo unser Leib begraben wird. »Haben Sie es schriftlich?« antwortete der Fremde, und dabei zogen sich unheimlich schlaue Ringe um seine

[19] Der Kaiserstuhl wurde von Prinz Karl von Preußen erworben und geschenkweise der Stadt Goslar rückerstattet. [20] 1820 abgerissen.

kümmerlichen Lippen und verblichenen Äugelein. »Aber«, setzte er ängstlich begütigend hinzu, »ich will darum über fremde Gräber doch nichts Böses gesagt haben; – die Türken begraben ihre Toten noch weit schöner als wir, ihre Kirchhöfe sind ordentlich Gärten, und da sitzen sie auf ihren weißen, beturbanten Grabsteinen, unter dem Schatten einer Zypresse, und streichen ihre ernsthaften Bärte und rauchen ruhig ihren türkischen Tabak aus ihren langen türkischen Pfeifen; – und bei den Chinesen gar ist es eine ordentliche Lust zuzusehen, wie sie auf den Ruhestätten ihrer Toten manierlich herumtänzeln und beten und Tee trinken und die Geige spielen und die geliebten Gräber gar hübsch zu verzieren wissen mit allerlei vergoldetem Lattenwerk, Porzellanfigürchen, Fetzen von buntem Seidenzeug, künstlichen Blumen und farbigen Laternchen – alles sehr hübsch – wie weit hab' ich noch bis Quedlinburg?«

Der Kirchhof in Goslar hat mich nicht sehr angesprochen. Desto mehr aber jenes wunderschöne Lockenköpfchen, das bei meiner Ankunft in der Stadt aus einem etwas hohen Parterrefenster lächelnd herausschaute. Nach Tische suchte ich wieder das liebe Fenster; aber jetzt stand dort nur ein Wasserglas mit weißen Glockenblümchen. Ich kletterte hinauf, nahm die artigen Blümchen aus dem Glase, steckte sie ruhig auf meine Mütze und kümmerte mich wenig um die aufgesperrten Mäuler, versteinerten Nasen und Glotzaugen, womit die Leute auf der Straße, besonders die alten Weiber, diesem qualifizierten Diebstahle zusahen. Als ich eine Stunde später an demselben Hause vorbeiging, stand die Holde am Fenster, und wie sie die Glockenblümchen auf meiner Mütze gewahrte, wurde sie blutrot und stürzte zurück. Ich hatte jetzt das schöne Antlitz noch genauer gesehen; es war eine süße, durchsichtige Verkörperung von Sommerabendhauch, Mondschein, Nachtigallenlaut und Rosenduft. – Später, als es ganz dunkel geworden, trat sie vor die Türe. Ich kam – ich näherte mich – sie zieht sich langsam zurück in den dunkeln Hausflur – ich fasse sie bei der Hand und sage: »ich bin ein Liebhaber von schönen Blumen und Küssen, und was man mir nicht freiwillig gibt, das stehle ich« – und ich küßte sie rasch – und wie sie entfliehen will, flüstere ich beschwichtigend: »morgen reis' ich fort und komme wohl nie wieder« – und ich fühle den geheimen Widerdruck der lieblichen Lippen und der kleinen Hände – und lachend eile ich von hinnen. Ja, ich muß lachen, wenn ich bedenke, daß ich unbewußt jene Zauberformel ausgesprochen, wodurch unsere Rot- und Blauröcke, öfter als durch ihre schnurrbärtige Liebenswürdigkeit, die Herzen der Frauen bezwingen: »Ich reise morgen fort und komme wohl nie wieder!«

Mein Logis gewährte eine herrliche Aussicht nach dem Rammels-berg. Es war ein schöner Abend. Die Nacht jagte auf ihrem schwarzen Rosse, und die langen Mähnen flatterten im Winde. Ich stand am Fenster und betrachtet den Mond. Gibt es wirklich einen Mann im Monde? Die Slawen sagen, er heiße Chlotar, und das Wachsen des Mondes bewirke er durch Wasseraufgießen. Als ich noch klein war, hatte ich gehört: der Mond sei eine Frucht, die, wenn sie reif geworden, vom lieben Gott abgepflückt und zu den übrigen Vollmonden in den großen Schrank gelegt werde, der am Ende der Welt steht, wo sie mit Brettern zugenagelt ist. Als ich größer wurde, bemerkte ich, daß die Welt nicht so eng begrenzt ist, und daß der menschliche Geist die hölzernen Schranken durchbrochen und mit einem riesigen Petrischlüssel, mit der Idee der Unsterblichkeit, alle sieben Himmel aufgeschlossen hat. Unsterblichkeit! schöner Gedanke! wer hat dich zuerst erdacht? War es ein Nürnberger Spießbürger, der, mit weißer Nachtmütze auf dem Kopfe und weißer Tonpfeife im Maule, am lauen Sommerabend vor seiner Haustüre saß und recht behaglich meinte: es wäre doch hübsch, wenn er nun so immer fort, ohne daß sein Pfeifchen und sein Lebensatemchen ausgingen, in die liebe Ewigkeit hineinvegetieren könnte! Oder war es ein junger Liebender, der in den Armen seiner Geliebten jenen Unsterblichkeitsgedanken dachte und ihn dachte, weil er ihn fühlte, und weil er nichts anders fühlen und denken konnte! – Liebe! Unsterblichkeit! – in meiner Brust ward es plötzlich so heiß, daß ich glaubte, die Geographen hätten den Äquator verlegt, und er laufe jetzt gerade durch mein Herz. Und aus meinem Herzen ergossen sich die Gefühle der Liebe, ergossen sich sehnsüchtig in die weite Nacht. Die Blumen im Garten unter meinem Fenster dufteten stärker. Düfte sind die Gefühle der Blumen, und wie das Menschenherz in der Nacht, wo es sich einsam und unbelauscht glaubt, stärker fühlt, so scheinen auch die Blumen sinnig verschämt erst die umhüllende Dunkelheit zu erwarten, um sich gänzlich ihren Gefühlen hinzugeben und sie auszuhauchen in süßen Düften. – Ergießt euch, ihr Düfte meines Herzens! und sucht hinter jenen Bergen die Geliebte meiner Träume! Sie liegt jetzt schon und schläft; zu ihren Füßen knien Engel, und wenn sie im Schlafe lächelt, so ist es ein Gebet, das die Engel nachbeten; in ihrer Brust liegt der Himmel mit allen seinen Seligkeiten, und wenn sie atmet, so bebt mein Herz in der Ferne; hinter den seidnen Wimpern ihrer Augen ist die Sonne untergegangen, und wenn sie die Augen wieder aufschlägt, so ist es Tag, und die Vögel singen, und die Herdenglöckchen läuten, und

die Berge schimmern in ihren smaragdenen Kleidern, und ich
schnüre den Ranzen und wandre.

In jener Nacht, die ich in Goslar zubrachte, ist mir etwas höchst
Seltsames begegnet. Noch immer kann ich nicht ohne Angst daran
zurückdenken. Ich bin von Natur nicht ängstlich, aber vor Geistern
fürchte ich mich fast so sehr wie der Östreichische Beobachter[21]. Was
ist Furcht? Kommt sie aus dem Verstande oder aus dem Gemüt?
Über diese Frage disputierte ich so oft mit dem Doktor Saul Ascher[22],
wenn wir zu Berlin im Café royal, wo ich lange Zeit meinen Mit-
tagstisch hatte, zufällig zusammentrafen. Er behauptete immer: wir
fürchten etwas, weil wir es durch Vernunftschlüsse für furchtbar erkennen. Nur die Vernunft sei eine Kraft, nicht das Gemüt. Während
ich gut aß und gut trank, demonstrierte er mir fortwährend die Vorzüge der Vernunft. Gegen das Ende seiner Demonstration pflegte
er nach seiner Uhr zu sehen, und immer schloß er damit: »Die Vernunft ist das höchste Prinzip!« – Vernunft! Wenn ich jetzt dieses
Wort höre, so sehe ich noch immer den Doktor Saul Ascher mit seinen abstrakten Beinen, mit seinem engen, transzendentalgrauen
Leibrock und mit seinem schroffen, frierend kalten Gesichte, das
einem Lehrbuche der Geometrie als Kupfertafel dienen konnte. Dieser Mann, tief in den Fünfzigern, war eine personifizierte grade
Linie. In seinem Streben nach dem Positiven hatte der arme Mann
sich alles Herrliche aus dem Leben herausphilosophiert, alle Sonnenstrahlen, allen Glauben und alle Blumen, und es blieb ihm nichts
übrig, als das kalte, positive Grab. Auf den Apoll von Belvedere
und auf das Christentum hatte er eine spezielle Malice. Gegen letzteres schrieb er sogar eine Broschüre, worin er dessen Unvernünftig-
keit und Unhaltbarkeit bewies. Er hat überhaupt eine ganze Menge
Bücher geschrieben, worin immer die Vernunft von ihrer eigenen
Vortrefflichkeit renommiert, und wobei es der arme Doktor gewiß
ernsthaft genug meinte und also in dieser Hinsicht alle Achtung ver-
diente. Darin aber bestand ja eben der Hauptspaß, daß er ein so
ernsthaft närrisches Gesicht schnitt, wenn er dasjenige nicht begreifen konnte, was jedes Kind begreift, eben weil es ein Kind ist.
Einigemal besuchte ich auch den Vernunftdoktor in seinem eigenen
Hause, wo ich schöne Mädchen bei ihm fand; denn die Vernunft ver-

---

[21] ›Der österreichische Beobachter‹, offiziöses Organ der österreichischen Regierung
in den zwanziger und dreißiger Jahren, registrierte jedes Revolutiönchen.   [22] Dr.
Saul Ascher (1767–1822) in Berlin, ein Philosoph aus der Schule Kants und
literarischer Verteidiger der Emanzipation seiner jüdischen Glaubensgenossen. Die
erwähnte Broschüre führt den Titel: ›Ansicht von dem künftigen Schicksale des
Christentums.‹

bietet nicht die Sinnlichkeit. Als ich ihn einst ebenfalls besuchen wollte, sagte mir sein Bedienter: der Herr Doktor ist eben gestorben. Ich fühlte nicht viel mehr dabei, als wenn er gesagt hätte: der Herr Doktor ist ausgezogen.

Doch zurück nach Goslar. »Das höchste Prinzip ist die Vernunft!« sagte ich beschwichtigend zu mir selbst, als ich ins Bett stieg. Indessen, es half nicht. Ich hatte eben in Varnhagen von Enses ›Deutsche Erzählungen‹[23], die ich von Klausthal mitgenommen hatte, jene entsetzliche Geschichte gelesen, wie der Sohn, den sein eigener Vater ermorden wollte, in der Nacht von dem Geiste seiner toten Mutter gewarnt wird. Die wunderbare Darstellung dieser Geschichte bewirkte, daß mich während des Lesens ein inneres Grauen durchfröstelte. Auch erregen Gespenstererzählungen ein noch schauerlicheres Gefühl, wenn man sie auf der Reise liest, und zumal des Nachts, in einer Stadt, in einem Hause, in einem Zimmer, wo man noch nie gewesen. Wieviel Gräßliches mag sich schon zugetragen haben auf diesem Flecke, wo du eben liegst? so denkt man unwillkürlich. Überdies schien jetzt der Mond so zweideutig ins Zimmer herein, an der Wand bewegten sich allerlei unberufene Schatten, und als ich mich im Bett aufrichtete, um hinzusehen, erblickte ich –

Es gibt nichts Unheimlicheres, als wenn man bei Mondschein das eigene Gesicht zufällig im Spiegel sieht. In demselben Augenblicke schlug eine schwerfällige, gähnende Glocke, und zwar so lang und langsam, daß ich nach dem zwölften Glockenschlage sicher glaubte, es seien unterdessen volle zwölf Stunden verflossen, und es müßte wieder von vorn anfangen, zwölf zu schlagen. Zwischen dem vorletzten und letzten Glockenschlage schlug noch eine andere Uhr, sehr rasch, fast keifend gell, und vielleicht ärgerlich über die Langsamkeit ihrer Frau Gevatterin. Als beide eiserne Zungen schwiegen und tiefe Todesstille im ganzen Hause herrschte, war es mir plötzlich, als hörte ich auf dem Korridor vor meinem Zimmer etwas schlottern und schlappen, wie der unsichere Gang eines alten Mannes. Endlich öffnete sich meine Tür, und langsam trat herein der verstorbene Doktor Saul Ascher. Ein kaltes Fieber rieselte mir durch Mark und Bein, ich zitterte wie Espenlaub, und kaum wagte ich das Gespenst anzusehen. Er sah aus wie sonst, derselbe transzendentalgraue Leibrock, dieselben abstrakten Beine und dasselbe mathematische Gesicht; nur war dieses etwas gelblicher als sonst, auch der Mund, der sonst zwei Winkel von $22\frac{1}{2}$ Grad bildete, war zusam-

---

[23] Varnhagen van Ense (1785–1858), Karl August, zeit seines Lebens mit Heine befreundeter Schriftsteller, führend im ›Jungen Deutschland‹. Die erwähnte Erzählung heißt: ›Das warnende Gespenst.‹

mengekniffen, und die Augenkreise hatten einen größern Radius. Schwankend und wie sonst sich auf sein spanisches Röhrchen stützend, näherte er sich mir, und in seinem gewöhnlichen mundfaulen Dialekte sprach er freundlich: »Fürchten Sie sich nicht, und glauben Sie nicht, daß ich ein Gespenst sei. Es ist Täuschung Ihrer Phantasie, wenn Sie mich als Gespenst zu sehen glauben. Was ist ein Gespenst? Geben Sie mir eine Definition. Deduzieren Sie mir die Bedingungen der Möglichkeit eines Gespenstes. In welchem vernünftigen Zusammenhange stände eine solche Erscheinung mit der Vernunft? Die Vernunft, ich sage die Vernunft –« Und nun schritt das Gespenst zu einer Analyse der Vernunft, zitierte Kants ›Kritik der reinen Vernunft‹, 2. Teil, 1. Abschnitt, 2. Buch, 3. Hauptstück[24], die Unterscheidung von Phänomena und Noumena, konstruierte alsdann den problematischen Gespensterglauben, setzte einen Syllogismus[25] auf den andern und schloß mit dem logischen Beweise: daß es durchaus keine Gespenster gibt. Mir unterdessen lief der kalte Schweiß über den Rücken, meine Zähne klapperten wie Kastagnetten, aus Seelenangst nickte ich unbedingte Zustimmung bei jedem Satz, womit der spukende Doktor die Absurdität aller Gespensterfurcht bewies, und derselbe demonstrierte so eifrig, daß er einmal in der Zerstreuung statt seiner goldenen Uhr eine Hand voll Würmer aus der Uhrtasche zog, und, seinen Irrtum bemerkend, mit possierlich ängstlicher Hastigkeit wieder einsteckte. »Die Vernunft ist das höchste –« da schlug die Glocke eins, und das Gespenst verschwand.

Von Goslar ging ich den andern Morgen weiter, halb auf Geratewohl, halb in der Absicht, den Bruder des Klausthaler Bergmanns aufzusuchen. Wieder schönes, liebes Sonntagswetter. Ich bestieg Hügel und Berge, betrachtete, wie die Sonne den Nebel zu verscheuchen suchte, wanderte freudig durch die schauernden Wälder, und um mein träumendes Haupt klingelten die Glockenblümchen von Goslar. In ihren weißen Nachtmänteln standen die Berge, die Tannen rüttelten sich den Schlaf aus den Gliedern, der frische Morgenwind frisierte ihnen die herabhängenden, grünen Haare, die Vöglein hielten Betstunde, das Wiesental blitzte wie eine diamantenbesäte Golddecke, und der Hirt schritt darüber hin mit seiner läutenden Herde. Ich mochte mich wohl eigentlich verirrt haben. Man schlägt immer Seitenwege und Fußsteige ein und glaubt dadurch näher zum Ziele zu gelangen. Wie im Leben überhaupt, geht's uns auch auf dem Harze. Aber es gibt immer gute Seelen, die uns wieder auf den

---

[24] Das betreffende Kapitel in Kants ›Kritik der reinen Vernunft‹ führt den Titel: ›Von dem Grunde der Unterscheidung aller Gegenstände überhaupt in Phänomena in Noumena.‹ [25] Syllogismus ist der Schluß vom Allgemeinen aufs Besondere.

rechten Weg bringen; sie tun es gern und finden noch obendrein ein besonderes Vergnügen daran, wenn sie uns mit selbstgefälliger Miene und wohlwollend lauter Stimme bedeuten: welche große Umwege wir gemacht, in welche Abgründe und Sümpfe wir versinken konnten und welch ein Glück es sei, daß wir so wegkundige Leute, wie sie sind, noch zeitig angetroffen. Einen solchen Berichtiger fand ich unweit der Harzburg. Es war ein wohlgenährter Bürger von Goslar, ein glänzend wampiges, dummkluges Gesicht; er sah aus, als habe er die Viehseuche erfunden. Wir gingen eine Strecke zusammen, und er erzählte mir allerlei Spukgeschichten, die hübsch klingen konnten, wenn sie nicht alle darauf hinausliefen, daß es doch kein wirklicher Spuk gewesen, sondern daß die weiße Gestalt ein Wilddieb war und daß die wimmernden Stimmen von den eben geworfenen Jungen einer Bache (wilden Sau) und das Geräusch auf dem Boden von der Hauskatze herrührte. Nur wenn der Mensch krank ist, setzte er hinzu, glaubt er Gespenster zu sehen; was aber seine Wenigkeit anbelange, so sei er selten krank, nur zuweilen leide er an Hautübeln, und dann kuriere er sich jedesmal mit nüchternem Speichel. Er machte mich auch aufmerksam auf die Zweckmäßigkeit und Nützlichkeit in der Natur. Die Bäume sind grün, weil Grün gut für die Augen ist. Ich gab ihm recht und fügte hinzu, daß Gott das Rindvieh erschaffen, weil Fleischsuppen den Menschen stärken, daß er die Esel erschaffen, damit sie den Menschen zu Vergleichungen dienen können, und daß er den Menschen selbst erschaffen, damit er Fleischsuppen essen und kein Esel sein soll. Mein Begleiter war entzückt, einen Gleichgestimmten gefunden zu haben, sein Antlitz erglänzte noch freudiger, und bei dem Abschiede war er gerührt.

Solange er neben mir ging, war gleichsam die ganze Natur entzaubert, sobald er aber fort war, fingen die Bäume wieder an zu sprechen, und die Sonnenstrahlen erklangen und die Wiesenblümchen tanzten, und der blaue Himmel umarmte die grüne Erde. Ja, ich weiß es besser: Gott hat den Menschen erschaffen, damit er die Herrlichkeit der Welt bewundere. Jeder Autor, und sei er noch so groß, wünscht, daß sein Werk gelobt werde. Und in der Bibel, den Memoiren Gottes, steht ausdrücklich: daß er die Menschen erschaffen zu seinem Ruhm und Preis.

Nach einem langen Hin- und Herwandern gelangte ich zu der Wohnung des Bruders meines Klausthaler Freundes, übernachtete alldort und erlebte folgendes schöne Gedicht:

Auf dem Berge steht die Hütte,
Wo der alte Bergmann wohnt;
Dorten rauscht die grüne Tanne,
Und erglänzt der goldne Mond.

In der Hütte steht ein Lehnstuhl,
Reich geschnitzt und wunderlich,
Der darauf sitzt, der ist glücklich,
Und der Glückliche bin Ich!

Auf dem Schemel sitzt die Kleine,
Stützt den Arm auf meinen Schoß;
Äuglein wie zwei blaue Sterne,
Mündlein wie die Purpurros'.

Und die lieben, blauen Sterne
Schaun mich an so himmelgroß,
Und sie legt den Lilienfinger
Schalkhaft auf die Purpurros'.

Nein, es sieht uns nicht die Mutter,
Denn sie spinnt mit großem Fleiß,
Und der Vater spielt die Zither,
Und er singt die alte Weis'.

Und die Kleine flüstert leise,
Leise, mit gedämpftem Laut;
Manches wichtige Geheimnis
Hat sie mir schon anvertraut.

»Aber seit die Muhme tot ist,
Können wir ja nicht mehr gehn
Nach dem Schützenhof zu Goslar,
Und dort ist es gar zu schön.

Hier dagegen ist es einsam,
Auf der kalten Bergeshöh',
Und des Winters sind wir gänzlich
Wie vergraben in dem Schnee.

Und ich bin ein banges Mädchen,
Und ich fürcht' mich wie ein Kind
Vor den bösen Bergesgeistern,
Die des Nachts geschäftig sind.«

Plötzlich schweigt die liebe Kleine,
Wie vom eignen Wort erschreckt,
Und sie hat mit beiden Händchen
Ihre Äugelein bedeckt.

Lauter rauscht die Tanne draußen,
Und das Spinnrad schnarrt und brummt,
Und die Zither klingt dazwischen,
Und die alte Weise summt:

»Fürcht' dich nicht, du liebes Kindchen,
Vor der bösen Geister Macht;
Tag und Nacht, du liebes Kindchen,
Halten Englein bei dir Wacht!«

II

Tannenbaum, mit grünen Fingern,
Pocht ans niedre Fensterlein,
Und der Mond, der gelbe Lauscher,
Wirft sein süßes Licht herein.

Vater, Mutter schnarchen leise
In dem nahen Schlafgemach,
Doch wir beide, selig schwatzend,
Halten uns einander wach.

»Daß du gar zu oft gebetet,
Das zu glauben wird mir schwer,
Jenes Zucken deiner Lippen
Kommt wohl nicht vom Beten her.

Jenes böse, kalte Zucken,
Das erschreckt mich jedesmal,
Doch die dunkle Angst beschwichtigt
Deiner Augen frommer Strahl.

Auch bezweifl' ich, daß du glaubest,
Was so rechter Glauben heißt,
Glaubst wohl nicht an Gott den Vater,
An den Sohn und heil'gen Geist?«

»Ach, mein Kindchen, schon als Knabe,
Als ich saß auf Mutters Schoß,
Glaubte ich an Gott den Vater,
Der da waltet gut und groß;

Der die schöne Erd' erschaffen,
Und die schönen Menschen drauf,
Der den Sonnen, Monden, Sternen
Vorgezeichnet ihren Lauf.

Als ich größer wurde, Kindchen,
Noch viel mehr begriff ich schon,
Und begriff, und ward vernünftig,
Und ich glaub' auch an den Sohn;

An den lieben Sohn, der liebend
Uns die Liebe offenbart,
Und zum Lohne, wie gebräuchlich,
Von dem Volk gekreuzigt ward.

Jetzo, da ich ausgewachsen,
Viel gelesen, viel gereist,
Schwillt mein Herz, und ganz von Herzen
Glaub' ich an den heil'gen Geist.

Dieser tat die größten Wunder,
Und viel größre tut er noch;
Er zerbrach die Zwingherrnburgen,
Und zerbrach des Knechtes Joch.

Alte Todeswunden heilt er,
Und erneut das alte Recht:
Alle Menschen, gleichgeboren,
Sind ein adliches Geschlecht.

Er verscheucht die bösen Nebel,
Und das dunkle Hirngespinst,
Das uns Lieb' und Lust verleidet,
Tag und Nacht uns angegrinst.

Tausend Ritter, wohl gewappnet,
Hat der heil'ge Geist erwählt,
Seinen Willen zu erfüllen,
Und er hat sie mutbeseelt.

Ihre teuern Schwerter blitzen,
Ihre guten Banner wehn;
Ei, du möchtest wohl, mein Kindchen,
Solche stolze Ritter sehn?

Nun, so schau mich an, mein Kindchen,
Küsse mich und schaue dreist;
Denn ich selber bin ein solcher
Ritter von dem heil'gen Geist.«

III

Still versteckt der Mond sich draußen
Hinterm grünen Tannenbaum,
Und im Zimmer unsre Lampe
Flackert matt und leuchtet kaum.

Aber meine blauen Sterne
Strahlen auf in hellerm Licht,
Und es glüht die Purpurrose,
Und das liebe Mädchen spricht:

»Kleines Völkchen, Wichtelmännchen,
Stehlen unser Brot und Speck,
Abends liegt es noch im Kasten,
Und des Morgens ist es weg.

Kleines Völkchen, unsre Sahne
Nascht es von der Milch und läßt
Unbedeckt die Schüssel stehen,
Und die Katze säuft den Rest.

Und die Katz' ist eine Hexe,
Denn sie schleicht bei Nacht und Sturm,
Drüben nach dem Geisterberge,
Nach dem altverfallnen Turm.

Dort hat einst ein Schloß gestanden,
Voller Lust und Waffenglanz;
Blanke Ritter, Fraun und Knappen
Schwangen sich im Fackeltanz.

Da verwünschte Schloß und Leute
Eine böse Zauberin,
Nur die Trümmer blieben stehen,
Und die Eulen nisten drin.

Doch die sel'ge Muhme sagte:
Wenn man spricht das rechte Wort,
Nächtlich zu der rechten Stunde,
Drüben an dem rechten Ort,

So verwandeln sich die Trümmer
Wieder in ein helles Schloß,
Und es tanzen wieder lustig
Ritter, Fraun und Knappentroß;

Und wer jenes Wort gesprochen,
Dem gehören Schloß und Leut'
Pauken und Trompeten huld'gen
Seiner jungen Herrlichkeit.«

Also blühen Märchenbilder
Aus des Mundes Röselein,
Und die Augen gießen drüber
Ihren blauen Sternenschein.

Ihre goldnen Haare wickelt
Mir die Kleine um die Händ',
Gibt den Fingern hübsche Namen,
Lacht und küßt, und schweigt am End'.

Und im stillen Zimmer alles
Blickt mich an so wohlvertraut;
Tisch und Schrank, mir ist, als hätt' ich
Sie schon früher mal geschaut.

Freundlich ernsthaft schwatzt die Wanduhr,
Und die Zither, hörbar kaum,
Fängt von selber an zu klingen,
Und ich sitze wie im Traum.

»Jetzo ist die rechte Stunde,
Und es ist der rechte Ort;
Staunen würdest du, mein Kindchen,
Spräch' ich aus das rechte Wort.

Sprech' ich jenes Wort, so dämmert
Und erbebt die Mitternacht,
Bach und Tannen brausen lauter,
Und der alte Berg erwacht.

Zitherklang und Zwergenlieder
Tönen aus des Berges Spalt,
Und es sprießt, wie'n toller Frühling,
Draus hervor ein Blumenwald;

Blumen, kühne Wunderblumen,
Blätter, breit und fabelhaft,

Duftig bunt und hastig regsam,
Wie gedrängt von Leidenschaft.

Rosen, wild wie rote Flammen,
Sprühn aus dem Gewühl hervor;
Lilien, wie kristallne Pfeiler,
Schießen himmelhoch empor.

Und die Sterne, groß wie Sonnen,
Schaun herab mit Sehnsuchtglut;
In der Lilien Riesenkelche
Strömet ihre Strahlenflut.

Doch wir selber, süßes Kindchen,
Sind verwandelt noch viel mehr;
Fackelglanz und Gold und Seide
Schimmern lustig um uns her.

Du, du wurdest zur Prinzessin,
Diese Hütte ward zum Schloß,
Und da jubeln und da tanzen
Ritter, Fraun und Knappentroß.

Aber ich, ich hab' erworben
Dich und alles, Schloß und Leut';
Pauken und Trompeten huld'gen
Meiner jungen Herrlichkeit!«

Die Sonne ging auf. Die Nebel flohen wie Gespenster beim dritten Hahnenschrei. Ich stieg wieder bergauf und bergab, und vor mir
schwebte die schöne Sonne, immer neue Schönheiten beleuchtend.
Der Geist des Gebirges begünstigte mich ganz offenbar; er wußte
wohl, daß so ein Dichtermensch viel Hübsches wieder erzählen kann,
und er ließ mich diesen Morgen seinen Harz sehen, wie ihn gewiß
nicht jeder sah. Aber auch mich sah der Harz, wie mich nur wenige
gesehen, in meinen Augenwimpern flimmerten ebenso kostbare Perlen wie in den Gräsern des Tals. Morgentau der Liebe feuchtete
meine Wangen, die rauschenden Tannen verstanden mich, ihre
Zweige taten sich voneinander, bewegten sich herauf und herab,
gleich stummen Menschen, die mit den Händen ihre Freude bezeigen,
und in der Ferne klang's wunderbar geheimnisvoll, wie Glockengeläute einer verlorenen Waldkirche. Man sagt, das seien die Herdenglöckchen, die im Harz so lieblich, klar und rein gestimmt sind.

Nach dem Stand der Sonne war es Mittag, als ich auf eine solche
Herde stieß, und der Hirt, ein freundlich blonder junger Mensch,

sagte mir: der große Berg, an dessen Fuß ich stände, sei der alte, weltberühmte Brocken. Viele Stunden ringsum liegt kein Haus, und ich war froh genug, daß mich der junge Mensch einlud, mit ihm zu essen. Wir setzten uns nieder zu einem Déjeuner dînatoire, das aus Käse und Brot bestand; die Schäfchen erhaschten die Krumen, die lieben, blanken Kühlein sprangen um uns herum und klingelten schelmisch mit ihren Glöckchen und lachten uns an mit ihren großen, vergnügten Augen. Wir tafelten recht königlich; überhaupt schien mir mein Wirt ein echter König, und weil er bis jetzt der einzige König ist, der mir Brot gegeben hat, so will ich ihn auch königlich besingen.

König ist der Hirtenknabe,
Grüner Hügel ist sein Thron,
Über seinem Haupt die Sonne
Ist die schwere, goldne Kron'.

Ihm zu Füßen liegen Schafe,
Weiche Schmeichler, rotbekreuzt;
Kavaliere sind die Kälber,
Und sie wandeln stolz gespreizt.

Hofschauspieler sind die Böcklein,
Und die Vögel und die Küh',
Mit den Flöten, mit den Glöcklein,
Sind sie Kammermusici.

Und das klingt und singt so lieblich,
Und so lieblich rauschen drein
Wasserfall und Tannenbäume,
Und der König schlummert ein.

Unterdessen muß regieren
Der Minister, jener Hund,
Dessen knurriges Gebelle
Widerhallet in der Rund'.

Schläfrig lallt der junge König:
»Das Regieren ist so schwer,
Ach, ich wollt', daß ich zu Hause
Schon bei meiner Kön'gin wär'!

In den Armen meiner Kön'gin
Ruht mein Königshaupt so weich,
Und in ihren lieben Augen
Liegt mein unermeßlich Reich!«

Wir nahmen freundschaftlich Abschied, und fröhlich stieg ich den Berg hinauf. Bald empfing mich eine Waldung himmelhoher Tannen, für die ich in jeder Hinsicht Respekt habe. Diesen Bäumen ist nämlich das Wachsen nicht so ganz leicht gemacht worden, und sie haben es sich in der Jugend sauer werden lassen. Der Berg ist hier mit vielen großen Granitblöcken übersäet, und die meisten Bäume mußten mit ihren Wurzeln diese Steine umranken oder sprengen und mühsam den Boden suchen, woraus sie Nahrung schöpfen können. Hier und da liegen die Steine, gleichsam ein Tor bildend, übereinander, und oben darauf stehen die Bäume, die nackten Wurzeln über jene Steinpforte hinziehend und erst am Fuße derselben den Boden erfassend, so daß sie in der freien Luft zu wachsen scheinen. Und doch haben sie sich zu jener gewaltigen Höhe emporgeschwungen, und mit den umklammerten Steinen wie zusammengewachsen, stehen sie fester als ihre bequemen Kollegen im zahmen Forstboden des flachen Landes. So stehen auch im Leben jene großen Männer, die durch das Überwinden früher Hemmungen und Hindernisse sich erst recht gestärkt und befestigt haben. Auf den Zweigen der Tannen kletterten Eichhörnchen, und unter denselben spazierten die gelben Hirsche. Wenn ich solch ein liebes, edles Tier sehe, so kann ich nicht begreifen, wie gebildete Leute Vergnügen daran finden, es zu hetzen und zu töten. Solch ein Tier war barmherziger als die Menschen und säugte den schmachtenden Schmerzenreich der heiligen Genoveva.

Allerliebst schossen die goldenen Sonnenlichter durch das dichte Tannengrün. Eine natürliche Treppe bildeten die Baumwurzeln. Überall schwellende Moosbänke; denn die Steine sind fußhoch von den schönsten Moosarten, wie mit hellgrünen Sammetpolstern, bewachsen. Liebliche Kühle und träumerisches Quellengemurmel. Hier und da sieht man, wie das Wasser unter den Steinen silberhell hinrieselt und die nackten Baumwurzeln und Fasern bespült. Wenn man sich nach diesem Treiben hinabbeugt, so belauscht man gleichsam die geheime Bildungsgeschichte der Pflanzen und das ruhige Herzklopfen des Berges. An manchen Orten sprudelt das Wasser aus den Steinen und Wurzeln stärker hervor und bildet kleine Kaskaden. Da läßt sich gut sitzen. Es murmelt und rauscht so wunderbar, die Vögel singen abgebrochene Sehnsuchtslaute, die Bäume flüstern wie mit tausend Mädchenzungen, wie mit tausend Mädchenaugen schauen uns an die seltsamen Bergblumen, sie strecken nach uns aus die wundersam breiten, drollig gezackten Blätter, spielend flimmern hin und her die lustigen Sonnenstrahlen, die sinnigen Kräutlein erzählen sich grüne Märchen, es ist alles wie verzaubert, es wird immer heimlicher und heimlicher, ein uralter Traum wird lebendig, die Geliebte erscheint – ach, daß sie so schnell wieder verschwindet!

Je höher man den Berg hinaufsteigt, desto kürzer, zwerghafter werden die Tannen, sie scheinen immer mehr und mehr zusammenzuschrumpfen, bis nur Heidelbeer- und Rotbeersträuche und Bergkräuter übrigbleiben. Da wird es auch schon fühlbar kälter. Die wunderlichen Gruppen der Granitblöcke werden hier erst recht sichtbar; diese sind oft von erstaunlicher Größe. Das mögen wohl die Spielbälle sein, die sich die bösen Geister einander zuwerfen in der Walpurgisnacht, wenn hier die Hexen auf Besenstielen und Mistgabeln einhergeritten kommen, und die abenteuerlich verruchte Lust beginnt, wie die glaubhafte Amme es erzählt, und wie es zu schauen ist auf den hübschen Faustbildern des Meister Retzsch[26]. Ja, ein junger Dichter, der auf einer Reise von Berlin nach Göttingen in der ersten Mainacht am Brocken vorbeiritt, bemerkte sogar, wie einige belletristische Damen auf einer Bergecke ihre ästhetische Teegesellschaft hielten, sich gemütlich die ›Abendzeitung‹ vorlasen, ihre poetischen Ziegenböckchen, die meckernd den Teetisch umhüpften, als Universalgenies priesen und über alle Erscheinungen in der deutschen Literatur ihr Endurteil fällten; doch, als sie auch auf den ›Ratcliff‹ und ›Almansor‹ gerieten und dem Verfasser alle Frömmigkeit und Christlichkeit absprachen, da sträubte sich das Haar des jungen Mannes, Entsetzen ergriff ihn – ich gab dem Pferde die Sporen und jagte vorüber.

In der Tat, wenn man die obere Hälfte des Brockens besteigt, kann man sich nicht erwehren, an die ergötzlichen Blocksbergsgeschichten zu denken, und besonders an die große, mystische, deutsche National-Tragödie vom Doktor Faust. Mir war immer, als ob der Pferdefuß neben mir hinaufklettere und jemand humoristisch Atem schöpfe. Und ich glaube, auch Mephisto muß mit Mühe Atem holen, wenn er seinen Lieblingsberg ersteigt; es ist ein äußerst erschöpfender Weg, und ich war froh, als ich endlich das langersehnte Brockenhaus zu Gesicht bekam.

Dieses Haus, das, wie durch vielfache Abbildungen bekannt ist, bloß aus einem Parterre besteht und auf der Spitze des Berges liegt, wurde erst 1800 vom Grafen Stolberg-Wernigerode erbaut, für dessen Rechnung es auch als Wirtshaus verwaltet wird. Die Mauern sind erstaunlich dick, wegen des Windes und der Kälte im Winter;

[26] August Moritz Retzsch (1799–1857), ein bekannter Zeichner und Maler, dessen Illustrationen zu ›Faust‹ (26 radierte Blätter, erschienen zu Stuttgart 1828) ihn berühmt machten.

das Dach ist niedrig, in der Mitte desselben steht eine turmartige
Warte, und bei dem Hause liegen noch zwei kleine Nebengebäude,
wovon das eine in frühern Zeiten den Brockenbesuchern zum Ob-
dach diente.

Der Eintritt in das Brockenhaus erregte bei mir eine etwas ungewöhnliche, märchenhafte Empfindung. Man ist nach einem langen,
einsamen Umhersteigen durch Tannen und Klippen plötzlich in ein
Wolkenhaus versetzt; Städte, Berge und Wälder blieben unten liegen, und oben findet man eine wunderlich zusammengesetzte, fremde
Gesellschaft, von welcher man, wie es an dergleichen Orten natürlich ist, fast wie ein erwarteter Genosse, halb neugierig und halb
gleichgültig, empfangen wird. Ich fand das Haus voller Gäste, und
wie es einem klugen Manne geziemt, dachte ich schon an die Nacht,
an die Unbehaglichkeit eines Strohlagers; mit hinsterbender Stimme
verlangte ich gleich Tee, und der Herr Brockenwirt war vernünftig
genug, einzusehen, daß ich kranker Mensch für die Nacht ein ordent-
liches Bett haben müsse. Dieses verschaffte er mir in einem engen
Zimmerchen, wo schon ein junger Kaufmann, ein langes Brechpulver
in einem braunen Oberrock, sich etabliert hatte.

In der Wirtsstube fand ich lauter Leben und Bewegung. Studenten von verschiedenen Universitäten. Die einen sind kurz vorher
angekommen und restaurieren sich, andere bereiten sich zum Ab-
marsch, schnüren ihre Ranzen, schreiben ihre Namen ins Gedächt-
nisbuch, erhalten Brockensträuße von den Hausmädchen: da wird in
die Wangen gekniffen, gesungen, gesprungen, gejohlt, man fragt,
man antwortet, gut Wetter, Fußweg, Prosit, Adieu. Einige der Ab-
gehenden sind auch etwas angesoffen, und diese haben von der
schönen Aussicht einen doppelten Genuß, da ein Betrunkener alles
doppelt sieht.

Nachdem ich mich ziemlich rekreiert, bestieg ich die Turmwarte
und fand daselbst einen kleinen Herrn mit zwei Damen, einer jungen und einer ältlichen. Die junge Dame war sehr schön. Eine herrliche Gestalt, auf dem lockigen Haupte ein helmartiger, schwarzer
Atlashut, mit dessen weißen Federn die Winde spielten, die schlan-
ken Glieder von einem schwarzseidenen Mantel so fest umschlossen,
daß die edlen Formen hervortraten, und das freie, große Auge ruhig
hinabschauend in die freie, große Welt.

Als ich noch ein Knabe war, dachte ich an nichts als an Zauber-
und Wundergeschichten, und jede schöne Dame, die Straußfedern
auf dem Kopfe trug, hielt ich für eine Elfenkönigin, und bemerkte
ich gar, daß die Schleppe ihres Kleides naß war, so hielt ich sie für
eine Wassernixe. Jetzt denke ich anders, seit ich aus der Natur-

geschichte weiß, daß jene symbolischen Federn von dem dümmsten Vogel herkommen, und daß die Schleppe eines Damenkleides auf sehr natürliche Weise naß werden kann. Hätte ich mit jenen Knabenaugen die erwähnte junge Schöne, in erwähnter Stellung, auf dem Brocken gesehen, so würde ich sicher gedacht haben: das ist die Fee des Berges, und sie hat eben den Zauber ausgesprochen, wodurch dort unten alles so wunderbar erscheint. Ja, in hohem Grade wunderbar erscheint uns alles beim ersten Hinabschauen vom Brocken, alle Seiten unseres Geistes empfangen neue Eindrücke, und diese, meistens verschiedenartig, sogar sich widersprechend, verbinden sich in unserer Seele zu einem großen, noch unentworrenen, unverstandenen Gefühl. Gelingt es uns, dieses Gefühl in seinem Begriffe zu erfassen, so erkennen wir den Charakter des Berges. Dieser Charakter ist ganz deutsch, sowohl in Hinsicht seiner Fehler, als auch seiner Vorzüge. Der Brocken ist ein Deutscher. Mit deutscher Gründlichkeit zeigt er uns, klar und deutlich, wie ein Riesenpanorama, die vielen hundert Städte, Städtchen und Dörfer, die meistens nördlich liegen, und ringsum alle Berge, Wälder, Flüsse, Flächen, unendlich weit. Aber eben dadurch erscheint alles wie eine scharf gezeichnete, rein illuminierte Spezialkarte, nirgends wird das Auge durch eigentlich schöne Landschaften erfreut, wie es denn immer geschieht, daß wir deutschen Kompilatoren wegen der ehrlichen Genauigkeit, womit wir alles und alles hingeben wollen, nie daran denken können, das einzelne auf eine schöne Weise zu geben. Der Berg hat auch so etwas Deutschruhiges, Verständiges, Tolerantes; eben weil er die Dinge so weit und klar überschauen kann. Und wenn solch ein Berg seine Riesenaugen öffnet, mag er wohl noch etwas mehr sehen als wir Zwerge, die wir mit unsern blöden Äuglein auf ihm herumklettern. Viele wollen zwar behaupten, der Brocken sei sehr philiströse, und Claudius sang: »Der Blocksberg ist der lange Herr Philister!« Aber das ist Irrtum. Durch seinen Kahlkopf, den er zuweilen mit einer weißen Nebelkappe bedeckt, gibt er sich zwar einen Anstrich von Philiströsität; aber, wie bei manchen andern großen Deutschen, geschieht es aus purer Ironie. Es ist sogar notorisch, daß der Brocken seine burschikosen, phantastischen Zeiten hat, z. B. die erste Mainacht. Dann wirft er seine Nebelkappe jubelnd in die Lüfte und wird, ebensogut wie wir übrigen, recht echtdeutsch romantisch verrückt.

Ich suchte gleich die schöne Dame in ein Gespräch zu verflechten: denn Naturschönheiten genießt man erst recht, wenn man sich auf der Stelle darüber aussprechen kann. Sie war nicht geistreich, aber aufmerksam sinnig. Wahrhaft vornehme Formen. Ich meine nicht die gewöhnliche, steife, negative Vornehmheit, die genau weiß, was unterlassen werden muß, sondern jene seltnere, freie, positive Vornehmheit, die uns genau sagt, was wir tun dürfen, und die uns bei aller Unbefangenheit die höchste gesellige Sicherheit gibt. Ich entwickelte, zu meiner eigenen Verwunderung, viele geographische Kenntnisse, nannte der wißbegierigen Schönen alle Namen der Städte, die vor uns lagen, suchte und zeigte ihr dieselben auf meiner Landkarte, die ich über den Steintisch, der in der Mitte der Turmplatte steht, mit echter Dozentenmiene ausbreitete. Manche Stadt konnte ich nicht finden, vielleicht weil ich mehr mit den Fingern suchte, als mit den Augen, die sich unterdessen auf dem Gesicht der holden Dame orientierten und dort schönere Partien fanden als »Schierke« und »Elend«[27]. Dieses Gesicht gehörte zu denen, die nie reizen, selten entzücken und immer gefallen. Ich liebe solche Gesichter, weil sie mein schlimmbewegtes Herz zur Ruhe lächeln.

In welchem Verhältnis der kleine Herr, der die Damen begleitete, zu denselben stehen mochte, konnte ich nicht erraten. Es war eine dünne, merkwürdige Figur. Ein Köpfchen, sparsam bedeckt mit grauen Härchen, die über die kurze Stirn bis an die grünlichen Libellenaugen reichten, die runde Nase weit hervortretend, dagegen Mund und Kinn sich wieder ängstlich nach den Ohren zurückziehend. Dieses Gesichtchen schien aus einem zarten, gelblichen Tone zu bestehen, woraus die Bildhauer ihre ersten Modelle kneten; und wenn die schmalen Lippen zusammenkniffen, zogen sich über die Wangen einige tausend halbkreisartige, feine Fältchen. Der kleine Mann sprach kein Wort, und nur dann und wann, wenn die ältere Dame ihm etwas Freundliches zuflüsterte, lächelte er wie ein Mops, der den Schnupfen hat.

Jene ältere Dame war die Mutter der jüngeren, und auch sie besaß die vornehmsten Formen. Ihr Auge verriet einen krankhaft schwärmerischen Tiefsinn, um ihren Mund lag strenge Frömmigkeit, doch schien mir's, als ob er einst sehr schön gewesen sei und viel gelacht und viele Küsse empfangen und viele erwidert habe. Ihr Gesicht glich einem Codex palimpsestus[28], wo, unter der neuschwarzen Mönchsschrift eines Kirchenvatertextes, die halberloschenen Verse eines altgriechischen Liebesdichters hervorlauschen. Beide Damen waren mit ihrem Begleiter dieses Jahr in Italien gewesen und erzählten mir allerlei Schönes von Rom, Florenz und Venedig. Die Mutter erzählte viel von den Raphaelschen Bildern in der Pe-

[27] Dörfer am Fuße des Brockens.   [28] Palimpseste sind Handschriften, auf welchen die ursprüngliche Schrift abgekratzt und durch einen neuen Text ersetzt wurde.

terskirche; die Tochter sprach mehr von der Oper im Theater Fenice[29].

Derweilen wir sprachen, begann es zu dämmern: die Luft wurde noch kälter, die Sonne neigte sich tiefer, und die Turmplatte füllte sich mit Studenten, Handwerksburschen und einigen ehrsamen Bürgerleuten samt deren Ehefrauen und Töchtern, die alle den Sonnenuntergang sehen wollten. Es ist ein erhabener Anblick, der die Seele zum Gebet stimmt. Wohl eine Viertelstunde standen alle ernsthaft schweigend und sahen, wie der schöne Feuerball im Westen allmählich versank; die Gesichter wurden vom Abendrot angestrahlt, die Hände falteten sich unwillkürlich; es war, als ständen wir, eine stille Gemeinde, im Schiffe eines Riesendoms, und der Priester erhöbe jetzt den Leib des Herrn, und von der Orgel herab ergösse sich Palestrinas ewiger Choral[30].

Während ich so in Andacht versunken stehe, höre ich, daß neben mir jemand ausruft: »Wie ist die Natur doch im allgemeinen so schön!« Diese Worte kamen aus der gefühlvollen Brust meines Zimmergenossen, des jungen Kaufmanns. Ich gelangte dadurch wieder zu meiner Werkeltagsstimmung, war jetzt imstande, den Damen über den Sonnenuntergang recht viel Artiges zu sagen und sie ruhig, als wäre nichts passiert, nach ihrem Zimmer zu führen. Sie erlaubten mir auch, sie noch eine Stunde zu unterhalten. Wie die Erde selbst drehte sich unsre Unterhaltung um die Sonne. Die Mutter äußerte: die in Nebel versinkende Sonne habe ausgesehen wie eine rotglühende Rose, die der galante Himmel herabgeworfen in den weit ausgebreiteten, weißen Brautschleier seiner geliebten Erde. Die Tochter lächelte und meinte, der öftere Anblick solcher Naturerscheinungen schwäche ihren Eindruck. Die Mutter berichtigte diese falsche Meinung durch eine Stelle aus Goethes Reisebriefen und frug mich, ob ich den Werther gelesen? Ich glaube, wir sprachen auch von Angorakatzen, etruskischen Vasen, türkischen Shawls, Makkaroni und Lord Byron, aus dessen Gedichten die ältere Dame einige Sonnenuntergangsstellen, recht hübsch lispelnd und seufzend, recitierte. Der jüngeren Dame, die kein Englisch verstand und jene Gedichte kennen lernen wollte, empfahl ich die Übersetzungen meiner schönen, geistreichen Landsmännin, der Baronin Elise von Hohenhausen[31], bei welcher Gelegenheit ich nicht ermangelte, wie ich gegen

[29] Theater des klassischen Lustspiels in Venedig. [30] Giovanni Pierluigi da Palestrina (1524–1594), der große Kirchenkomponist. Berühmt seine Messe ›Missa Papae Marcelli‹. [31] Elise von Hohenhausen (1789–1857) hatte den ›Korsar‹ und andere Gedichte von Byron übersetzt. In ihrem Hause verkehrte Heine sehr häufig während seines Aufenthaltes in Berlin. Sie besuchte ihn auch in Paris ein Jahr vor seinem Tode.

junge Damen zu tun pflege, über Byrons Gottlosigkeit, Lieblosigkeit, Trostlosigkeit, und der Himmel weiß was noch mehr, zu eifern.

Nach diesem Geschäfte ging ich noch auf dem Brocken spazieren; denn ganz dunkel wird es dort nie. Der Nebel war nicht stark, und ich betrachtete die Umrisse der beiden Hügel, die man den Hexenaltar und die Teufelskanzel nennt. Ich schoß meine Pistolen ab, doch es gab kein Echo. Plötzlich aber höre ich bekannte Stimmen und fühle mich umarmt und geküßt. Es waren meine Landsleute, die Göttingen vier Tage später verlassen hatten und bedeutend erstaunt waren, mich ganz allein auf dem Blocksberge wiederzufinden. Da gab es ein Erzählen und Verwundern und Verabreden, ein Lachen und Erinnern, und im Geiste waren wir wieder in unserem gelehrten Sibirien, wo die Kultur so groß ist, daß die Bären in den Wirtshäusern angebunden werden und die Zobel dem Jäger guten Abend wünschen.

Im großen Zimmer wurde eine Abendmahlzeit gehalten. Ein langer Tisch mit zwei Reihen hungriger Studenten. Im Anfange gewöhnliches Universitätsgespräch: Duelle, Duelle und wieder Duelle. Die Gesellschaft bestand meistens aus Hallensern, und Halle wurde daher Hauptgegenstand der Unterhaltung. Die Fensterscheiben des Hofrats Schütz[32] wurden exegetisch beleuchtet. Dann erzählte man, daß die letzte Cour bei dem König von Cypern sehr glänzend gewesen sei, daß er einen natürlichen Sohn erwählt, daß er sich eine Lichtensteinsche Prinzessin ans linke Bein antrauen lassen, daß er die Staatsmätresse abgedankt und daß das ganze gerührte Ministerium vorschriftsmäßig geweint habe. Ich brauche wohl nicht zu erwähnen, daß sich dieses auf Hallesche Bierwürden bezieht. Hernach kamen die zwei Chinesen aufs Tapet, die sich vor zwei Jahren in Berlin sehen ließen und jetzt in Halle zu Privatdozenten der chinesischen Ästhetik abgerichtet werden. Nun wurden Witze gerissen. Man setzte den Fall: ein Deutscher ließe sich in China für Geld sehen; und zu diesem Zwecke wurde ein Anschlagzettel geschmiedet, worin die Mandarinen Tsching-Tschang-Tschung und Hi-Ha-Ho begutachteten, daß es ein echter Deutscher sei, worin ferner seine Kunststücke aufgerechnet wurden, die hauptsächlich in Philosophieren, Tabakrauchen und Geduld bestanden, worin noch schließlich bemerkt wurde, daß man um zwölf Uhr, welches die Fütterungsstunde sei, keine Hunde mitbringen dürfe, indem diese dem armen Deutschen die besten Brocken wegzuschnappen pflegten.

[32] Hofrat Chr. G. Schütz (1747–1832) war damals Professor der Literaturgeschichte in Halle. Mitbegründer der ›Allgemeinen Literaturzeitung‹.

Ein junger Burschenschafter, der kürzlich zur Purifikation in Berlin gewesen, sprach viel von dieser Stadt, aber sehr einseitig. Er hatte Wisotzki und das Theater besucht; beide beurteilte er falsch. »Schnell fertig ist die Jugend mit dem Wort usw.« Er sprach von Garderobeaufwand, Schauspieler- und Schauspielerinnenskandal usw. Der junge Mensch wußte nicht, daß, da in Berlin überhaupt der Schein der Dinge am meisten gilt, was schon die allgemeine Redensart »man so duhn« hinlänglich andeutet, dieses Scheinwesen auf den Brettern erst recht florieren muß, und daß daher die Intendanz am meisten zu sorgen hat für die »Farbe des Barts, womit eine Rolle gespielt wird«, für die Treue der Kostüme, die von beeidigten Historikern vorgezeichnet und von wissenschaftlich gebildeten Schneidern genäht werden[33]. Und das ist notwendig. Denn trüge mal Maria Stuart eine Schürze, die schon zum Zeitalter der Königin Anna gehört, so würde gewiß der Bankier Christian Gumpel[34] sich mit Recht beklagen, daß ihm dadurch alle Illusion verloren gehe; und hätte mal Lord Burleigh aus Versehen die Hosen von Heinrich IV. angezogen, so würde gewiß die Kriegsrätin von Steinzopf, geb. Lilientau, diesen Anachronismus den ganzen Abend nicht aus den Augen lassen. Solche täuschende Sorgfalt der Generalintendanz erstreckt sich aber nicht bloß auf Schürzen und Hosen, sondern auch auf die darin verwickelten Personen. So soll künftig der Othello von einem wirklichen Mohren gespielt werden, den Professor Lichtenstein[35] schon zu diesem Behufe aus Afrika verschrieben hat; in ›Menschenhaß und Reue‹[36] soll künftig die Eulalia von einem wirklich verlaufenen Weibsbilde, der Peter von einem wirklich dummen Jungen und der Unbekannte von einem wirklich geheimen Hahnrei gespielt werden, die man alle drei nicht erst aus Afrika zu verschreiben braucht. Hatte nun oben erwähnter junger Mensch die Verhältnisse des Berliner Schauspiels schlecht begriffen, so merkte er noch viel weniger, daß die Spontinische Janitscharen-Oper, mit ihren Pauken, Elefanten, Trompeten und Tamtams, ein heroisches Mittel ist, um unser erschlafftes Volk kriegerisch zu stärken, ein Mittel, das schon Plato und Cicero staatspfiffig empfohlen haben. Am allerwenigsten begriff der junge Mensch die diplomati-

[33] Zum Verständnis ist zu bemerken, daß der damalige Generalintendant der Königlichen Schauspielschule in Berlin, Graf Moritz Brühl (1777–1838), besonderen Eifer auf die Kostüme und Dekorationen verwendet hat. [34] Der Hamburger Bankier Lazarus Gumpel, der ein Konkurrent von Heines Onkel, Salomon Heine, war, diente dem Dichter oft als Zielscheibe seines Spottes. Er ist natürlich auch der Marchese Gumpelino der ›Bäder von Lucca‹. [35] Professor Lichtenstein (1780 bis 1857), bekannter Naturforscher, der Begründer des Zoologischen Gartens in Berlin. [36] Das berühmteste Stück von A. v. Kotzebue (1789).

sche Bedeutung des Balletts. Mit Mühe zeigte ich ihm, wie in Ho-
guets Füßen mehr Politik sitzt als in Buchholz'[37] Kopf, wie alle
seine Tanztouren diplomatische Verhandlungen bedeuten, wie jede
seiner Bewegungen eine politische Beziehung habe, so z. B., daß er
unser Kabinett meint, wenn er, sehnsüchtig vorgebeugt, mit den
Händen weit ausgreift; daß er den Bundestag meint, wenn er sich
hundertmal auf einem Fuße herumdreht, ohne vom Fleck zu kommen; daß er die kleinen Fürsten im Sinne hat, wenn er wie mit
gebundenen Beinen herumtrippelt; daß er das europäische Gleich-
gewicht bezeichnet, wenn er wie ein Trunkener hin- und her-
schwankt; daß er einen Kongreß andeutet, wenn er die gebogenen
Arme knäuelartig ineinander verschlingt; und endlich, daß er unsern allzugroßen Freund im Osten darstellt, wenn er in allmäh-
licher Entfaltung sich in die Höhe hebt, in dieser Stellung lange ruht
und plötzlich in die erschrecklichsten Sprünge ausbricht. Dem jungen Manne fielen die Schuppen von den Augen, und jetzt merkte er,
warum Tänzer besser honoriert werden als große Dichter, warum
das Ballett beim diplomatischen Korps ein unerschöpflicher Gegenstand des Gesprächs ist und warum oft eine schöne Tänzerin noch
privatim von dem Minister unterhalten wird, der sich gewiß Tag
und Nacht abmüht, sie für sein politisches Systemchen empfänglich
zu machen. Beim Apis! wie groß ist die Zahl der exoterischen und
wie klein die Zahl der esoterischen Theaterbesucher! Da steht das
blöde Volk und gafft und bewundert Sprünge und Wendungen und
studiert Anatomie in den Stellungen der Lemiere und applaudiert
die Entrechats der Röhnisch und schwatzt von Grazie, Harmonie
und Lenden – und keiner merkt, daß er in getanzten Chiffern das
Schicksal des deutschen Vaterlandes vor Augen hat.

Während solcherlei Gespräche hin- und herflogen, verlor man
doch das Nützliche nicht aus den Augen, und den großen Schüsseln,
die mit Fleisch, Kartoffeln usw. ehrlich angefüllt waren, wurde
fleißig zugesprochen. Jedoch das Essen war schlecht. Dieses erwähnte
ich leichthin gegen meinen Nachbar, der aber mit einem Akzente,
woran ich den Schweizer erkannte, gar unhöflich antwortete: daß
wir Deutschen wie mit der wahren Freiheit, so auch mit der wahren
Genügsamkeit unbekannt seien. Ich zuckte die Achseln und bemerkte: daß die eigentlichen Fürstenknechte und Lederkramverfer-
tiger überall Schweizer sind und vorzugsweise so genannt werden
und daß überhaupt die jetzigen schweizerischen Freiheitshelden, die

[37] M. Fr. Hoguet, ein berühmter Solotänzer, war Mitglied des Kgl. Balletts in
Berlin und P. F. F. Buchholz (1768–1844), ein angesehener politischer und historischer Schriftsteller jener Zeit.

so viel Politisch-Kühnes ins Publikum hineinschwatzen, mir immer vorkommen wie Hasen, die auf öffentlichen Jahrmärkten Pistolen abschießen, alle Kinder und Bauern durch ihre Kühnheit in Erstaunen setzen und dennoch Hasen sind.

Der Sohn der Alpen hatte es gewiß nicht böse gemeint, ›es war ein dicker Mann, folglich ein guter Mann‹, sagt Cervantes[38]. Aber mein Nachbar von der andern Seite, ein Greifswalder, war durch jene Äußerung sehr pikiert; er beteuerte, daß deutsche Tatkraft und Einfältigkeit noch nicht erloschen sei, schlug sich dröhnend auf die Brust und leerte eine ungeheure Stange Weißbier. Der Schweizer sagte: »Nu! Nu!« Doch, je beschwichtigender er dieses sagte, desto eifriger ging der Greifswalder ins Geschirr. Dieser war ein Mann aus jenen Zeiten, als die Läuse gute Tage hatten und die Friseure zu verhungern fürchteten. Er trug herabhängend langes Haar, ein ritterliches Barett, einen schwarzen, altdeutschen Rock, ein schmutziges Hemd, das zugleich das Amt einer Weste versah, und darunter ein Medaillon mit einem Haarbüschel von Blüchers Schimmel. Er sah aus wie ein Narr in Lebensgröße. Ich mache mir gern einige Bewegung beim Abendessen und ließ mich daher von ihm in einen patriotischen Streit verflechten. Er war der Meinung, Deutschland müsse in dreiunddreißig Gauen geteilt werden. Ich hingegen behauptete: es müßten achtundvierzig sein, weil man alsdann ein systematischeres Handbuch über Deutschland schreiben könne und es doch notwendig sei, das Leben mit der Wissenschaft zu verbinden. Mein Greifswalder Freund war auch ein deutscher Barde, und wie er mir vertraute, arbeitete er an einem Nationalheldengedicht zur Verherrlichung Hermanns und der Hermannsschlacht. Manchen nützlichen Wink gab ich ihm für die Anfertigung dieses Epos. Ich machte ihn darauf aufmerksam, daß er die Sümpfe und Knüppelwege des Teutoburger Waldes sehr onomatopöisch durch wässrige und holprige Verse andeuten könne und daß es eine patriotische Feinheit wäre, wenn er den Varus und die übrigen Römer lauter Unsinn sprechen ließe. Ich hoffe, dieser Kunstkniff wird ihm, ebenso erfolgreich wie andern Berliner Dichtern, bis zur bedenklichsten Illusion gelingen.

An unserem Tische wurde es immer lauter und traulicher, der Wein verdrängte das Bier, die Punschbowlen dampften, es wurde getrunken, smolliert und gesungen. Der alte Landesvater und herrliche Lieder von W. Müller, Rückert, Uhland usw. erschollen. Schöne Methfesselsche[39] Melodien. Am allerbesten erklangen un-

---

[38] Cervantes, ›Don Quixote‹ II. [39] Albert Gottlieb Methfessel (1784–1869), beliebter Liederkomponist.

seres Arndts deutsche Worte: »Der Gott, der Eisen wachsen ließ,
der wollte keine Knechte!« Und draußen brauste es, als ob der alte
Berg mitsänge, und einige schwankende Freunde behaupteten sogar, er schüttle freudig sein kahles Haupt und unser Zimmer werde
dadurch hin und her bewegt. Die Flaschen wurden leerer und die
Köpfe voller. Der eine brüllte, der andere fistulierte, ein dritter
deklamierte aus der ›Schuld‹[40], ein vierter sprach Latein, ein fünf-
ter predigte von der Mäßigkeit, und ein sechster stellte sich auf den
Stuhl und dozierte: »Meine Herren! Die Erde ist eine runde Walze,
die Menschen sind einzelne Stiftchen darauf, scheinbar arglos zerstreut; aber die Walze dreht sich, die Stiftchen stoßen hier und da
an und tönen, die einen oft, die andern selten, das gibt eine wunderbare, komplizierte Musik, und diese heißt Weltgeschichte. Wir sprechen also erst von der Musik, dann von der Welt und endlich von
der Geschichte; letztere aber teilen wir ein in Positiv und spanische
Fliegen –« Und so ging's weiter mit Sinn und Unsinn.

Ein gemütlicher Mecklenburger, der seine Nase im Punschglase
hatte und selig lächelnd den Dampf einschnupfte, machte die Bemerkung: es sei ihm zu Mute, als stände er wieder vor dem Thea-
terbüffett in Schwerin! Ein anderer hielt sein Weinglas wie ein
Perspektiv vor die Augen und schien uns aufmerksam damit zu
betrachten, während ihm der rote Wein über die Backen ins hervor-
tretende Maul hinablief. Der Greifswalder, plötzlich begeistert,
warf sich an meine Brust und jauchzte: »O, verständest du mich, ich
bin ein Liebender, ich bin ein Glücklicher, ich werde wieder geliebt,
und, Gott verdamm' mich! es ist ein gebildetes Mädchen, denn sie
hat volle Brüste und trägt ein weißes Kleid und spielt Klavier!« –
Aber der Schweizer weinte und küßte zärtlich meine Hand und
wimmerte beständig: »O Bäbeli! O Bäbeli!«

In diesem verworrenen Treiben, wo die Teller tanzen und die
Gläser fliegen lernten, saßen mir gegenüber zwei Jünglinge, schön
und blaß wie Marmorbilder, der eine mehr dem Adonis, der andere
mehr dem Apollo ähnlich. Kaum bemerkbar war der leichte Rosen-
hauch, den der Wein über ihre Wangen hinwarf. Mit unendlicher
Liebe sahen sie sich einander an, als wenn einer lesen könnte in den
Augen des andern, und in diesen Augen strahlte es, als wären einige
Lichttropfen hineingefallen aus jener Schale voll lodernder Liebe,
die ein frommer Engel dort oben von einem Stern zum andern hin-
überträgt. Sie sprachen leise, mit sehnsuchtbebender Stimme, und es
waren traurige Geschichten, aus denen ein wunderschmerzlicher Ton
hervorklang. »Die Lore ist jetzt auch tot!« sagte der eine und

[40] ›Schuld‹, Drama von Adolf Müllner (1774–1829).

seufzte, und nach einer Pause erzählte er von einem Halleschen Mädchen, das in einen Studenten verliebt war und, als dieser Halle verließ, mit niemand mehr sprach und wenig aß und Tag und Nacht weinte und immer den Kanarienvogel betrachtete, den der Geliebte ihr einst geschenkt hatte. »Der Vogel starb, und bald darauf ist auch die Lore gestorben!«, so schloß die Erzählung, und beide Jünglinge schwiegen wieder und seufzten, als wollte ihnen das Herz zerspringen. Endlich sprach der andere: »Meine Seele ist traurig! Komm mit hinaus in die dunkle Nacht! Einatmen will ich den Hauch der Wolken und die Strahlen des Mondes. Genosse meiner Wehmut! ich liebe dich, deine Worte tönen wie Rohrgeflüster, wie gleitende Ströme, sie tönen wider in meiner Brust, aber meine Seele ist traurig!«

Nun erhoben sich die beiden Jünglinge, einer schlang den Arm um den Nacken des andern, und sie verließen das tosende Zimmer. Ich folgte ihnen nach und sah, wie sie in eine dunkle Kammer traten, wie der eine, statt des Fensters, einen großen Kleiderschrank öffnete, wie beide vor demselben, mit sehnsüchtig ausgestreckten Armen, stehen blieben und wechselweise sprachen. »Ihr Lüfte der dämmernden Nacht!« rief der erste, »wie erquickend kühlt ihr meine Wangen! Wie lieblich spielt ihr mit meinen flatternden Locken! Ich steh' auf des Berges wolkigem Gipfel, unter mir liegen die schlafenden Städte der Menschen und blinken die blauen Gewässer. Horch! dort unten im Tale rauschen die Tannen! Dort über die Hügel ziehen, in Nebelgestalten, die Geister der Väter. O, könnt' ich mit euch jagen, auf dem Wolkenroß, durch die stürmische Nacht, über die rollende See, zu den Sternen hinauf! Aber ach! ich bin beladen mit Leid, und meine Seele ist traurig!« – Der andere Jüngling hatte ebenfalls seine Arme sehnsuchtsvoll nach dem Kleiderschrank ausgestreckt, Tränen stürzten aus seinen Augen, und zu einer gelbledernen Hose, die er für den Mond hielt, sprach er mit wehmütiger Stimme: »Schön bist du, Tochter des Himmels! Holdselig ist deines Antlitzes Ruhe! Du wandelst einher in Lieblichkeit! Die Sterne folgen deinen blauen Pfaden im Osten. Bei deinem Anblick erfreuen sich die Wolken, und es lichten sich ihre düstern Gestalten. Wer gleicht dir am Himmel, Erzeugte der Nacht? Beschämt in deiner Gegenwart sind die Sterne und wenden ab die grünfunkelnden Augen. Wohin, wenn des Morgens dein Antlitz erbleicht, entfliehst du von deinem Pfade? Hast du gleich mir deine Halle? Wohnst du im Schatten der Wehmut? Sind deine Schwestern vom Himmel gefallen? Sie, die freudig mit dir die Nacht durchwallten, sind sie nicht mehr? Ja, sie fielen herab o schönes Licht, und du verbirgst dich oft, sie zu betrauern. Doch einst wird kommen die Nacht, und du, auch du bist vergangen und hast deine blauen Pfade dort oben verlassen. Dann erheben die Sterne ihre grünen Häupter, die einst deine Gegenwart beschämt, sie werden sich freuen. Doch jetzt bist du gekleidet in deiner Strahlenpracht und schaust herab aus den Toren des Himmels. Zerreißt die Wolken, o Winde, damit die Erzeugte der Nacht hervorzuleuchten vermag, und die buschigen Berge erglänzen, und das Meer seine schäumenden Wogen rolle in Licht!«

Ein wohlbekannter, nicht sehr magerer Freund, der mehr getrunken als gegessen hatte, obgleich er auch heute abend, wie gewöhnlich, eine Portion Rindfleisch verschlungen, wovon sechs Gardeleutnants und ein unschuldiges Kind satt geworden wären, dieser kam jetzt in allzugutem Humor, d. h. ganz en Schwein, vorbeigerannt, schob die beiden elegischen Freunde etwas unsanft in den Schrank hinein, polterte nach der Haustüre und wirtschaftete draußen ganz mörderisch. Der Lärm im Saal wurde auch immer verworrener und dumpfer. Die beiden Jünglinge im Schranke jammerten und wimmerten, sie lägen zerschmettert am Fuße des Berges; aus dem Hals strömte ihnen der edle Rotwein, sie überschwemmten sich wechselseitig, und der eine sprach zum andern: »Lebe wohl! Ich fühle, daß ich verblute. Warum weckst du mich, Frühlingsluft? Du buhlst und sprichst: ich betaue dich mit Tropfen des Himmels. Doch die Zeit meines Welkens ist nahe, nahe der Sturm, der meine Blätter herabstört! Morgen wird der Wanderer kommen, kommen, der mich sah in meiner Schönheit, ringsum wird sein Auge im Felde mich suchen und wird mich nicht finden. —« Aber alles übertobte die wohlbekannte Baßstimme, die draußen vor der Türe, unter Fluchen und Jauchzen, sich gottlästerlich beklagte: daß auf der ganzen dunkeln Weenderstraße keine einzige Laterne brenne und man nicht einmal sehen könne, bei wem man die Fensterscheiben eingeschmissen habe.

Ich kann viel vertragen – die Bescheidenheit erlaubt mir nicht, die Bouteillenzahl zu nennen – und ziemlich gut konditioniert gelangte ich nach meinem Schlafzimmer. Der junge Kaufmann lag schon im Bette, mit seiner kreideweißen Nachtmütze und safrangelben Jacke von Gesundheitsflanell. Er schlief noch nicht und suchte ein Gespräch mit mir anzuknüpfen. Er war ein Frankfurt-am-Mainer, und folglich sprach er gleich von den Juden, die alles Gefühl für das Schöne und Edle verloren haben und die englischen Waren 25 Prozent unter dem Fabrikpreise verkaufen. Es ergriff mich die Lust, ihn etwas zu mystifizieren; deshalb sagte ich ihm: ich sei ein Nachtwandler und müsse im voraus um Entschuldigung bitten für den Fall, daß ich ihn etwa im Schlafe stören möchte. Der arme

Mensch hat deshalb, wie er mir den andern Tag gestand, die ganze
Nacht nicht geschlafen, da er die Besorgnis hegte, ich könnte mit
meinen Pistolen, die vor meinem Bette lagen, im Nachtwandler-
zustand ein Malheur anrichten. Im Grunde war es mir nicht viel
besser als ihm gegangen, ich hatte sehr schlecht geschlafen. Wüste,
beängstigende Phantasiegebilde. Ein Klavierauszug aus Dantes
›Hölle‹. Am Ende träumte mir gar, ich sähe die Aufführung einer
juristischen Oper, die Falcidia[41] geheißen, erbrechtlicher Text von
Gans[42] und Musik von Spontini. Ein toller Traum. Das römische
Forum leuchtete prächtig, Serv. Asinius Göschenus[43] als Prätor auf
seinem Stuhle, die Toga in stolze Falten werfend, ergoß sich in pol-
ternden Recitativen; Marcus Tullius Elversus[44], als Prima Donna
legataria, all seine holde Weiblichkeit offenbarend, sang die liebe-
schmelzende Bravourarie quicunque civis romanus; ziegelrot ge-
schminkte Referendarien brüllten als Chor der Unmündigen; Fri-
vatdozenten, als Genien in fleischfarbigen Trikot gekleidet, tanzten
ein antejustinianeisches Ballett und bekränzten mit Blumen die
zwölf Tafeln[45]; unter Donner und Blitz stieg aus der Erde der be-
leidigte Geist der römischen Gesetzgebung, hierauf Posaunen, Tam-
tam, Feuerregen, cum omni causa[46].

Aus diesem Lärmen zog mich der Brockenwirt, indem er mich
weckte, um den Sonnenaufgang anzusehen. Auf dem Turm fand ich
schon einige Harrende, die sich die frierenden Hände rieben, andere,
noch den Schlaf in den Augen, taumelten herauf. Endlich stand die
stille Gemeinde von gestern Abend wieder ganz versammelt, und
schweigend sahen wir, wie am Horizonte die kleine karmoisinrote
Kugel emporstieg, eine winterlich dämmernde Beleuchtung sich ver-
breitete, die Berge wie in einem weißwallenden Meere schwammen
und bloß die Spitzen derselben sichtbar hervortraten, so daß man
auf einem kleinen Hügel zu stehen glaubte, mitten auf einer überschwemmten Ebene, wo nur hier und da eine trockene Erdscholle
hervortritt. Um das Gesehene und Empfundene in Worten festzuhalten, zeichnete ich folgendes Gedicht:

[41] Falcidia lex wurde ein römisches Gesetz genannt, das 40 v. Chr. von dem Volks-
tribun Falcidius erlassen wurde und welches verordnete, daß niemand mehr als
drei Vierteile seines Vermögens zu Legaten aussetzen dürfe. Beginnt mit: quicunque. [42] Eduard Gans (1798–1839), Begründer der vergleichenden Rechtswis-
senschaft in Deutschland. [43] Der berühmte Rechtslehrer J. F. L. Göschen (1778–
1837) war Prorektor der Universität Göttingen, als Heine dort studierte. [44] Chr.
Fr. Elvers (1797–1858) war ebenfalls zu jener Zeit Professor der Jurisprudenz in
Göttingen. [45] Die bekannte älteste Aufzeichnung des römischen Rechts auf zwölf
ehernen Tafeln, 450 v. Chr. verfaßt und auf dem römischen Forum ausgestellt.
[46] »Mit allem Zubehör, mit allen Folgen.«

Heller wird es schon im Osten
Durch der Sonne kleines Glimmen,
Weit und breit die Bergesgipfel
In dem Nebelmeere schwimmen.

Hätt' ich Siebenmeilenstiefel,
Lief' ich mit der Hast des Windes
Über jene Bergesgipfel,
Nach dem Haus des lieben Kindes,

Von dem Bettchen, wo sie schlummert,
Zög' ich leise die Gardinen,
Leise küßt' ich ihre Stirne,
Leise ihres Munds Rubinen.

Und noch leiser wollt' ich flüstern
In die kleinen Lilienohren:
Denk im Traum, daß wir uns lieben,
Und daß wir uns nie verloren.

Indessen, meine Sehnsucht nach einem Frühstück war ebenfalls
groß, und nachdem ich meinen Damen einige Höflichkeiten gesagt,
eilte ich hinab, um in der warmen Stube Kaffee zu trinken. Es tat
not; in meinem Magen sah es so nüchtern aus wie in der Goslar-
schen Stephanskirche. Aber mit dem arabischen Trank rieselte mir
auch der warme Orient durch die Glieder, östliche Rosen umdufte-
ten mich, süße Bulbul[47]-Lieder erklangen, die Studenten verwandel-
ten sich in Kamele, die Brockenhausmädchen, mit ihren Congrevi-
schen Blicken[48], wurden zu Houris, die Philisternasen wurden Mi-
narets usw.

Das Buch, das neben mir lag, war aber nicht der Koran. Unsinn
enthielt es freilich genug. Es war das sogenannte Brockenbuch, worin
alle Reisende, die den Berg erstiegen, ihre Namen schreiben und die
meisten noch einige Gedanken und, in Ermangelung derselben, ihre
Gefühle hinzu notieren. Viele drücken sich sogar in Versen aus. In
diesem Buche sieht man, welche Greuel entstehen, wenn der große
Philistertroß bei gebräuchlichen Gelegenheiten, wie hier auf dem
Brocken, sich vorgenommen hat, poetisch zu werden. Der Palast des
Prinzen von Pallagonia[49] enthält keine so große Abgeschmackthei-
ten wie dieses Buch, wo besonders hervorglänzen die Herren Accise-

---

[47] Bülbül, persisch: die Nachtigall.   [48] William Congreve (1772–1828), Erfinder
der nach ihm benannten Raketen.   [49] Der Palast des Prinzen Pallagonia wird in
Goethes ›Italienische Reise‹ (Palermo, April 1787), ausführlich und mit all seinen
Ungeheuerlichkeiten und Bizarrerien geschildert.

einnehmer mit ihren verschimmelten Hochgefühlen, die Kontor-
jünglinge mit ihren pathetischen Seelenergüssen, die altdeutschen
Revolutionsdilettanten mit ihren Turngemeinplätzen, die Berliner
Schullehrer mit ihren verunglückten Entzückungsphrasen usw. Herr
Johannes Hagel will sich auch mal als Schriftsteller zeigen. Hier
wird des Sonnenaufgangs majestätische Pracht beschrieben; dort
wird geklagt über schlechtes Wetter, über getäuschte Erwartungen,
über den Nebel, der alle Aussicht versperrt. ›Benebelt heraufge-
kommen und benebelt hinuntergegangen!‹ ist ein stehender Witz,
der hier von Hunderten nachgerissen wird.

Das ganze Buch riecht nach Käse, Bier und Tabak; man glaubt
einen Roman von Clauren[50] zu lesen.

Während ich nun besagtermaßen Kaffee trank und im Brocken-
buche blätterte, trat der Schweizer mit hochroten Wangen herein,
und voller Begeisterung erzählte er von dem erhabenen Anblick,
den er oben auf dem Turm genossen, als das reine, ruhige Licht der
Sonne, Sinnbild der Wahrheit, mit den nächtlichen Nebelmassen ge-
kämpft, daß es ausgesehen habe wie eine Geisterschlacht, wo zür-
nende Riesen ihre langen Schwerter ausstrecken, geharnischte Ritter auf bäumenden Rossen einherjagen, Streitwagen, flatternde Banner, abenteuerliche Tierbildungen aus dem wildesten Gewühle her-
vortauchen, bis endlich alles in den wahnsinnigsten Verzerrungen
zusammenkräuselt, blasser und blasser zerrinnt und spurlos verschwindet. Diese demagogische Naturerscheinung hatte ich versäumt,
und ich kann, wenn es zur Untersuchung kommt, eidlich versichern:
daß ich von nichts weiß, als vom Geschmack des guten braunen Kaf-
fees. Ach, dieser war sogar schuld, daß ich meine schöne Dame vergessen, und jetzt stand sie vor der Tür, mit Mutter und Begleiter, im
Begriff, den Wagen zu besteigen. Kaum hatte ich noch Zeit, hinzu-
eilen und ihr zu versichern, daß es kalt sei. Sie schien unwillig, daß
ich nicht früher gekommen; doch ich glättete bald die mißmütigen
Falten ihrer schönen Stirn, indem ich ihr eine wunderliche Blume
schenkte, die ich den Tag vorher mit halsbrecherischer Gefahr von
einer steilen Felsenwand gepflückt hatte. Die Mutter verlangte den
Namen der Blume zu wissen, gleichsam als ob sie es unschicklich
fände, daß ihre Tochter eine fremde, unbekannte Blume vor die
Brust stecke – denn wirklich, die Blume erhielt diesen beneidenswer-
ten Platz, was sie sich gewiß gestern auf ihrer einsamen Höhe nicht
träumen ließ. Der schweigsame Begleiter öffnete jetzt auf einmal

[50] H. Clauren (Karl G. Heun, 1771–1854), vielgelesener Modeschriftsteller der
Jahrhundertwende.

den Mund, zählte die Staubfäden der Blume und sagte ganz trok-
ken: »Sie gehört zur achten Klasse.«

Es ärgert mich jedesmal, wenn ich sehe, daß man auch Gottes liebe
Blumen, ebenso wie uns, in Kasten geteilt hat, und nach ähnlichen
Äußerlichkeiten, nämlich nach Staubfäden-Verschiedenheit. Soll
doch mal eine Einteilung stattfinden, so folge man dem Vorschlag
Theophrasts[51], der die Blumen mehr nach dem Geiste, nämlich nach
ihrem Geruch, einteilen wollte. Was mich betrifft, so habe ich in der
Naturwissenschaft mein eigenes System, und demnach teile ich alles
ein: in dasjenige, was man essen kann, und in dasjenige, was man
nicht essen kann.

Jedoch der ältern Dame war die geheimnisvolle Natur der Blumen nichts weniger als verschlossen, und unwillkürlich äußerte sie:
daß sie von den Blumen, wenn sie noch im Garten oder im Topfe
wachsen, recht erfreut werde, daß hingegen ein leises Schmerzgefühl
traumhaft beängstigend ihre Brust durchzittere, wenn sie eine abgebrochene Blume sehe – da eine solche doch eigentlich eine Leiche sei
und so eine gebrochene, zarte Blumenleiche ihr welkes Köpfchen
recht traurig herabhängen lasse, wie ein totes Kind. Die Dame war
fast erschrocken über den trüben Widerschein ihrer Bemerkung, und
es war meine Pflicht, denselben mit einigen Voltaireschen Versen zu
verscheuchen. Wie doch ein paar französische Worte uns gleich in
die gehörige Konvenienzstimmung zurückversetzen können! Wir
lachten, Hände wurden geküßt, huldreich wurde gelächelt, die Pferde
wieherten, und der Wagen holperte langsam und beschwerlich den
Berg hinunter.

Nun machten auch die Studenten Anstalt zum Abreisen, die Ranzen wurden geschnürt, die Rechnungen, die über alle Erwartung
billig ausfielen, berichtigt; die empfänglichen Hausmädchen, auf deren Gesichtern die Spuren glücklicher Liebe, brachten, wie gebräuchlich ist, die Brockensträußchen, halfen solche auf die Mützen befesti-
gen, wurden dafür mit einigen Küssen oder Groschen honoriert, und
so stiegen wir alle den Berg hinab, indem die einen, wobei der
Schweizer und Greifswalder, den Weg nach Schierke einschlugen
und die andern, ungefähr zwanzig Mann, wobei auch meine Landsleute und ich, angeführt von einem Wegweiser, durch die sogenannten Schneelöcher hinabzogen nach Ilsenburg.

Das ging über Hals und Kopf. Hallesche Studenten marschieren
schneller als die östreichische Landwehr. Ehe ich mich dessen versah,
war die kahle Partie des Berges mit den darauf zerstreuten Stein-

---

[51] Theophrastus, um 372–287 v. Chr., griechischer Philosoph, schrieb zwei Werke
über die Pflanzenkunde; in dem einen spricht er über den Geruch der Pflanzen.

gruppen schon hinter uns, und wir kamen durch einen Tannenwald, wie ich ihn den Tag vorher gesehen. Die Sonne goß schon ihre festlichsten Strahlen herab und beleuchtete die humoristisch buntgekleideten Burschen, die so munter durch das Dickicht drangen, hier verschwanden, dort wieder zum Vorschein kamen, bei Sumpfstellen über die quergelegten Baumstämme liefen, bei abschüssigen Tiefen an den rankenden Wurzeln kletterten, in den ergötzlichsten Tonarten emporjohlten und ebenso lustige Antwort zurückerhielten von den zwitschernden Waldvögeln, von den rauschenden Tannen, von den unsichtbar plätschernden Quellen und von dem schallenden Echo. Wenn frohe Jugend und schöne Natur zusammenkommen, so freuen sie sich wechselseitig.

Je tiefer wir hinabstiegen, desto lieblicher rauschte das unterirdische Gewässer, nur hier und da, unter Gestein und Gestrippe, blinkte es hervor und schien heimlich zu lauschen, ob es ans Licht treten dürfe, und endlich kam eine kleine Welle entschlossen hervorgesprungen. Nun zeigt sich die gewöhnliche Erscheinung: ein Kühner macht den Anfang, und der große Troß der Zagenden wird plötzlich zu seinem eigenen Erstaunen von Mut ergriffen und eilt, sich mit jenem ersten zu vereinigen. Eine Menge anderer Quellen hüpften jetzt hastig aus ihrem Versteck, verbanden sich mit der zuerst hervorgesprungenen, und bald bildeten sie zusammen ein schon bedeutendes Bächlein, das in unzähligen Wasserfällen und in wunderlichen Windungen das Bergtal hinabrauscht. Das ist nun die Ilse, die liebliche, süße Ilse. Sie zieht sich durch das gesegnete Ilsetal, an dessen beiden Seiten sich die Berge allmählich höher erheben, und diese sind bis zu ihrem Fuße meistens mit Buchen, Eichen und gewöhnlichem Blattgesträuche bewachsen, nicht mehr mit Tannen und anderm Nadelholz. Denn jene Blätterholzart wird vorherrschend auf dem »Unterharze«, wie man die Ostseite des Brockens nennt, im Gegensatz zur Westseite desselben, die der »Oberharz« heißt und wirklich viel höher ist und also auch viel geeigneter zum Gedeihen der Nadelhölzer.

Es ist unbeschreiblich, mit welcher Fröhlichkeit, Naivetät und Anmut die Ilse sich hinunterstürzt über die abenteuerlich gebildeten Felsstücke, die sie in ihrem Laufe findet, so daß das Wasser hier wild emporzischt oder schäumend überläuft, dort aus allerlei Steinspalten, wie aus tollen Gießkannen, in reinen Bögen sich ergießt und unten wieder über die kleinen Steine hintrippelt wie ein munteres Mädchen. Ja, die Sage ist wahr, die Ilse ist eine Prinzessin, die lachend und blühend den Berg hinabläuft. Wie blinkt im Sonnenschein ihr weißes Schaumgewand! Wie flattern im Winde ihre silbernen

Busenbänder! Wie funkeln und blitzen ihre Diamanten! Die hohen
Buchen stehen dabei gleich ernsten Vätern, die verstohlen lächelnd
dem Mutwillen des lieblichen Kindes zusehen; die weißen Birken
bewegen sich tantenhaft vergnügt und doch zugleich ängstlich über
die gewagten Sprünge; der stolze Eichbaum schaut drein wie ein
verdrießlicher Oheim, der das schöne Wetter bezahlen soll; die
Vögelein in den Lüften jubeln ihren Beifall, die Blumen am Ufer
flüstern zärtlich: »O, nimm uns mit, nimm uns mit, lieb Schwester-
chen!« – aber das lustige Mädchen springt unaufhaltsam weiter, und
plötzlich ergreift sie den träumenden Dichter, und es strömt auf
mich herab ein Blumenregen von klingenden Strahlen und strahlenden Klängen, und die Sinne vergehen mir vor lauter Herrlichkeit,
und ich höre nur noch die flötensüße Stimme:

>   »Ich bin die Prinzessin Ilse,
>   Und wohne im Ilsenstein;
>   Komm mit nach meinem Schlosse,
>   Wir wollen selig sein.
>
>   Dein Haupt will ich benetzen
>   Mit meiner klaren Well',
>   Du sollst deine Schmerzen vergessen,
>   Du sorgenkranker Gesell'!
>
>   In meinen weißen Armen,
>   An meiner weißen Brust,
>   Da sollst du liegen und träumen
>   Von alter Märchenlust.
>
>   Ich will dich küssen und herzen,
>   Wie ich geherzt und geküßt
>   Den lieben Kaiser Heinrich,
>   Der nun gestorben ist.
>
>   Es bleiben tot die Toten,
>   Und nur der Lebendige lebt;
>   Und ich bin schön und blühend,
>   Mein lachendes Herze bebt.
>
>   Und bebt mein Herz dort unten,
>   So klingt mein kristallenes Schloß,
>   Es tanzen die Fräulein und Ritter,
>   Es jubelt der Knappentroß.
>
>   Es rauschen die seidenen Schleppen,
>   Es klirren die Eisenspor'n,

> Die Zwerge trompeten und pauken,
> Und fiedeln und blasen das Horn.
>
> Doch dich soll mein Arm umschlingen,
> Wie er Kaiser Heinrich umschlang;
> Ich hielt ihm zu die Ohren,
> Wenn die Trompet' erklang.«

Unendlich selig ist das Gefühl, wenn die Erscheinungswelt mit unsrer Gemütswelt zusammenrinnt, und grüne Bäume, Gedanken, Vögelgesang, Wehmut, Himmelsbläue, Erinnerung und Kräuterduft sich in süßen Arabesken verschlingen. Die Frauen kennen am besten dieses Gefühl, und darum mag auch ein so holdselig ungläubiges Lächeln um ihre Lippen schweben, wenn wir mit Schulstolz unsere logischen Taten rühmen, wie wir alles so hübsch eingeteilt in objektiv und subjektiv, wie wir unsere Köpfe apothekenartig mit tausend Schubladen versehen, wo in der einen Vernunft, in der andern Verstand, in der dritten Witz, in der vierten schlechter Witz und in der fünften gar nichts, nämlich die Idee, enthalten ist.

Wie im Traume fortwandelnd, hatte ich fast nicht bemerkt, daß wir die Tiefe des Ilsetales verlassen und wieder bergauf stiegen. Dies ging sehr steil und mühsam, und mancher von uns kam außer Atem. Doch wie unser seliger Vetter, der zu Mölln[52] begraben liegt, dachten wir im voraus ans Bergabsteigen und waren um so vergnügter. Endlich gelangten wir auf den Ilsenstein.

Das ist ein ungeheurer Granitfelsen, der sich lang und keck aus der Tiefe erhebt. Von drei Seiten umschließen ihn die hohen, waldbedeckten Berge, aber die vierte, die Nordseite, ist frei, und hier schaut man das unten liegende Ilsenburg und die Ilse weit hinab ins niedere Land. Auf der turmartigen Spitze des Felsens steht ein großes, eisernes Kreuz, und zur Not ist da noch Platz für vier Menschenfüße.

Wie nun die Natur durch Stellung und Form den Ilsenstein mit phantastischen Reizen geschmückt, so hat auch die Sage ihren Rosenschein darüber ausgegossen. Gottschalk berichtet: »Man erzählt, hier habe ein verwünschtes Schloß gestanden, in welchem die reiche, schöne Prinzessin Ilse gewohnt, die sich noch jetzt jeden Morgen in der Ilse bade; und wer so glücklich ist, den rechten Zeitpunkt zu treffen, werde von ihr in den Felsen, wo ihr Schloß sei, geführt und königlich belohnt[53]!« Andere erzählen von der Liebe des Fräuleins

---

[52] Till Eulenspiegel, der zu Mölln bei Lübeck begraben liegt. [53] Die Sage von der Prinzessin Ilse findet sich in den von A. Kuhn und W. Schwarz herausgegebenen ›Norddeutschen Sagen, Märchen und Gebräuchen‹ (Leipzig 1848).

Ilse und des Ritters von Westenberg eine hübsche Geschichte, die einer unserer bekanntesten Dichter romantisch in der ›Abendzeitung‹ besungen hat. Andere wieder erzählen anders: es soll der altsächsische Kaiser Heinrich gewesen sein, der mit Ilse, der schönen Wasserfee, in ihrer verzauberten Felsenburg die kaiserlichsten Stunden genossen. Ein neuerer Schriftsteller, Herr Niemann, Wohlgeb., der ein Harzreisebuch[54] geschrieben, worin er die Gebirgshöhen, Abweichungen der Magnetnadel, Schulden der Städte und dergleichen mit löblichem Fleiße und genauen Zahlen angegeben, behauptet indes: »Was man von der schönen Prinzessin Ilse erzählt, gehört dem Fabelreiche an.« So sprechen alle diese Leute, denen eine solche Prinzessin niemals erschienen ist, wir aber, die wir von schönen Damen besonders begünstigt werden, wissen das besser. Auch Kaiser Heinrich wußte es. Nicht umsonst hingen die altsächsischen Kaiser so sehr an ihrem heimischen Harze. Man blättere nur in der hübschen ›Lüneburger Chronik[55]‹, wo die guten alten Herren in wunderlich treuherzigen Holzschnitten abkonterfeit sind, wohlgeharnischt, hoch auf ihrem gewappneten Schlachtroß, die heilige Kaiserkrone auf dem teuren Haupte, Scepter und Schwert in festen Händen; und auf den lieben, knebelbärtigen Gesichtern kann man deutlich lesen, wie oft sie sich nach den süßen Herzen ihrer Harzprinzessinnen und dem traulichen Rauschen der Harzwälder zurücksehnten, wenn sie in der Fremde weilten, wohl gar in dem zitronen- und giftreichen Welschland, wohin sie und ihre Nachfolger so oft verlockt wurden von dem Wunsche, römische Kaiser zu heißen, einer echtdeutschen Titelsucht, woran Kaiser und Reich zu Grunde gingen.

Ich rate aber jedem, der auf der Spitze des Ilsensteins steht, weder an Kaiser und Reich noch an die schöne Ilse, sondern bloß an seine Füße zu denken. Denn als ich dort stand, in Gedanken verloren, hörte ich plötzlich die unterirdische Musik des Zauberschlosses, und ich sah, wie sich die Berge ringsum auf die Köpfe stellten, und die roten Ziegeldächer zu Ilsenburg anfingen zu tanzen, und die grünen Bäume in der blauen Luft herumflogen, daß es mir blau und grün vor den Augen wurde und ich sicher, vom Schwindel erfaßt, in den Abgrund gestürzt wäre, wenn ich mich nicht in meiner Seelennot ans eiserne Kreuz festgeklammert hätte. Daß ich in so mißlichere Stellung dieses letztere getan habe, wird mir gewiß niemand verdenken.

---

[54] F. L. Niemanns ›Handbuch für Harzreisende‹, Halberstadt: 1824.   [55] Die Lüneburger Chronik, teilweise in niedersächsischer Sprache abgefaßt, reicht von 750 bis 1205. Sie ist zum Teil in die berühmte Sachsenchronik übergegangen.

Die ›Harzreise‹ ist und bleibt Fragment, und die bunten Fäden, die so hübsch hineingesponnen sind, um sich im Ganzen harmonisch zu verschlingen, werden plötzlich, wie von der Schere der unerbittlichen Parze, abgeschnitten. Vielleicht verwebe ich sie weiter in künftigen Liedern, und was jetzt kärglich verschwiegen ist, wird alsdann vollauf gesagt. Am Ende kommt es auch auf eins heraus, wann und wo man etwas ausgesprochen hat, wenn man es nur überhaupt einmal ausspricht. Mögen die einzelnen Werke immerhin Fragmente bleiben, wenn sie nur in ihrer Vereinigung ein Ganzes bilden. Durch solche Vereinigung mag hier und da das Mangelhafte ergänzt, das Schroffe ausgeglichen und das Allzuherbe gemildert werden. Dieses würde vielleicht schon bei den ersten Blättern der ›Harzreise‹ der Fall sein, und sie könnten wohl einen minder sauern Eindruck hervorbringen, wenn man anderweitig erführe, daß der Unmut, den ich gegen Göttingen im allgemeinen hege, obschon er noch größer ist, als ich ihn ausgesprochen, doch lange nicht so groß ist wie die Verehrung, die ich für einige Individuen dort empfinde. Und warum sollte ich es verschweigen: ich meine hier ganz besonders jenen viel teuren Mann, der schon in frühern Zeiten sich so freundlich meiner annahm, mir schon damals eine innige Liebe für das Studium der Geschichte einflößte, mich späterhin in dem Eifer für dasselbe bestärkte und dadurch meinen Geist auf ruhigere Bahnen führte, meinem Lebensmute heilsamere Richtungen anwies und mir überhaupt jene historischen Tröstungen bereitete, ohne welche ich die qualvollen Erscheinungen des Tages nimmermehr ertragen würde. Ich spreche von Georg Sartorius, dem großen Geschichtsforscher und Menschen, dessen Auge ein klarer Stern ist in unserer dunkeln Zeit, und dessen gastliches Herz offen steht für alle fremde Leiden und Freuden, für die Besorgnisse des Bettlers und des Königs und für die letzten Seufzer untergehender Völker und ihrer Götter.

Ich kann nicht umhin, hier ebenfalls anzudeuten: daß der Oberharz, jener Teil des Harzes, den ich bis zum Anfang des Ilsetales beschrieben habe, bei weitem keinen so erfreulichen Anblick wie der romantisch malerische Unterharz gewährt und in seiner wildschroffen, tannendüstern Schönheit gar sehr mit demselben kontrastiert; so wie ebenfalls die drei von der Ilse, von der Bode und von der Selke gebildeten Täler des Unterharzes gar anmutig untereinander kontrastieren, wenn man den Charakter jedes Tales zu personifizieren weiß. Es sind drei Frauengestalten, wovon man nicht so leicht zu unterscheiden vermag, welche die schönste sei.

Von der lieben, süßen Ilse und wie süß und lieblich sie mich empfangen, habe ich schon gesagt und gesungen. Die düstere Schöne, die

Bode, empfing mich nicht so gnädig, und als ich sie im schmiededun-
keln Rübeland zuerst erblickte, schien sie gar mürrisch und verhüllte
sich in einen silbergrauen Regenschleier. Aber mit rascher Liebe warf
sie ihn ab, als ich auf die Höhe der Roßtrappe gelangte, ihr Antlitz
leuchtete mir entgegen in sonnigster Pracht, aus allen Zügen hauchte
eine kolossale Zärtlichkeit, und aus der bezwungenen Felsenbrust
drang es hervor wie Sehnsuchtseufzer und schmelzende Laute der
Wehmut. Minder zärtlich, aber fröhlicher, zeigte sich mir die schöne
Selke, die schöne, liebenswürdige Dame, deren edle Einfalt und
heitere Ruhe alle sentimentale Familiarität entfernt hält, die aber
doch durch ein halbverstecktes Lächeln ihren neckenden Sinn verrät;
und diesem möchte ich es wohl zuschreiben, daß mich im Selketal
gar mancherlei kleines Ungemach heimsuchte, daß ich, indem ich
über das Wasser springen wollte, just in die Mitte hineinplumpste,
daß nachher, als ich das nasse Fußzeug mit Pantoffeln vertauscht
hatte, einer derselben mir abhanden oder vielmehr abfüßen kam,
daß mir ein Windstoß die Mütze entführte, daß mir Walddorne die
Beine zerfetzten, und leider so weiter. Doch all dieses Ungemach
verzeihe ich gern der schönen Dame, denn sie ist schön. Und jetzt
steht sie vor meiner Einbildung mit all ihrem stillen Liebreiz und
scheint zu sagen: »Wenn ich auch lache, so meine ich es doch gut mit
Ihnen, und ich bitte Sie, besingen Sie mich.« Die herrliche Bode tritt
ebenfalls hervor in meiner Erinnerung, und ihr dunkles Auge spricht:
»Du gleichst mir im Stolz und im Schmerze, und ich will, daß du
mich liebst.« Auch die schöne Ilse kommt herangesprungen, zierlich
und bezaubernd in Miene, Gestalt und Bewegung; sie gleicht ganz
dem holden Wesen, das meine Träume beseligt, und ganz wie Sie
schaut sie mich an, mit unwiderstehlicher Gleichgültigkeit und doch
zugleich so innig, so ewig, so durchsichtig wahr – Nun, ich bin Paris,
die drei Göttinnen stehen vor mir, und den Apfel gebe ich der schönen Ilse.

Es ist heute der erste Mai; wie ein Meer des Lebens ergießt sich
der Frühling über die Erde, der weiße Blütenschaum bleibt an den
Bäumen hängen, ein weiter, warmer Nebelglanz verbreitet sich
überall; in der Stadt blitzen freudig die Fensterscheiben der Häuser,
an den Dächern bauen die Spatzen wieder ihre Nestchen, auf der
Straße wandeln die Leute und wundern sich, daß die Luft so angrei-
fend und ihnen selbst so wunderlich zu Mute ist; die bunten Vier-
landerinnen bringen Veilchensträußer; die Waisenkinder mit ihren
blauen Jäckchen und ihren lieben, unehelichen Gesichtchen ziehen
über den Jungfernstieg und freuen sich, als sollten sie heute einen
Vater wiederfinden; der Bettler an der Brücke schaut so vergnügt,

als hätte er das große Los gewonnen; sogar den schwarzen, noch ungehenkten Makler[56], der dort mit seinem spitzbübischen Manu-fakturwaren-Gesicht einherläuft, bescheint die Sonne mit ihren to-lerantesten Strahlen – ich will hinauswandern vor das Tor.

Es ist der erste Mai, und ich denke deiner, du schöne Ilse – oder soll ich dich »Agnes«[57] nennen, weil dir dieser Name am besten ge-fällt? – ich denke deiner, und ich möchte wieder zusehen, wie du leuchtend den Berg hinabläufst. Am liebsten aber möchte ich unten im Tale stehen und dich auffangen in meine Arme. – Es ist ein schö-ner Tag! Überall sehe ich die grüne Farbe, die Farbe der Hoffnung. Überall, wie holde Wunder, blühen hervor die Blumen, und auch mein Herz will wieder blühen. Dieses Herz ist auch eine Blume, eine gar wunderliche. Es ist kein bescheidenes Veilchen, keine la-chende Rose, keine reine Lilie oder sonstiges Blümchen, das mit ar-tiger Lieblichkeit den Mädchensinn erfreut und sich hübsch vor den hübschen Busen stecken läßt und heute welkt und morgen wieder blüht. Dieses Herz gleicht mehr jener schweren, abenteuerlichen Blume aus den Wäldern Brasiliens, die der Sage nach alle hundert Jahre nur einmal blüht. Ich erinnere mich, daß ich als Knabe eine solche Blume gesehen. Wir hörten in der Nacht einen Schuß, wie von einer Pistole, und am folgenden Morgen erzählten mir die Nach-barskinder, daß es ihre Aloe gewesen, die mit solchem Knalle plötz-lich aufgeblüht sei. Sie führten mich in ihren Garten, und da sah ich zu meiner Verwunderung, daß das niedrige, harte Gewächs mit den närrisch breiten, scharfgezackten Blättern, woran man sich leicht verletzen konnte, jetzt ganz in die Höhe geschossen war und oben, wie eine goldene Krone, die herrlichste Blüte trug. Wir Kinder konnten nicht mal so hoch hinaufsehen, und der alte, schmunzelnde Christian, der uns liebhatte, baute eine hölzerne Treppe um die Blume herum, und da kletterten wir hinauf wie die Katzen und schauten neugierig in den offenen Blumenkelch, woraus die gelben Strahlenfäden und wildfremden Düfte mit unerhörter Pracht her-vordrangen.

Ja, Agnes, oft und leicht kommt dieses Herz nicht zum Blühen; soviel ich mich erinnere, hat es nur ein einziges Mal geblüht, und das mag schon lange her sein, gewiß schon hundert Jahr. Ich glaube, so herrlich auch damals seine Blüte sich entfaltete, so mußte sie doch aus Mangel an Sonnenschein und Wärme elendiglich verkümmern,

[56] Ein bekannter Hamburger Makler, namens Josef Friedländer, glaubte in dieser Schilderung sein Porträt zu erkennen. Er fiel Heine in Hamburg auf offener Straße an und leugnete dies nachher vor Gericht.   [57] Gemeint ist Therese Heine, Tochter von Heines Oheim Salomon, die Heine sehr verehrte.

wenn sie nicht gar von einem dunkeln Wintersturme gewaltsam zerstört worden. Jetzt aber regt und drängt es sich wieder in meiner Brust, und hörst du plötzlich den Schuß – Mädchen, erschrick nicht! ich hab' mich nicht totgeschossen, sondern meine Liebe sprengt ihre Knospe und schießt empor in strahlenden Liedern, in ewigen Dithyramben, in freudigster Sangesfülle.

Ist dir aber diese hohe Liebe zu hoch, Mädchen, so mach es dir bequem und besteige die hölzerne Treppe und schaue von dieser hinab in mein blühendes Herz.

Es ist noch früh am Tage, die Sonne hat kaum die Hälfte ihres Weges zurückgelegt, und mein Herz duftet schon so stark, daß es mir betäubend zu Kopfe steigt, daß ich nicht mehr weiß, wo die Ironie aufhört und der Himmel anfängt, daß ich die Luft mit meinen Seufzern bevölkere und daß ich selbst wieder zerrinnen möchte in süße Atome, in die unerschaffene Gottheit; – wie soll das erst gehen, wenn es Nacht wird und die Sterne am Himmel erscheinen, »die unglücksel'gen Sterne, die dir sagen können –«

Es ist der erste Mai, der lumpigste Ladenschwengel hat heute das Recht, sentimental zu werden, und dem Dichter wolltest du es verwehren?

DIE NORDSEE

(1 8 2 6)

(Geschrieben auf der Insel Norderney)

– Die Eingeborenen sind meistens blutarm und leben vom Fischfang, der erst im nächsten Monat, im Oktober, bei stürmischem Wetter, seinen Anfang nimmt. Viele dieser Insulaner dienen auch als Matrosen auf fremden Kauffahrteischiffen und bleiben jahrelang vom Hause entfernt, ohne ihren Angehörigen irgend eine Nachricht von sich zukommen zu lassen. Nicht selten finden sie den Tod auf dem Wasser. Ich habe einige arme Weiber auf der Insel gefunden, deren ganze männliche Familie solcherweise umgekommen, was sich leicht ereignet, da der Vater mit seinen Söhnen gewöhnlich auf demselben Schiffe zur See fährt.

Das Seefahren hat für diese Menschen einen großen Reiz; und dennoch, glaube ich, daheim ist ihnen allen am wohlsten zu Mute. Sind sie auch auf ihren Schiffen sogar nach jenen südlichen Ländern gekommen, wo die Sonne blühender und der Mond romantischer leuchtet, so können doch alle Blumen dort nicht den Leck ihres Herzens stopfen, und mitten in der duftigen Heimat des Frühlings sehnen sie sich wieder zurück nach ihrer Sandinsel, nach ihren kleinen Hütten, nach dem flackernden Herde, wo die Ihrigen, wohlverwahrt in wollenen Jacken, herumkauern und einen Tee trinken, der sich von gekochtem Seewasser nur durch den Namen unterscheidet, und eine Sprache schwatzen, wovon kaum begreiflich scheint, wie es ihnen selber möglich ist, sie zu verstehen.

Was diese Menschen so fest und genügsam zusammenhält, ist nicht so sehr das innig mystische Gefühl der Liebe als vielmehr die Gewohnheit, das naturgemäße Ineinander-Hinüberleben, die gemeinschaftliche Unmittelbarkeit. Gleiche Geisteshöhe oder, besser gesagt, Geistesniedrigkeit, daher gleiche Bedürfnisse und gleiches Streben; gleiche Erfahrungen und Gesinnungen, daher leichtes Verständnis untereinander; und sie sitzen verträglich am Feuer in den kleinen Hütten, rücken zusammen, wenn es kalt wird, an den Augen sehen sie sich ab, was sie denken, die Worte lesen sie sich von den Lippen, ehe sie gesprochen worden, alle gemeinsamen Lebensbeziehungen sind ihnen im Gedächtnisse, und durch einen einzigen Laut, eine einzige Miene, eine einzige stumme Bewegung erregen sie untereinander so viel Lachen oder Weinen oder Andacht, wie wir bei unseresgleichen erst durch lange Expositionen, Expektorationen und Deklamationen hervorbringen können. Denn wir leben im Grunde geistig einsam; durch eine besondere Erziehungsmethode oder zufällig gewählte besondere Lektüre hat jeder von uns eine verschiedene Charakterrichtung empfangen; jeder von uns, geistig verlarvt, denkt, fühlt und strebt anders als die andern, und des Mißverständnisses wird so viel, und selbst in weiten Häusern wird das Zusammenleben so schwer, und wir sind überall beengt, überall fremd und überall in der Fremde.

In jenem Zustande der Gedanken- und Gefühlsgleichheit, wie wir ihn bei unseren Insulanern sehen, lebten oft ganze Völker und haben oft ganze Zeitalter gelebt. Die römisch-christliche Kirche im Mittelalter hat vielleicht einen solchen Zustand in den Korporationen des ganzen Europa begründen wollen und nahm deshalb alle Lebensbeziehungen, alle Kräfte und Erscheinungen, den ganzen physischen und moralischen Menschen unter ihre Vormundschaft. Es läßt sich nicht leugnen, daß viel ruhiges Glück dadurch gegründet ward und das Leben warm-inniger blühte und die Künste, wie still hervorgewachsene Blumen, jene Herrlichkeit entfalteten, die wir noch jetzt anstaunen und mit all unserem hastigen Wissen nicht nachahmen können. Aber der Geist hat seine ewigen Rechte, er läßt sich nicht eindämmen durch Satzungen und nicht einlullen durch Glockengeläute; er zerbrach seinen Kerker und zerriß das eiserne Gängelband, woran ihn die Mutterkirche leitete, und er jagte im Befreiungstaumel über die ganze Erde, erstieg die höchsten Gipfel der Berge, jauchzte vor Übermut, gedachte wieder uralter Zweifel, grübelte über die Wunder des Tages und zählte die Sterne der Nacht. Wir kennen noch nicht die Zahl der Sterne, die Wunder des Tages haben wir noch nicht enträtselt, die alten Zweifel sind mächtig geworden in unserer Seele – ist jetzt mehr Glück darin als ehemals? Wir wissen, daß diese Frage, wenn sie den großen Haufen betrifft, nicht leicht bejaht werden kann; aber wir wissen auch, daß ein Glück, das wir der Lüge verdanken, kein wahres Glück ist und daß wir, in den einzelnen zerrissenen Momenten eines gottgleicheren Zustandes, einer höheren Geisteswürde, mehr Glück empfinden können als in den lang hinvegetierten Jahren eines dumpfen Köhlerglaubens.

Auf jeden Fall war jene Kirchenherrschaft eine Unterjochung der schlimmsten Art. Wer bürgte uns für die gute Absicht, wie ich sie eben ausgesprochen? Wer kann beweisen, daß sich nicht zuweilen eine schlimme Absicht beimischte? Rom wollte immer herrschen, und als seine Legionen fielen, sandte es Dogmen in die Provinzen. Wie eine Riesenspinne saß Rom im Mittelpunkte der lateinischen Welt und überzog sie mit seinem unendlichen Gewebe. Generationen der Völker lebten darunter ein beruhigtes Leben, indem sie das für einen nahen Himmel hielten, was bloß römisches Gewebe war; nur der höherstrebende Geist, der dieses Gewebe durchschaute, fühlte sich beengt und elend, und wenn er hindurchbrechen wollte, erhaschte ihn leicht die schlaue Weberin und sog ihm das kühne Blut aus dem Herzen; – und war das Traumglück der blöden Menge nicht zu teuer erkauft für solches Blut? Die Tage der Geistesknechtschaft sind vorüber; alterschwach, zwischen den gebrochenen Pfeilern ihres Kolisäums sitzt die alte Kreuzspinne und spinnt noch immer das alte Gewebe, aber es ist matt und morsch, und es verfangen sich darin nur Schmetterlinge und Fledermäuse und nicht mehr die Steinadler des Nordens.

– Es ist doch wirklich belächelnswert, während ich im Begriff bin, mich so recht wohlwollend über die Absichten der römischen Kirche zu verbreiten, erfaßt mich plötzlich der angewöhnte protestantische Eifer, der ihr immer das Schlimmste zumutet; und eben dieser Meinungszwiespalt in mir selbst gibt mir wieder ein Bild von der Zerrissenheit der Denkweise unserer Zeit. Was wir gestern bewundert, hassen wir heute, und morgen vielleicht verspotten wir es mit Gleichgültigkeit.

Auf einem gewissen Standpunkte ist alles gleich groß und gleich klein, und an die großen europäischen Zeitverwandlungen werde ich erinnert, indem ich den kleinen Zustand unserer armen Insulaner betrachte. Auch diese stehen an der Grenze einer solchen neuen Zeit, und ihre alte Sinneseinheit und Einfalt wird gestört durch das Gedeihen des hiesigen Seebades, indem sie dessen Gästen täglich etwas Neues ablauschen, was sie nicht mit ihrer altherkömmlichen Lebensweise zu vereinen wissen. Stehen sie des Abends vor den erleuchteten Fenstern des Konversationshauses und betrachten dort die Verhandlungen der Herren und Damen, die verständlichen Blicke, die begehrlichen Grimassen, das lüsterne Tanzen, das vergnügte Schmausen, das habsüchtige Spielen usw., so bleibt das für diese Menschen nicht ohne schlimme Folgen, die von dem Geldgewinn, der ihnen durch die Badeanstalt zufließt, nimmermehr aufgewogen werden. Dieses Geld reicht nicht hin für die eindringenden neuen Bedürfnisse; daher innere Lebensstörung, schlimmer Anreiz, großer Schmerz. Als ich ein Knabe war, fühlte ich immer eine brennende Sehnsucht, wenn schön gebackene Torten, wovon ich nichts bekommen sollte, duftig-offen bei mir vorübergetragen wurden; später stachelte mich dasselbe Gefühl, wenn ich modisch entblößte, schöne Damen vorbeispazieren sah; und ich denke jetzt, die armen Insulaner, die noch in einem Kindheitszustande leben, haben hier oft Gelegenheit zu ähnlichen Empfindungen, und es wäre gut, wenn die Eigentümer der schönen Torten und Frauen solche etwas mehr verdeckten. Diese vielen unbedeckten Delikatessen, woran jene Leute nur die Augen weiden können, müssen ihren Appetit sehr stark wecken, und wenn die armen Insulanerinnen in ihrer Schwangerschaft allerlei süßgebackene Gelüste bekommen und am Ende sogar Kinder zur Welt bringen, die den Badegästen ähnlich sehen, so ist das leicht zu erklären. Ich will hier durchaus auf kein unsittliches Verhältnis anspielen. Die Tugend der Insulanerinnen wird durch ihre Häßlichkeit und gar besonders durch ihren Fischgeruch, der mir wenigstens unerträglich war, vorderhand geschützt. Ich würde, wenn ihre Kinder mit badegästlichen Gesichtern zur Welt kommen, vielmehr ein psychologisches Phänomen erkennen und mir solches durch jene materialistisch-mystischen Gesetze erklären, die Goethe in den ›Wahlverwandtschaften‹ so schön entwickelt.

Wie viele rätselhafte Naturerscheinungen sich durch jene Gesetze erklären lassen, ist erstaunlich. Als ich voriges Jahr durch Seesturm nach einer anderen ostfriesischen Insel verschlagen wurde, sah ich dort in einer Fischerhütte einen schlechten Kupferstich hängen, la tentation du vieillard überschrieben und einen Greis darstellend, der in seinen Studien gestört wird durch die Erscheinung eines Weibes, das bis an die nackten Hüften aus einer Wolke hervortaucht; und sonderbar! die Tochter des Schiffers hatte dasselbe lüsterne Mopsgesicht wie das Weib auf jenem Bilde. Um ein anderes Beispiel zu erwähnen: im Hause eines Geldwechslers, dessen geschäftführende Frau das Gepräge der Münzen immer am sorgfältigsten betrachtet, fand ich, daß die Kinder in ihren Gesichtern eine erstaunliche Ähnlichkeit hatten mit den größten Monarchen Europas, und wenn sie alle beisammen waren und miteinander stritten, glaubte ich einen kleinen Kongreß zu sehen.

Deshalb ist das Gepräge der Münzen kein gleichgültiger Gegenstand für den Politiker. Da die Leute das Geld so innig lieben und gewiß liebevoll betrachten, so bekommen die Kinder sehr oft die Züge des Landesfürsten, der darauf geprägt ist, und der arme Fürst kommt in den Verdacht, der Vater seiner Untertanen zu sein. Die Bourbonen haben ihre guten Gründe, die Napoleonsdor einzuschmelzen; sie wollen nicht mehr unter ihren Franzosen so viele Napoleonsköpfe sehen. Preußen hat es in der Münzpolitik am weitesten gebracht, man weiß es dort durch eine verständige Beimischung von Kupfer so einzurichten, daß die Wangen des Königs auf der neuen Scheidemünze gleich rot werden, und seit einiger Zeit haben daher die Kinder in Preußen ein weit gesünderes Ansehen als früherhin, und es ist ordentlich eine Freude, wenn man ihre blühenden Silbergroschengesichtchen betrachtet.

Ich habe, indem ich das Sittenverderbnis andeutete, womit die Insulaner hier bedroht sind, die geistliche Schutzwehr, ihre Kirche, unerwähnt gelassen. Wie diese eigentlich aussieht, kann ich nicht genau berichten, da ich noch nicht darin gewesen. Gott weiß, daß ich ein guter Christ bin und oft sogar im Begriff stehe, sein Haus zu besuchen, aber ich werde immer fatalerweise daran verhindert, es findet sich gewöhnlich ein Schwätzer, der mich auf dem Wege festhält, und gelange ich auch einmal bis an die Pforten des Tempels, so erfaßt mich unversehens eine spaßhafte Stimmung, und dann halte ich es für sündhaft hineinzutreten. Vorigen Sonntag begegnete mir etwas der Art, indem mir vor der Kirchtür die Stelle aus Goethes Faust in den Kopf kam, wo dieser mit dem Mephistopheles bei einem Kreuze vorübergeht und ihn fragt:

> »Mephisto, hast du Eil'?
> Was schlägst vorm Kreuz die Augen nieder?«

Und worauf Mephistopheles antwortet:

> »Ich weiß es wohl, es ist ein Vorurteil;
> Allein es ist mir mal zuwider«.

Diese Verse sind, soviel ich weiß, in keiner Ausgabe des ›Fausts‹ gedruckt, und bloß der selige Hofrat Moritz[1], der sie aus Goethes Manuskript kannte, teilt sie mit in seinem ›Philipp Reiser‹, einem schon verschollenen Romane, der die Geschichte des Verfassers enthält, oder vielmehr die Geschichte einiger hundert Taler, die der Verfasser nicht hatte und wodurch sein ganzes Leben eine Reihe von Entbehrungen und Entsagungen wurde, während doch seine Wünsche nichts weniger als unbescheiden waren, wie z. B. sein Wunsch, nach Weimar zu gehen und bei dem Dichter des ›Werthers‹ Bedienter zu werden, unter welchen Bedingungen es auch sei, um nur in der Nähe desjenigen zu leben, der von allen Menschen auf Erden den stärksten Eindruck auf sein Gemüt gemacht hatte.

Wunderbar! damals schon erregte Goethe eine solche Begeisterung, und doch ist erst »unser drittes nachwachsendes Geschlecht« im stande, seine wahre Größe zu begreifen.

Aber dieses Geschlecht hat auch Menschen hervorgebracht, in deren Herzen nur faules Wasser sintert und die daher in den Herzen anderer alle Springquellen eines frischen Blutes verstopfen möchten, Menschen von erloschener Genußfähigkeit, die das Leben verleumden und anderen alle Herrlichkeit dieser Welt verleiden wollen, indem sie solche als die Lockspeisen schildern, die der Böse bloß zu unserer Versuchung hingestellt habe, gleichwie eine pfiffige Hausfrau die Zuckerdose mit den gezählten Stückchen Zucker in

---

[1] Karl Philipp Moritz (1757–1793), ein Freund Goethes, schrieb den selbstbiographischen Roman ›Anton Reiser‹.

ihrer Abwesenheit offen stehen läßt, um die Enthaltsamkeit der Magd zu prüfen; und diese Menschen haben einen Tugendpöbel um sich versammelt und predigen ihm das Kreuz gegen den großen Heiden und gegen seine nackten Göttergestalten, die sie gern durch ihre vermummten dummen Teufel ersetzen möchten.

Das Vermummen ist so recht ihr höchstes Ziel, das Nacktgöttliche ist ihnen fatal, und ein Satyr hat immer seine guten Gründe, wenn er Hosen anzieht und darauf dringt, daß auch Apollo Hosen anziehe. Die Leute nennen ihn dann einen sittlichen Mann und wissen nicht, daß in dem Clauren-Lächeln eines vermummten Satyrs mehr Anstößiges liegt als in der ganzen Nacktheit eines Wolfgang Apollo, und daß just in den Zeiten, wo die Menschheit jene Pluderhosen trug, wozu sechzig Ellen Zeug nötig waren, die Sitten nicht anständiger gewesen sind als jetzt.

Aber werden es mir nicht die Damen übelnehmen, daß ich Hosen, statt Beinkleider, sage? O, über das Feingefühl der Damen! Am Ende werden nur Eunuchen für sie schreiben dürfen, und ihre Geistesdiener im Occident werden so harmlos sein müssen wie ihre Leibdiener im Orient.

Hier kommt mir ins Gedächtnis eine Stelle aus ›Bertholds Tagebuch‹[2]:

»›Wenn wir es recht überdenken, so stecken wir doch alle nackt in unseren Kleidern‹, sagte der Doktor M. zu einer Dame, die ihm eine etwas derbe Äußerung übelgenommen hatte.«

Der hannövrische Adel ist mit Goethe sehr unzufrieden und behauptet: er verbreite Irreligiosität, und diese könne leicht auch falsche politische Ansichten hervorbringen, und das Volk müsse doch durch den alten Glauben zur alten Bescheidenheit und Mäßigung zurückgeführt werden. Auch hörte ich in der letzten Zeit viel diskutieren: ob Goethe größer sei als Schiller, oder umgekehrt. Ich stand neulich hinter dem Stuhle einer Dame, der man schon von hinten ihre vierundsechzig Ahnen ansehen konnte, und hörte über jenes Thema einen eifrigen Diskurs zwischen ihr und zwei hannövrischen Nobilis, deren Ahnen schon auf dem Zodiakus von Dendera[3] abgebildet sind und wovon der eine, ein langmagerer, quecksilbergefüllter Jüngling, der wie ein Barometer aussah, die Schillersche Tugend und Reinheit pries, während der andere, ebenfalls ein langaufgeschossener Jüngling, einige Verse aus der ›Würde der

---

[2] ›Bertholds Tagebuch‹, 1826, entsprach den Idealen der Burschenschaftsbewegung.
[3] Dendera, ein Dorf in Oberägypten, mit den Ruinen des alten Tempels der Göttin Hator (Aphrodite), unter dessen Deckenbildern sich die beiden berühmten Darstellungen des Zodiakus, des Tierkreises, befinden.

Frauen‹ hinlispelte und dabei so süß lächelte wie ein Esel, der den Kopf in ein Sirupfaß gesteckt hatte und sich wohlgefällig die Schnauze ableckt. Beide Jünglinge verstärkten ihre Behauptungen beständig mit dem beteuernden Refrain: »Er ist doch größer, Er ist wirklich größer, wahrhaftig, Er ist größer, ich versichere Sie auf Ehre, Er ist größer.« Die Dame war so gütig, auch mich in dieses ästhetische Gespräch zu ziehen, und fragte: »Doktor, was halten Sie von Goethe?« Ich aber legte meine Arme kreuzweis auf die Brust, beugte gläubig das Haupt und sprach: »La illah ill allah, wamohammed rasul allah!«

Die Dame hatte, ohne es selbst zu wissen, die allerschlaueste Frage getan. Man kann ja einen Mann nicht gradezu fragen: was denkst du von Himmel und Erde? was sind deine Ansichten über Menschen und Menschenleben? bist du ein vernünftiges Geschöpf oder ein dummer Teufel? Diese delikaten Fragen liegen aber alle in den unverfänglichen Worten: Was halten Sie von Goethe? Denn, indem uns allen Goethes Werke vor Augen liegen, so können wir das Urteil, das jemand darüber fällt, mit dem unsrigen schnell vergleichen, wir bekommen dadurch einen festen Maßstab, womit wir gleich alle seine Gedanken und Gefühle messen können, und er hat unbewußt sein eignes Urteil gesprochen. Wie aber Goethe auf diese Weise, weil er eine gemeinschaftliche Welt ist, die der Betrachtung eines jeden offen liegt, uns das beste Mittel wird, um die Leute kennen zu lernen, so können wir wiederum Goethe selbst am besten kennen lernen durch sein eignes Urteil über Gegenstände, die uns allen vor Augen liegen und worüber uns schon die bedeutendsten Menschen ihre Ansichten mitgeteilt haben. In dieser Hinsicht möchte ich am liebsten auf Goethes ›Italienische Reise‹ hindeuten, indem wir alle entweder durch eigne Betrachtung oder durch fremde Vermittelung das Land Italien kennen und dabei so leicht bemerken, wie jeder dasselbe mit subjektiven Augen ansieht, dieser mit Archenhölzern[4] unmutigen Augen, die nur das Schlimme sehen, jener mit begeisterten Corinnaaugen[5], die überall nur das Herrliche sehen, während Goethe mit seinem klaren Griechenauge alles sieht, das Dunkle und das Helle, nirgends die Dinge mit seiner Gemütsstimmung koloriert und uns Land und Menschen schildert in den wahren Umrissen und wahren Farben, womit sie Gott umkleidet.

Das ist ein Verdienst Goethes, das erst spätere Zeiten erkennen

[4] J. W. v. Archenholz (1743–1812), beschrieb seine Reise in ›England und Italien‹; eine sehr negative Schilderung Italiens. [5] Frau von Staël (1766–1817) gab in ihrem bedeutendsten Werke: ›Corinne, ou l'Italie‹ eine überaus anziehende Darstellung Italiens.

werden; denn wir, die wir meist alle krank sind, stecken viel zu sehr in unseren kranken, zerrissenen, romantischen Gefühlen, die wir aus allen Ländern und Zeitaltern zusammengelesen, als daß wir unmittelbar sehen könnten, wie gesund, einheitlich und plastisch sich Goethe in seinen Werken zeigt. Er selbst merkt es ebensowenig; in seiner naiven Unbewußtheit des eignen Vermögens wundert er sich, wenn man ihm »ein gegenständliches Denken«[6] zuschreibt, und indem er durch seine Selbstbiographie uns selbst eine kritische Beihülfe zum Beurteilen seiner Werke geben will, liefert er doch keinen Maßstab der Beurteilung an und für sich, sondern nur neue Fakta, woraus man ihn beurteilen kann, wie es ja natürlich ist, daß kein Vogel über sich selbst hinauszufliegen vermag.

Spätere Zeiten werden, außer jenem Vermögen des plastischen Anschauens, Fühlens und Denkens, noch vieles in Goethe entdekken, wovon wir jetzt keine Ahnung haben. Die Werke des Geistes sind ewig feststehend, aber die Kritik ist etwas Wandelbares, sie geht hervor aus den Ansichten der Zeit, hat nur für diese ihre Bedeutung, und wenn sie nicht selbst kunstwertlicher Art ist, wie z. B. die Schlegelsche, so geht sie mit ihrer Zeit zu Grabe. Jedes Zeitalter, wenn es neue Ideen bekömmt, bekömmt auch neue Augen und sieht gar viel Neues in den alten Geisteswerken. Ein Schubarth[7] sieht jetzt in der Ilias etwas anderes und viel mehr als sämtliche Alexandriner; dagegen werden einst Kritiker kommen, die viel mehr als Schubarth in Goethe sehen.

So hätte ich mich dennoch an Goethe festgeschwatzt! Aber solche Abschweifungen sind sehr natürlich, wenn einem, wie auf dieser Insel, beständig das Meergeräusch in die Ohren dröhnt und den Geist nach Belieben stimmt.

Es geht ein starker Nordostwind, und die Hexen haben wieder viel Unheil im Sinne. Man hegt hier nämlich wunderliche Sagen von Hexen, die den Sturm zu beschwören wissen; wie es denn überhaupt auf allen nordischen Meeren viel Aberglauben gibt. Die Seeleute behaupten, manche Insel stehe unter der geheimen Herrschaft ganz besonderer Hexen, und dem bösen Willen derselben ist es zuzuschreiben, wenn den vorbeifahrenden Schiffen allerlei Widerwärtigkeiten begegnen. Als ich voriges Jahr einige Zeit auf der See lag, erzählte mir der Steuermann unseres Schiffes: die Hexen wären besonders mächtig auf der Insel Wight und suchten jedes Schiff, das bei Tage dort vorbeifahren wolle, bis zur Nachtzeit aufzuhalten, um es alsdann an Klippen oder an die Insel selbst zu treiben. In

[6] Vgl. Goethes Aufsatz ›Bedeutende Fördernis durch ein einziges geistreiches Wort‹. [7] K. E. Schubarth (1796–1861), Gymnasiallehrer in Hirschberg i. Schl.

solchen Fällen höre man diese Hexen so laut durch die Luft sausen und um das Schiff herumheulen, daß der Klabotermann ihnen nur mit vieler Mühe widerstehen könne. Als ich nun fragte: wer der Klabotermann sei?, antwortete der Erzähler sehr ernsthaft: »Das ist der gute, unsichtbare Schutzpatron der Schiffe, der da verhütet, daß den treuen und ordentlichen Schiffen Unglück begegne, der da überall selbst nachsieht und sowohl für die Ordnung wie für die gute Fahrt sorgt.« Der wackere Steuermann versicherte mit etwas heimlicherer Stimme: ich könne ihn selber sehr gut im Schiffsraume hören, wo er die Waren gern noch besser nachstaue, daher das Knarren der Fässer und Kisten, wenn das Meer hoch gehe, daher bisweilen das Dröhnen unserer Balken und Bretter; oft hämmere der Klabotermann auch außen am Schiffe, und das gelte dann dem Zimmermanne, der dadurch gemahnt werde, eine schadhafte Stelle ungesäumt auszubessern; am liebsten aber setze er sich auf das Bramsegel, zum Zeichen, daß guter Wind wehe oder sich nahe. Auf meine Frage: ob man ihn nicht sehen könne? erhielt ich zur Antwort: Nein, man sähe ihn nicht, auch wünsche keiner ihn zu sehen, da er sich nur dann zeige, wenn keine Rettung mehr vorhanden sei. Einen solchen Fall hatte zwar der gute Steuermann noch nicht selbst erlebt, aber von andern wollte er wissen: den Klabotermann höre man alsdann vom Bramsegel herab mit den Geistern sprechen, die ihm untertan sind; doch wenn der Sturm zu stark und das Scheitern unvermeidlich würde, setzte er sich auf das Steuer, zeige sich da zum erstenmal und verschwinde, indem er das Steuer zerbräche – diejenigen aber, die ihn in diesem furchtbaren Augenblick sähen, fänden unmittelbar darauf den Tod in den Wellen.

Der Schiffskapitän, der dieser Erzählung mit zugehört hatte, lächelte so fein, wie ich es seinem rauhen, wind- und wetterdienenden Gesichte nicht zugetraut hätte, und nachher versicherte er mir: vor fünfzig und gar vor hundert Jahren sei auf dem Meere der Glaube an den Klabotermann so stark gewesen, daß man bei Tische immer auch ein Gedeck für denselben aufgelegt und von jeder Speise, etwa das Beste, auf seinen Teller gelegt habe, ja, auf einigen Schiffen geschähe das noch jetzt. –

Ich gehe hier oft am Strande spazieren und gedenke solcher seemännischen Wundersagen. Die anziehendste derselben ist wohl die Geschichte vom fliegenden Holländer[8], den man im Sturm mit aufgespannten Segeln vorbeifahren sieht und der zuweilen ein Boot aussetzt, um den begegnenden Schiffern allerlei Briefe mitzugeben,

[8] Vgl. die ausführlichere Darstellung im 7. Kapitel der ›Memoiren des Herrn von Schnabelewopski‹ im II. Band unserer Heine-Ausgabe: Ausgewählte Prosa (385).

die man nachher nicht zu besorgen weiß, da sie an längst verstorbene Personen adressiert sind. Manchmal gedenke ich auch des alten, lieben Märchens von dem Fischerknaben, der am Strande den nächtlichen Reigen der Meernixen belauscht hatte und nachher mit seiner Geige die ganze Welt durchzog und alle Menschen zauberhaft entzückte, wenn er ihnen die Melodie des Nixenwalzers vorspielte. Diese Sage erzählte mir einst ein lieber Freund, als wir, im Konzerte zu Berlin, solch einen wundermächtigen Knaben, den Felix Mendelssohn-Bartholdy, spielen hörten.

Einen eigentümlichen Reiz gewährt das Kreuzen um die Insel. Das Wetter muß aber schön sein, die Wolken müssen sich ungewöhnlich gestalten, und man muß rücklings auf dem Verdecke liegen und in den Himmel sehen und allenfalls auch ein Stückchen Himmel im Herzen haben. Die Wellen murmeln alsdann allerlei wunderliches Zeug, allerlei Worte, woran liebe Erinnerungen flattern, allerlei Namen, die wie süße Ahnung in der Seele widerklingen – »Evelina!« Dann kommen auch Schiffe vorbeigefahren, und man grüßt, als ob man sich alle Tage wiedersehen könnte. Nur des Nachts hat das Begegnen fremder Schiffe auf dem Meere etwas Unheimliches; man will sich dann einbilden, die besten Freunde, die wir seit Jahren nicht gesehen, führen schweigend vorbei, und man verlöre sie auf immer.

Ich liebe das Meer wie meine Seele.

Oft wird mir sogar zu Mute, als sei das Meer eigentlich meine Seele selbst; und wie es im Meere verborgene Wasserpflanzen gibt, die nur im Augenblick des Aufblühens an dessen Oberfläche heraufschwimmen und im Augenblick des Verblühens wieder hinabtauchen; so kommen zuweilen auch wunderbare Blumenbilder heraufgeschwommen aus der Tiefe meiner Seele und duften und leuchten und verschwinden wieder – »Evelina!«

Man sagt, unfern dieser Insel, wo jetzt nichts als Wasser ist, hätten einst die schönsten Dörfer und Städte gestanden, das Meer habe sie plötzlich alle überschwemmt, und bei klarem Wetter sähen die Schiffer noch die leuchtenden Spitzen der versunkenen Kirchtürme, und mancher habe dort in der Sonntagsfrühe sogar ein frommes Glockengeläute gehört. Die Geschichte ist wahr; denn das Meer ist meine Seele –

> »Eine schöne Welt ist da versunken,
> Ihre Trümmer blieben unten stehn,
> Lassen sich als goldne Himmelsfunken
> Oft im Spiegel meiner Träume sehn.«   (W. Müller)

Erwachend höre ich dann ein verhallendes Glockengeläute und Gesang heiliger Stimmen – »Evelina!«

Geht man am Strande spazieren, so gewähren die vorbeifahrenden Schiffe einen schönen Anblick. Haben sie die blendend weißen Segel aufgespannt, so sehen sie aus wie vorbeiziehende große Schwäne. Gar besonders schön ist dieser Anblick, wenn die Sonne hinter dem vorbeisegelnden Schiffe untergeht und dieses wie von einer riesigen Glorie umstrahlt wird.

Die Jagd am Strande soll ebenfalls ein großes Vergnügen gewähren. Was mich betrifft, so weiß ich es nicht sonderlich zu schätzen. Der Sinn für das Edle, Schöne und Gute läßt sich oft durch Erziehung den Menschen beibringen; aber der Sinn für die Jagd liegt im Blute. Wenn die Ahnen schon seit urdenklichen Zeiten Rehböcke geschossen haben, so findet auch der Enkel ein Vergnügen an dieser legitimen Beschäftigung. Meine Ahnen gehörten aber nicht zu den Jagenden, viel eher zu den Gejagten, und soll ich auf die Nachkömmlinge ihrer ehemaligen Kollegen losdrücken, so empört sich dawider mein Blut. Ja, aus Erfahrung weiß ich, daß nach abgesteckter Mensur es mir weit leichter wird, auf einen Jäger loszudrücken, der die Zeiten zurückwünscht, wo auch Menschen zur hohen Jagd gehörten. Gottlob, diese Zeiten sind vorüber! Gelüstet es jetzt solche Jäger, wieder einen Menschen zu jagen, so müssen sie ihn dafür bezahlen, wie z. B. den Schnelläufer, den ich vor zwei Jahren in Göttingen sah. Der arme Mensch hatte sich schon in der schwülen Sonntagshitze ziemlich müde gelaufen, als einige hannövrische Junker, die dort Humanoria studierten, ihm ein paar Taler boten, wenn er den zurückgelegten Weg nochmals laufen wolle; und der Mensch lief, und er war todblaß und trug eine rote Jacke, und dicht hinter ihm, im wirbelnden Staube, galoppierten die wohlgenährten, edlen Jünglinge auf hohen Rossen, deren Hufen zuweilen den gehetzten, keuchenden Menschen trafen, und es war ein Mensch.

Des Versuchs halber, denn ich muß mein Blut besser gewöhnen, ging ich gestern auf die Jagd. Ich schoß nach einigen Möwen, die gar zu sicher umherflatterten und doch nicht bestimmt wissen konnten, daß ich schlecht schieße. Ich wollte sie nicht treffen und sie nur warnen, sich ein andermal vor Leuten mit Flinten in acht zu nehmen; aber mein Schuß ging fehl, und ich hatte das Unglück, eine junge Möwe totzuschießen. Es ist gut, daß es keine alte war; denn was wäre dann aus den armen, kleinen Möwchen geworden, die noch unbefiedert im Sandneste der großen Düne liegen und ohne die Mutter verhungern müßten. Mir ahndete schon vorher, daß mich auf der Jagd ein Mißgeschick treffen würde; ein Hase war mir über den Weg gelaufen.

Gar besonders wunderbar wird mir zu Mute, wenn ich allein in der Dämmerung am Strande wandle, – hinter mir flache Dünen, vor mir das wogende, unermeßliche Meer, über mir der Himmel wie eine riesige Kristallkuppel – ich erscheine mir dann selbst sehr ameisenklein, und dennoch dehnt sich meine Seele so weltenweit. Die hohe Einfachheit der Natur, wie sie mich hier umgibt, zähmt und erhebt mich zu gleicher Zeit, und zwar in stärkerem Grade als jemals eine andere erhabene Umgebung. Nie war mir ein Dom groß genug; meine Seele mit ihrem alten Titanengebet strebte immer höher als die gotischen Pfeiler und wollte immer hinausbrechen durch das Dach. Auf der Spitze der Roßtrappe haben mir beim ersten Anblick die kolossalen Felsen in ihren kühnen Gruppierungen ziemlich imponiert; aber dieser Eindruck dauerte nicht lange, meine Seele war nur überrascht, nicht überwältigt, und jene ungeheure Steinmassen wurden in meinen Augen allmählich kleiner, und am Ende erschienen sie mir nur wie geringe Trümmer eines zerschlagenen Riesenpalastes, worin sich meine Seele vielleicht komfortabel befunden hätte.

Mag es immerhin lächerlich klingen, ich kann es dennoch nicht verhehlen, das Mißverhältnis zwischen Körper und Seele quält mich einigermaßen, und hier am Meere, in großartiger Naturumgebung, wird es mir zuweilen recht deutlich, und die Metempsychose[9] ist oft der Gegenstand meines Nachdenkens. Wer kennt die große Gottesironie, die allerlei Widersprüche zwischen Seele und Körper hervorzubringen pflegt. Wer kann wissen, in welchem Schneider jetzt die Seele eines Platos und in welchem Schulmeister die Seele eines Cäsars wohnt! Wer weiß, ob die Seele Gregors VII. nicht in dem Leibe des Großtürken sitzt und sich unter tausend hätschelnden Weiberhändchen behaglicher fühlt als einst in ihrer purpurnen Cölibatskutte. Hingegen wie viele Seelen treuer Moslemim aus Alys Zeiten mögen sich jetzt in unseren antihellenischen Kabinettern befinden! Die Seelen der beiden Schächer, die zur Seite des Heilands gekreuzigt worden, sitzen vielleicht jetzt in dicken Konsistorialbäuchen und glühen für den orthodoxen Lehrbegriff. Die Seele Dschingischans wohnt vielleicht jetzt in einem Rezensenten, der täglich, ohne es zu wissen, die Seelen seiner treuesten Baschkiren und Kalmücken in einem kritischen Journale niedersäbelt. Wer weiß! wer weiß! die Seele des Pythagoras ist vielleicht in einen ar-

[9] Lehre von der Seelenwanderung, stand zu Heines Zeit in hoher Mode.

men Kandidaten gefahren, der durch das Examen fällt, weil er den pythagoräischen Lehrsatz nicht beweisen konnte, während in seinen Herren Examinatoren die Seelen jener Ochsen wohnen, die einst Pythagoras aus Freude über die Entdeckung seines Satzes den ewigen Göttern geopfert hatte. Die Hindus sind so dumm nicht, wie unsere Missionäre glauben, sie ehren die Tiere wegen der menschlichen Seele, die sie in ihnen vermuten, und wenn sie Lazarette für invalide Affen stiften, in der Art unserer Akademien, so kann es wohl möglich sein, daß in jenen Affen die Seelen großer Gelehrten wohnen, da es hingegen bei uns ganz sichtbar ist, daß in einigen großen Gelehrten nur Affenseelen stecken.

Wer doch mit der Allwissenheit des Vergangenen auf das Treiben der Menschen von oben herabsehen könnte! Wenn ich des Nachts, am Meere wandelnd, den Wellengesang höre und allerlei Ahnung und Erinnerung in mir erwacht, so ist mir, als habe ich einst solchermaßen von oben herab gesehen und sei vor schwindelndem Schrecken zur Erde heruntergefallen; es ist mir dann auch, als seien meine Augen so teleskopisch scharf gewesen, daß ich die Sterne in Lebensgröße am Himmel wandeln gesehen und durch all den wirbelnden Glanz geblendet worden; – wie aus der Tiefe eines Jahrtausends kommen mir dann allerlei Gedanken in den Sinn, Gedanken uralter Weisheit, aber sie sind so neblicht, daß ich nicht erkenne, was sie wollen. Nur so viel weiß ich, daß all unser kluges Wissen, Streben und Hervorbringen irgend einem höheren Geiste ebenso klein und nichtig erscheinen muß, wie mir jene Spinne erschien, die ich in der Göttinger Bibliothek so oft betrachtete. Auf den Folianten der Weltgeschichte saß sie emsig webend, und sie blickte so philosophisch sicher auf ihre Umgebung und hatte ganz den Göttingischen Gelahrtheitsdünkel und schien stolz zu sein auf ihre mathematischen Kenntnisse, auf ihre Kunstleistungen, auf ihr einsames Nachdenken – und doch wußte sie nichts von all den Wundern, die in dem Buche stehen, worauf sie geboren worden, worauf sie ihr ganzes Leben verbracht hatte und worauf sie auch sterben wird, wenn der schleichende Dr. L.[10] sie nicht verjagt. Und wer ist der schleichende Dr. L.? Seine Seele wohnte vielleicht einst in eben einer solchen Spinne, und jetzt hütet er die Folianten, worauf er einst saß – und wenn er sie auch liest, er erfährt doch nicht ihren wahren Inhalt.

Was mag auf dem Boden einst geschehen sein, wo ich jetzt wandle? Ein Konrektor, der hier badete, wollte behaupten, hier

[10] Bibliothekar in Göttingen, auch Stiefel genannt.

sei einst der Dienst der Hertha[11] oder, besser gesagt, Forsete begangen worden, wovon Tacitus so geheimnisvoll spricht. Wenn nur die Berichterstatter, denen Tacitus nacherzählt, sich nicht geirrt und eine Badekutsche für den heiligen Wagen der Göttin angesehen haben!

Im Jahr 1819, als ich zu Bonn in einem und demselben Semester vier Kollegien hörte, worin meistens deutsche Antiquitäten aus der blauesten Zeit traktiert wurden, nämlich 1. Geschichte der deutschen Sprache bei Schlegel, der fast drei Monat lang die barocksten Hypothesen über die Abstammung der Deutschen entwickelte, 2. die Germania des Tacitus bei Arndt, der in den altdeutschen Wäldern jene Tugenden suchte, die er in den Salons der Gegenwart vermißte, 3. germanisches Staatsrecht bei Hüllmann, dessen historische Ansichten noch am wenigsten vage sind, und 4. deutsche Urgeschichte bei Radloff, der am Ende des Semesters noch nicht weiter gekommen war als bis zur Zeit des Sesostris – damals möchte wohl die Sage von der alten Hertha mich mehr interessiert haben als jetzt. Ich ließ sie durchaus nicht auf Rügen residieren und versetzte sie vielmehr nach einer ostfriesischen Insel. Ein junger Gelehrter hat gern seine Privathypothese. Aber auf keinen Fall hätte ich damals geglaubt, daß ich einst am Strande der Nordsee wandeln würde, ohne an die alte Göttin mit patriotischer Begeisterung zu denken. Es ist wirklich nicht der Fall, und ich denke hier an ganz andre, jüngere Göttinnen. Absonderlich wenn ich am Strande über die schaurige Stelle wandle, wo noch jüngst die schönsten Frauen gleich Nixen geschwommen. Denn weder Herren noch Damen baden hier unter einem Schirm, sondern spazieren in die freie See. Deshalb sind auch die Badestellen beider Geschlechter voneinander geschieden, doch nicht allzuweit, und wer ein gutes Glas führt, kann überall in der Welt viel sehen. Es geht die Sage, ein neuer Aktäon habe auf solche Weise eine badende Diana erblickt, und wunderbar! nicht er, sondern der Gemahl der Schönen habe dadurch Hörner erworben.

Die Badekutschen, die Droschken der Nordsee, werden hier nur bis ans Wasser geschoben und bestehen meistens aus viereckigen Holzgestellen mit steifem Leinen überzogen. Jetzt, für die Winterzeit, stehen sie im Konversationssaale und führen dort gewiß ebenso hölzerne und steifleinene Gespräche wie die vornehme Welt, die noch unlängst dort verkehrte.

[11] Die Insel der Hertha oder vielmehr Nerthus, wie Tacitus in seiner ›Germanica‹ (cap. 40) die altdeutsche Göttin des Wachstums und der Fruchtbarkeit nennt, ist vermutlich eine der Nordseeinseln.

Wenn ich aber sage: die vornehme Welt, so verstehe ich nicht darunter die guten Bürger Ostfrieslands, ein Volk, das flach und nüchtern ist wie der Boden, den es bewohnt, das weder singen noch pfeifen kann, aber dennoch ein Talent besitzt, das besser ist als alle Triller und Schnurrpfeifereien, ein Talent, das den Menschen adelt und über jene windige Dienstseelen erhebt, die allein edel zu sein wähnen, ich meine das Talent der Freiheit. Schlägt das Herz für Freiheit, so ist ein solcher Schlag des Herzens ebenso gut wie ein Ritterschlag, und das wissen die freien Friesen, und sie verdienen ihr Volksepitheton; die Häuptlingsperiode abgerechnet, war die Aristokratie in Ostfriesland niemals vorherrschend, nur sehr wenige adlige Familien haben dort gewohnt, und der Einfluß des hannövrischen Adels, durch Verwaltungs- und Militärstand, wie er sich jetzt über das Land hinzieht, betrübt manches freie Friesenherz, und überall zeigt sich die Vorliebe für die ehemalige preußische Regierung.

Was aber die allgemeinen deutschen Klagen über hannövrischen Adelstolz betrifft, so kann ich nicht unbedingt einstimmen. Das hannövrische Offizierkorps gibt am wenigsten Anlaß zu solchen Klagen. Freilich, wie in Madagaskar nur Adlige das Recht haben, Metzger zu werden, so hatte früherhin der hannövrische Adel ein analogisches Vorrecht, da nur Adlige zum Offizierrange gelangen konnten. Seitdem sich aber in der deutschen Legion[12] so viele Bürgerliche ausgezeichnet und zu Offizierstellen emporgeschwungen, hat auch jenes üble Gewohnheitsrecht nachgelassen. Ja, das ganze Korps der deutschen Legion hat viel beigetragen zur Milderung alter Vorurteile, diese Leute sind weit herum in der Welt gewesen, und in der Welt sieht man viel, besonders in England, und sie haben viel gelernt, und es ist eine Freude, ihnen zuzuhören, wenn sie von Portugal, Spanien, Sizilien, den Ionischen Inseln, Irland und anderen weiten Ländern sprechen, wo sie gefochten und »vieler Menschen Städte gesehen und Sitten gelernet«, so daß man glaubt, eine Odyssee zu hören, die leider keinen Homer finden wird. Auch ist unter den Offizieren dieses Korps viel freisinnige, englische Sitte geblieben, die mit dem altherkömmlichen hannövrischen Brauch stärker kontrastiert, als wir es im übrigen Deutschland glauben wollen, da wir gewöhnlich dem Beispiele Englands viel Einwirkung auf Hannover zuschreiben. In diesem Lande Hannover sieht man nichts als Stammbäume, woran Pferde[13] gebun-

---

[12] Wurde 1804 mit Unterstützung Englands aufgestellt, ihre Kerntruppe war das Freikorps des Herzogs von Braunschweig. [13] Bekanntlich zeigt das hannöversche Wappen ein springendes Pferd.

den sind, und vor lauter Bäumen bleibt das Land obskur, und trotz allen Pferden kömmt es nicht weiter. Nein, durch diesen hannövrischen Adelswald drang niemals ein Sonnenstrahl britischer Freiheit, und kein britischer Freiheitston konnte jemals vernehmbar werden im wiehernden Lärm hannövrischer Rosse.

Die allgemeine Klage über hannövrischen Adelstolz trifft wohl zumeist die liebe Jugend gewisser Familien, die das Land Hannover regieren oder mittelbar zu regieren glauben. Aber auch die edlen Jünglinge würden bald jene Fehler der Art oder, besser gesagt, jene Unart ablegen, wenn sie ebenfalls etwas in der Welt herumgedrängt würden oder eine bessere Erziehung genössen. Man schickt sie freilich nach Göttingen, doch da hocken sie beisammen und sprechen nur von ihren Hunden, Pferden und Ahnen, hören wenig neuere Geschichte, und wenn sie auch wirklich einmal dergleichen hören, so sind doch unterdessen ihre Sinne befangen durch den Anblick des Grafentisches, der, ein Wahrzeichen Göttingens, nur für hochgeborene Studenten bestimmt ist. Wahrlich, durch eine bessere Erziehung des jungen hannövrischen Adels ließe sich vielen Klagen vorbauen. Aber die Jungen werden wie die Alten. Derselbe Wahn: als wären sie die Blumen der Welt, während wir anderen bloß das Gras sind; dieselbe Torheit: mit dem Verdienste der Ahnen den eigenen Unwert bedecken zu wollen; dieselbe Unwissenheit über das Problematische dieser Verdienste, indem die wenigsten bedenken, daß die Fürsten selten ihre treuesten und tugendhaftesten Diener, aber sehr oft den Kuppler, den Schmeichler und dergleichen Lieblingsschufte mit adelnder Huld beehrt haben. Die wenigsten jener Ahnenstolzen können bestimmt angeben, was ihre Ahnen getan haben, und sie zeigen nur, daß ihr Name in Rüxners Turnierbuch[14] erwähnt sei; – ja, können sie auch nachweisen, daß diese Ahnen etwa als Kreuzritter bei der Eroberung Jerusalems zugegen waren, so sollten sie, ehe sie sich etwas darauf zu gute tun, auch beweisen, daß jene Ritter ehrlich mitgefochten haben, daß ihre Eisenhosen nicht mit gelber Furcht wattiert worden und daß unter ihrem roten Kreuze das Herz eines honetten Mannes gesessen. Gäbe es keine Ilias, sondern bloß ein Namensverzeichnis der Helden, die vor Troja gestanden, und ihre Namen existieren noch jetzt – wie würde sich der Ahnenstolz derer von Thersites zu blähen wissen! Von der Reinheit des Blutes will ich gar nicht einmal sprechen: Philosophen und Stallknechte haben darüber gar seltsame Gedanken.

[14] Das Turnierbuch von G. Rüxner (Simmern 1527) war seiner falschen genealogischen Angaben wegen berüchtigt.

Mein Tadel, wie gesagt, treffe zumeist die schlechte Erziehung des hannövrischen Adels und dessen früh eingeprägten Wahn von der Wichtigkeit einiger andressierten Formen. O! wie oft habe ich lachen müssen, wenn ich bemerkte, wieviel man sich auf diese Formen zu gute tat; – als sei es so gar überaus schwer zu erlernen dieses Repräsentieren, dieses Präsentieren, dieses Lächeln ohne etwas zu sagen, dieses Sagen ohne etwas zu denken, und all diese adligen Künste, die der gute Bürgersinn als Meerwunder angafft und die doch jeder französische Tanzmeister besser innehat als der deutsche Edelmann, dem sie in der bärenleckenden Lutetia mühsam eingeübt worden und der sie zu Hause wieder mit deutscher Gründlichkeit und Schwerfälligkeit seinen Descendenten überliefert. Dies erinnert mich an die Fabel von dem Bären, der auf Märkten tanzte, seinem führenden Lehrer entlief, zu seinen Mitbären in den Wald zurückkehrte und ihnen vorprahlte: wie das Tanzen eine so gar schwere Kunst sei und wie weit er es darin gebracht habe – und in der Tat, den Proben, die er von seiner Kunst ablegte, konnten die armen Bestien ihre Bewunderung nicht versagen[15]. Jene Nation, wie sie Werther nennt, bildete die vornehme Welt, die hier dieses Jahr zu Wasser und zu Lande geglänzt hat, und es waren lauter liebe, liebe Leute, und sie haben alle gut gespielt.

Auch fürstliche Personen gab es hier, und ich muß gestehen, daß diese in ihren Ansprüchen bescheidener waren als die geringere Noblesse. Ob aber diese Bescheidenheit in den Herzen dieser hohen Personen liegt oder ob sie durch ihre äußere Stellung hervorgebracht wird, das will ich unentschieden lassen. Ich sage dieses nur in Beziehung auf deutsche mediatisierte Fürsten. Diesen Leuten ist in der letzten Zeit ein großes Unrecht geschehen, indem man sie einer Souveränität beraubte, wozu sie ein ebenso gutes Recht haben wie die größeren Fürsten, wenn man nicht etwa annehmen will, daß dasjenige, was sich nicht durch eigene Kraft erhalten kann, auch kein Recht hat, zu existieren. Für das vielzersplitterte Deutschland war es aber eine Wohltat, daß diese Anzahl von Sedezdespötchen ihr Regieren einstellen mußten. Es ist schrecklich, wenn man bedenkt, wie viele derselben wir armen Deutschen zu ernähren haben. Wenn diese Mediatisierten auch nicht mehr das Zepter führen, so führen sie doch noch immer Löffel, Messer und Gabel, und sie essen keinen Hafer, und auch der Hafer wäre teuer genug. Ich denke, daß wir einmal durch Amerika etwas von dieser Fürstenlast erleichtert werden. Denn früh oder spät werden sich doch die Prä-

15 Vgl. ›Atta Troll‹ im IV. Band unserer Heine-Ausgabe: Deutschland, ein Wintermärchen. Atta Troll. Zeitkritische Schriften (444).

sidenten dortiger Freistaaten in Souveräne verwandeln, und dann
fehlt es diesen Herren an Gemahlinnen, die schon einen legitimen
Anstrich haben, sie sind dann froh, wenn wir ihnen unsere Prin-
zessinnen überlassen, und wenn sie sechs nehmen, geben wir ihnen
die siebente gratis, und auch unsre Prinzchen können sie späterhin
bei ihren Töchtern employieren; — daher haben die mediatisierten
Fürsten sehr politisch gehandelt, als sie sich wenigstens das Gleich-
bürtigkeitsrecht erhielten und ihre Stammbäume ebenso hoch
schätzten wie die Araber die Stammbäume ihrer Pferde, und zwar
aus derselben Absicht, indem sie wohl wissen, daß Deutschland von
jeher das große Fürstengestüte war, daß alle regierenden Nachbar-
häuser mit den nötigen Mutterpferden und Beschälern versehen
muß.

In allen Bädern ist es ein altes Gewohnheitsrecht, daß die abge-
gangenen Gäste von den zurückgebliebenen etwas stark kritisiert
werden, und da ich der letzte bin, der noch hier weilt, so durfte ich
wohl jenes Recht in vollem Maße ausüben.

Es ist aber jetzt so öde auf der Insel, daß ich mir vorkomme wie
Napoleon auf St. Helena. Nur daß ich hier eine Unterhaltung gefunden, die jenem dort fehlte. Es ist nämlich der große Kaiser
selbst, womit ich mich hier beschäftige. Ein junger Engländer hat
mir das eben erschienene Buch des Maitland[16] mitgeteilt. Dieser
Seemann berichtet die Art und Weise, wie Napoleon sich ihm er-
gab und auf dem Bellerophon sich betrug, bis er auf Befehl des englischen Ministeriums an Bord des Northumberland gebracht wurde.
Aus diesem Buche ergibt sich sonnenklar, daß der Kaiser, in roman-
tischem Vertrauen auf britische Großmut, und um der Welt endlich Ruhe zu schaffen, zu den Engländern ging, mehr als Gast denn
als Gefangener. Das war ein Fehler, den gewiß kein anderer und
am allerwenigsten ein Wellington begangen hätte. Die Geschichte
aber wird sagen, dieser Fehler ist so schön, so erhaben, so herrlich,
daß dazu mehr Seelengröße gehörte, als wir anderen zu allen unseren Großtaten erschwingen können.

Die Ursache, weshalb Kapt. Maitland jetzt sein Buch herausgibt,
scheint keine andere zu sein als das moralische Reinigungsbedürf-
nis, das jeder ehrliche Mann fühlt, den ein böses Geschick in eine
zweideutige Handlung verflochten hat. Das Buch selbst ist aber ein
unschätzbarer Gewinn für die Gefangenschaftsgeschichte Napoleons, die den letzten Akt seines Lebens bildet, alle Rätsel der frü-

[16] Sir Frederick Lewis Maitland (1776–1839), der Napoleon 1815 an Bord des von
ihm befehligten Linienschiffes Bellerophon aufnahm, hat darüber in seiner Schrift:
›Narrative of the surrender of Buonaparte‹ (London 1826) Bericht erstattet.

heren Akte wunderbar löst und, wie es eine echte Tragödie tun soll, die Gemüter erschüttert, reinigt und versöhnt. Der Charakterunterschied der vier Hauptschriftsteller, die uns von dieser Gefangenschaft berichten, besonders wie er sich in Stil und Anschauungsweise bekundet, zeigt sich erst durch ihre Zusammenstellung.

Maitland, der sturmkalte, englische Seemann, verzeichnet die Begebenheiten vorurteilslos und bestimmt, als wären es Naturerscheinungen, die er in sein Logbook einträgt; Las Cases[17], ein enthusiastischer Kammerherr, liegt in jeder Zeile, die er schreibt, zu den Füßen des Kaisers, nicht wie ein russischer Sklave, sondern wie ein freier Franzose, dem die Bewunderung einer unerhörten Heldengröße und Ruhmeswürde unwillkürlich die Kniee beugt; O'Meara, der Arzt, obgleich in Irland geboren, dennoch ganz Engländer, als solcher ein ehemaliger Feind des Kaisers, aber jetzt anerkennend die Majestätsrechte des Unglücks, schreibt freimütig, schmucklos, tatbeständlich, fast im Lapidarstil; hingegen kein Stil, sondern ein Stilet ist die spitzige, zustoßende Schreibart des französischen Arztes Antommarchi, eines Italieners, der ganz besonnentrunken ist von dem Ingrimm und der Poesie seines Landes.

Beide Völker, Briten und Franzosen, lieferten von jeder Seite zwei Männer, gewöhnlichen Geistes und unbestochen von der herrschenden Macht, und diese Jury hat den Kaiser gerichtet und verurteilet: ewig zu leben, ewig bewundert, ewig bedauert.

Es sind schon viele große Männer über diese Erde geschritten, hier und da sehen wir die leuchtenden Spuren ihrer Fußstapfen, und in heiligen Stunden treten sie wie Nebelgebilde vor unsere Seele; aber ein ebenfalls großer Mann sieht seine Vorgänger weit deutlicher; aus einzelnen Funken ihrer irdischen Lichtspur erkennt er ihr geheimstes Tun, aus einem einzigen hinterlassenen Worte erkennt er alle Falten ihres Herzens; und solchermaßen, in einer mystischen Gemeinschaft, leben die großen Männer aller Zeiten: über die Jahrtausende hinweg nicken sie einander zu und sehen sich an bedeutungsvoll, und ihre Blicke begegnen sich auf den Gräbern untergegangener Geschlechter, die sich zwischen sie gedrängt hatten,

---

[17] E. Marquis de Las Cases (1766–1842), der Begleiter und Historiograph Napoleons I., hat in seinem ›Mémorial de Ste.-Hélène‹ (Paris 1823), die wichtigste Quelle für die Geschichte des Kaisers, nach dessen eigenen Aufzeichnungen, gegeben. – Francesco Antommarchi (1780–1838), Napoleons Arzt auf St. Helena, schrieb nach dem Tode des Kaisers das Buch ›Les derniers moments de Napoléon‹ (Paris 1823). – B. E. O'Meara (1770–1836), der vor Antommarchi des Kaisers Leibarzt gewesen, hat die täglichen Gespräche, die er mit demselben geführt, in sein Tagebuch aufgezeichnet und dieses unter dem Titel: ›Napoleon in exile, or a voice from St. Helena‹ (London 1822) herausgegeben.

und sie verstehen sich und haben sich lieb. Wir Kleinen aber, die wir nicht so intimen Umgang pflegen können mit den Großen der Vergangenheit, wovon wir nur selten die Spur und Nebelformen sehen, für uns ist es vom höchsten Werte, wenn wir über einen solchen Großen so viel erfahren, daß es uns leicht wird, ihn ganz lebensklar in unsre Seele aufzunehmen und dadurch unsre Seele zu erweitern. Ein solcher ist Napoleon Bonaparte. Wir wissen von ihm, von seinem Leben und Streben, mehr als von den andern Großen dieser Erde, und täglich erfahren wir davon noch mehr und mehr. Wir sehen, wie das verschüttete Götterbild langsam ausgegraben wird, und mit jeder Schaufel Erdschlamm, die man von ihm abnimmt, wächst unser freudiges Erstaunen über das Ebenmaß und die Pracht der edlen Formen, die da hervortreten, und die Geistesblitze der Feinde, die das große Bild zerschmettern wollen, dienen nur dazu, es desto glanzvoller zu beleuchten. Solches geschieht namentlich durch die Äußerungen der Frau von Staël[18], die in all ihrer Herbheit doch nichts anders sagt, als daß der Kaiser kein Mensch war wie die andern und daß sein Geist mit keinem vorhandenen Maßstab gemessen werden kann.

Ein solcher Geist ist es, worauf Kant hindeutet, wenn er sagt: daß wir uns einen Verstand denken können, der, weil er nicht wie der unsrige diskursiv, sondern intuitiv ist, vom synthetisch Allgemeinen, der Anschauung eines Ganzen als eines solchen, zum Besonderen geht, das ist, von dem Ganzen zu den Teilen. Ja, was wir durch langsames analytisches Nachdenken und lange Schlußfolgen erkennen, das hatte jener Geist im selben Momente angeschaut und tief begriffen. Daher sein Talent, die Zeit, die Gegenwart zu verstehen, ihren Geist zu kajolieren, ihn nie zu beleidigen und immer zu benutzen.

Da aber dieser Geist der Zeit nicht bloß revolutionär ist, sondern durch den Zusammenfluß beider Ansichten, der revolutionären und der konterrevolutionären, gebildet worden, so handelte Napoleon nie ganz revolutionär und nie ganz konterrevolutionär, sondern immer im Sinne beider Ansichten, beider Prinzipien, beider Bestrebungen, die in ihm ihre Vereinigung fanden, und demnach handelte er beständg naturgemäß, einfach, groß, nie krampfhaft barsch, immer ruhig milde. Daher intrigierte er nie im einzelnen, und seine Schläge geschahen immer durch seine Kunst, die Massen zu begreifen und zu lenken. Zur verwickelten, langsamen Intrige neigen sich kleine, analytische Geister, hingegen synthetische, in-

18 Madame de Staël (1766–1817), von Napoleon aus Frankreich verbannt, beschreibt ihr zehnjähriges Exil.

tuitive Geister wissen auf wunderbar geniale Weise die Mittel, die
ihnen die Gegenwart bietet, so zu verbinden, daß sie dieselben zu
ihrem Zwecke schnell benutzen können. Erstere scheitern sehr oft,
da keine menschliche Klugheit alle Vorfallenheiten des Lebens vor-
aussehen kann und die Verhältnisse des Lebens nie lange stabil
sind; letzteren hingegen, den intuitiven Menschen, gelingen ihre
Vorsätze am leichtesten, da sie nur einer richtigen Berechnung des
Vorhandenen bedürfen und so schnell handeln, daß dieses durch
die Bewegung der Lebenswogen keine plötzliche, unvorhergesehene
Veränderung erleiden kann.

Es ist ein glückliches Zusammentreffen, daß Napoleon gerade zu
einer Zeit gelebt hat, die ganz besonders viel Sinn hat für Geschichte, ihre Erforschung und Darstellung. Es werden uns daher
durch die Memoiren der Zeitgenossen wenige Notizen über Napoleon vorenthalten werden, und täglich vergrößert sich die Zahl der
Geschichtsbücher, die ihn mehr oder minder im Zusammenhang mit
der übrigen Welt schildern wollen. Die Ankündigung eines solchen
Buches aus Walter Scotts Feder erregt daher die neugierigste Erwartung.

Alle Verehrer Scotts müssen für ihn zittern; denn ein solches
Buch kann leicht der russische Feldzug jenes Ruhmes werden, den
er mühsam erworben durch eine Reihe historischer Romane, die
mehr durch ihr Thema als durch ihre poetische Kraft alle Herzen
Europas bewegt haben. Dieses Thema ist aber nicht bloß eine ele-
gische Klage über Schottlands volkstümliche Herrlichkeit, die allmählich verdrängt wurde von fremder Sitte, Herrschaft und Denkweise; sondern es ist der große Schmerz über den Verlust der
National-Besonderheiten, die in der Allgemeinheit neuerer Kultur
verloren gehen, ein Schmerz, der jetzt in den Herzen aller Völker
zuckt. Denn Nationalerinnerungen liegen tiefer in der Menschen
Brust, als man gewöhnlich glaubt. Man wage es nur, die alten Bilder wieder auszugraben, und über Nacht blüht hervor auch die alte
Liebe mit ihren Blumen. Das ist nicht figürlich gesagt, sondern es
ist eine Tatsache: als Bullock[19] vor einigen Jahren ein altheidnisches
Steinbild in Mexiko ausgegraben, fand er den andern Tag, daß es
nächtlicherweile mit Blumen bekränzt worden; und doch hatte
Spanien mit Feuer und Schwert den alten Glauben der Mexikaner
zerstört und seit drei Jahrhunderten ihre Gemüter gar stark umge-
wühlt und gepflügt und mit Christentum besäet. Solche Blumen
aber blühen auch in den Walter Scottschen Dichtungen, diese Dichtungen selbst wecken die alten Gefühle, und wie einst in Granada

[19] W. Bullock: ›Six months residences and travels in Mexiko‹ (London 1825).

Männer und Weiber mit dem Geheul der Verzweiflung aus den
Häusern stürzten, wenn das Lied vom Einzug des Maurenkönigs
auf den Straßen erklang, dergestalt, daß bei Todesstrafe verboten
wurde, es zu singen: so hat der Ton, der in den Scottschen Dichtungen herrscht, eine ganze Welt schmerzhaft erschüttert. Dieser
Ton klingt wieder in den Herzen unseres Adels, der seine Schlösser
und Wappen verfallen sieht; er klingt wieder in den Herzen des
Bürgers, dem die behaglich enge Weise der Altvordern verdrängt
wird durch weite, unerfreuliche Modernität; er klingt wieder in
katholischen Domen, woraus der Glaube entflohen, und in rabbi-
nischen Synagogen, woraus sogar die Gläubigen fliehen; er klingt
über die ganze Erde, bis in die Banianenwälder Hindostans, wo
der seufzende Bramine das Absterben seiner Götter, die Zerstörung
ihrer uralten Weltordnung und den ganzen Sieg der Engländer
voraussieht.

Dieser Ton, der gewaltigste, den der schottische Barde auf seiner
Riesenharfe anzuschlagen weiß, paßt aber nicht zu dem Kaiserliede
von dem Napoleon, dem neuen Manne, dem Manne der neuen
Zeit, dem Manne, worin diese neue Zeit so leuchtend sich abspie-
gelt, daß wir dadurch fast geblendet werden und unterdessen nimmermehr denken an die verschollene Vergangenheit und ihre ver-
blichene Pracht. Es ist wohl zu vermuten, daß Scott, seiner Vornei-
gung gemäß, jenes angedeutete stabile Element im Charakter Napoleons, die konterrevolutionäre Seite seines Geistes vorzugsweise
auffassen wird, statt daß andere Schriftsteller bloß das revolutionäre
Prinzip in ihm erkennen. Von dieser letzteren Seite würde ihn
Byron geschildert haben, der in seinem ganzen Streben den Gegensatz zu Scott bildete und statt, gleich diesem, den Untergang der
alten Formen zu beklagen, sich sogar von denen, die noch stehen
geblieben sind, verdrießlich beengt fühlt, sie mit revolutionärem
Lachen und Zähnefletschen niederreißen möchte und in diesem
Ärger die heiligsten Blumen des Lebens mit seinem melodischen
Gifte beschädigt und sich wie ein wahnsinniger Harlekin den Dolch
ins Herz stößt, um mit dem hervorströmenden schwarzen Blute
Herren und Damen neckisch zu bespritzen.

Wahrlich, in diesem Augenblicke fühle ich sehr lebhaft, daß ich
kein Nachbeter oder, besser gesagt, Nachfrevler Byrons bin, mein
Blut ist nicht so spleenisch schwarz, meine Bitterkeit kömmt nur
aus den Galläpfeln meiner Dinte, und wenn Gift in mir ist, so ist
es doch nur Gegengift, Gegengift wider jene Schlangen, die im
Schutte der alten Dome und Burgen so bedrohlich lauern. Von allen
großen Schriftstellern ist Byron just derjenige, dessen Lektüre mich

am unleidlichsten berührt, wohingegen Scott mir in jedem seiner
Werke das Herz erfreut, beruhigt und erkräftigt. Mich erfreut sogar die Nachahmung derselben, wie wir sie bei W. Alexis[20], Bronikowski und Cooper finden, welcher erstere, im ironischen ›Walladmor‹, seinem Vorbilde am nächsten steht und uns auch in einer
späteren Dichtung so viel Gestalten- und Geistesreichtum gezeigt
hat, daß er wohl im stande wäre, mit poetischer Ursprünglichkeit,
die sich nur der Scottischen Form bedient, uns die teuersten Momente deutscher Geschichte in einer Reihe historischer Novellen vor
die Seele zu führen.

Aber keinem wahren Genius lassen sich bestimmte Bahnen vor-
zeichnen, diese liegen außerhalb aller kritischen Berechnung, und so
mag es auch als ein harmloses Gedankenspiel betrachtet werden,
wenn ich über W. Scotts Kaisergeschichte mein Vorurteil aussprach.
»Verurteilt« ist hier der umfassendste Ausdruck. Nur eins läßt sich
mit Bestimmtheit sagen: das Buch wird gelesen werden vom Auf-
gang bis zum Niedergang, und wir Deutschen werden es übersetzen.
Wir haben auch den Segur[21] übersetzt. Nicht wahr, es ist ein
hübsches episches Gedicht? Wir Deutschen schreiben auch epische
Gedichte, aber die Helden derselben existieren bloß in unserem
Kopfe. Hingegen die Helden des französischen Epos sind wirkliche
Helden, die viel größere Taten vollbracht und viel größere Leiden
gelitten, als wir in unseren Dachstübchen ersinnen können. Und wir
haben doch viel Phantasie, und die Franzosen haben nur wenig.
Vielleicht hat deshalb der liebe Gott den Franzosen auf eine andere
Art nachgeholfen, und sie brauchen nur treu zu erzählen, was sie in
den letzten dreißig Jahren gesehen und getan, und sie haben eine
erlebte Literatur, wie noch kein Volk und keine Zeit sie hervorgebracht. Diese Memoiren von Staatsleuten, Soldaten und edlen
Frauen, wie sie in Frankreich täglich erscheinen, bilden einen Sagen-
kreis, woran die Nachwelt genug zu denken und zu singen hat,
und worin als dessen Mittelpunkt das Leben des großen Kaisers
wie ein Riesenbaum emporragt. Die Segursche Geschichte des Ruß-
landzuges ist ein Lied, ein französisches Volkslied, das zu diesem

[20] Willibald Alexis (1798–1871) schrieb zwei Romane ›Walladmor‹ (Berlin 1825)
und ›Schloß Avalon‹ (Leipzig 1827) auf den Namen Walter Scotts. A. v. Oppeln-
Bronikowski (1783–1834) war in seinen meist der polnischen Geschichte entlehnten
Romanen ein eifriger Nachahmer Walter Scotts. Und J. F. Cooper (1789–1851),
vielfach der »amerikanische Scott« genannt, hat in seinen zahlreichen Romanen
(›Lederstrumpf‹) gleichfalls die Darstellungsweise Walter Scotts nachzuahmen ge-
sucht. [21] P. Graf v. Ségur (1780–1873) war im russischen Feldzug der Adjutant
Napoleons I. und schrieb später sein berühmtes Werk: ›Histoire de Napoléon et
de la grande armée pendant l'année 1812‹ (Paris 1824).

Sagenkreise gehört und in seinem Tone und Stoffe den epischen Dichtungen aller Zeiten gleicht und gleich steht. Ein Heldengedicht, das durch den Zauberspruch »Freiheit und Gleichheit« aus dem Boden Frankreichs emporgeschossen, hat wie im Triumphzug, berauscht von Ruhm und geführt von dem Gotte des Ruhms selbst, die Welt durchzogen, erschreckt und verherrlicht, tanzt endlich den rasselnden Waffentanz auf den Eisfeldern des Nordens, und diese brechen ein, und die Söhne des Feuers und der Freiheit gehen zu Grunde durch Kälte und Sklaven.

Solche Beschreibung oder Prophezeiung des Untergangs einer Heldenwelt ist Grundton und Stoff der epischen Dichtungen aller Völker. Auf den Felsen von Ellore[22] und anderer indischer Grottentempel steht solche epische Katastrophe eingegraben mit Riesenhieroglyphen, deren Schlüssel im ›Mahabharata‹ zu finden ist; der Norden hat in nicht minder steinernen Worten, in seiner ›Edda‹, diesen Götteruntergang ausgesprochen; das Lied der Nibelungen besingt dasselbe tragische Verderben und hat in seinem Schlusse noch ganz besondere Ähnlichkeit mit der Segurschen Beschreibung des Brandes von Moskau; das Rolandslied von der Schlacht bei Roncisval, dessen Worte verschollen, dessen Sage aber noch nicht erloschen und noch unlängst von einem der größten Dichter des Vaterlandes, von Immermann[23], heraufbeschworen worden, ist ebenfalls der alte Unglücksgesang; und gar das Lied von Ilion verherrlicht am schönsten das alte Thema und ist doch nicht großartiger und schmerzlicher als das französische Volkslied, worin Segur den Untergang seiner Heroenwelt besungen hat. Ja, dieses ist ein wahres Epos, Frankreichs Heldenjugend ist der schöne Heros, der früh dahinsinkt, wie wir solches Leid schon sahen in dem Tode Baldurs, Siegfrieds, Rolands und Achilles', die ebenso durch Unglück und Verrat gefallen; und jene Helden, die wir in der Ilias bewundert, wir finden sie wieder im Liede des Segur, wir sehen sie ratschlagen, zanken und kämpfen, wie einst vor dem skäischen Tore; ist auch die Jacke des Königs von Neapel[24] etwas allzubuntscheckig modern, so ist doch sein Schlachtmut und Übermut ebenso groß wie der des

---

[22] Ellora, ein Dorf in Vorderindien, berühmt durch seine uralten Tempelgrotten, in denen man bildliche Darstellungen aus dem großen Nationalepos der Inder, Mahabharata, gefunden hat. [23] ›Das Tal von Ronceval‹, 1822 veröffentlicht. [24] Joachim Murat, König von Neapel, der Schwager Napoleons I., führte im russischen Feldzug den Oberbefehl über die französische Kavallerie. – Herzog Eugen von Leuchtenberg befehligte beim Rückzug aus Rußland die Trümmer der Armee; Marschall Ney deckte den Rückzug; Berthier, Chef des Generalstabes; Davoust, Führer der Vorhut; Daru, Generalintendant in Österreich und Preußen; Caulaincourt, persönlicher Begleiter des Kaisers auf der Flucht.

Peliden; ein Hektor an Milde und Tapferkeit steht vor uns Prinz
Eugen, der edle Ritter, Ney kämpft wie ein Ajax, Berthier ist ein
Nestor ohne Weisheit, Davoust, Daru, Caulaincourt usw., in ihnen
wohnen die Seelen des Menelaos, des Odysseus, des Diomedes – nur
der Kaiser selbst findet nicht seinesgleichen, in seinem Haupte ist
der Olymp des Gedichtes, und wenn ich ihn, in seiner äußeren
Herrschererscheinung, mit dem Agamemnon vergleiche, so geschieht
das, weil ihn, ebenso wie den größten Teil seiner herrlichen Kampf-
genossen, ein tragisches Schicksal erwartete und weil sein Orestes[25]
noch lebt.

Wie die Scottschen Dichtungen hat auch das Segursche Epos einen
Ton, der unsere Herzen bezwingt. Aber dieser Ton weckt nicht die
Liebe zu längst verschollenen Tagen der Vorzeit, sondern es ist ein
Ton, dessen Klangfigur uns die Gegenwart gibt, ein Ton, der uns
für eben diese Gegenwart begeistert.

Wir Deutschen sind doch wahre Peter Schlemihle! Wir haben
auch in der letzten Zeit viel gesehen, viel ertragen, z. B. Einquar-
tierung und Adelstolz; und wir haben unser edelstes Blut hinge-
geben, z. B. an England, das noch jetzt jährlich eine anständige
Summe für abgeschossene deutsche Arme und Beine ihren ehemaligen Eigentümern zu bezahlen hat; und wir haben im Kleinen so
viel Großes getan, daß, wenn man es zusammenrechnet, die größten
Taten herauskämen, z. B. in Tirol; und wir haben viel verloren,
z. B. unsern Schlagschatten, den Titel des lieben, heiligen, römischen Reichs – und dennoch, mit allen Verlüsten, Opfern, Entbehrungen, Malheurs und Großtaten hat unsere Litteratur kein einziges solcher Denkmäler des Ruhmes gewonnen, wie sie bei unseren
Nachbarn, gleich ewigen Trophäen, täglich emporsteigen. Unsere
Leipziger Messen haben wenig profitiert durch die Schlacht bei
Leipzig. Ein Gothaer, höre ich, will sie noch nachträglich in epi-
scher Form besingen; da er aber noch nicht weiß, ob er zu den
100 000 Seelen gehört, die Hildburghausen bekömmt, oder zu den
150 000, die Meiningen bekömmt, oder zu den 160 000, die Alten-
burg bekömmt, so kann er sein Epos noch nicht anfangen, er müßte
denn beginnen: »Singe unsterbliche Seele, Hildburghäusische Seele,
– Meiningsche Seele oder auch Altenburgische Seele – gleichviel
singe, singe der sündigen Deutschen Erlösung!« Dieser Seelenscha-
cher im Herzen des Vaterlandes und dessen blutende Zerrissenheit
läßt keinen stolzen Sinn und noch viel weniger ein stolzes Wort
aufkommen, unsere schönsten Taten werden lächerlich durch den
dummen Erfolg, und während wir uns unmutig einhüllen in den

[25] Napoleons Sohn, der Herzog von Reichstadt, starb 1832.

Purpurmantel des deutschen Heldenblutes, kömmt ein politischer
Schalk und setzt uns die Schellenkappe aufs Haupt.

Eben die Literaturen unserer Nachbaren jenseits des Rheins und
des Kanals muß man mit unserer Bagatell-Literatur vergleichen,
um das Leere und Bedeutungslose unseres Bagatell-Lebens zu begreifen. Da ich selbst mich erst späterhin über dieses Thema, über
deutsche Literaturmisere verbreiten will, so liefere ich einen hei-
tern Ersatz durch das Einschalten der folgenden Xenien, die aus der
Feder Immermanns, meines hohen Mitstrebenden, geflossen sind.
Die Gleichgesinnten danken mir gewiß für die Mitteilung dieser
Verse, und bis auf wenige Ausnahmen, die ich mit Sternen bezeichne, will ich sie gern als meine eigne Gesinnung vertreten.

Der poetische Litterator[26]

Laß dein Lächeln, laß dein Flennen, sag uns ohne Hinterlist,
Wann Hans Sachs das Licht erblickte, Weckherlin gestorben ist.

»Alle Menschen müssen sterben«, spricht das Männlein mit Bedeutung.
Alter Junge, dessengleichen ist uns keine große Zeitung.

Mit vergeßnen, alten Schwarten schmiert er seine Autorstiefeln,
Daß er dazu heiter weine, frißt er fromm poet'sche Zwiefeln.

*Willst du kommentieren, Fränzel, mindestens verschon den Luther,
Dieser Fisch behagt uns besser ohne die zerlaßne Butter.

Dramatiker

1.

*»Nimmer schreib' ich mehr Tragödien, mich am Publikum zu
rächen!«
Schimpf uns, wie du willst, mein Guter, aber halte dein Versprechen[27].

2.

Diesen Reiterleutnant[28] müsset, Stachelverse, ihr verschonen;
Denn er kommandiert Sentenzen und Gefühl' in Eskadronen.

[26] Franz Horn (1781–1837) ist gemeint, der eine recht unzulängliche Literaturgeschichte verfaßt hatte. [27] Der Vers bezieht sich auf Adolf Müllner (1774–1829),
der durch allerlei böse Xenien bekannt und gefürchtet war. [28] Anspielung auf
Frd. Heinrich Karl Freiherr de la Motte Fouqué (1777–1843), romantischer Dichter, der im Befreiungskrieg Reiterleutnant und Rittmeister war.

3.

Wär' Melpomene ein Mädchen, gut, gefühlvoll und natürlich,
Riet' ich ihr: Heirate diesen, der so milde und so zierlich[29].

4.

Seiner vielen Sünden wegen geht der tote Kotzebue
Um in diesem Ungetüme[30] ohne Strümpfe, ohne Schuhe.

Und so kommt zu vollen Ehren tiefe Lehr' aus grauen Jahren,
Daß die Seelen der Verstorbnen müssen in die Bestien fahren.

Östliche Poeten

Groß mérite ist es jetzo, nach Saadis[31] Art zu girren,
Doch mir scheint's égal gepudelt, ob wir östlich, westlich irren.

Sonsten sang, beim Mondenscheine, Nachtigall seu Philomele;
Wenn jetzt Bülbül flötet, scheint es mir denn doch dieselbe Kehle.

Alter Dichter, du gemahnst mich, als wie Hamelns Rattenfänger;
Pfeifst nach Morgen, und es folgen all die lieben, kleinen Sänger.

Aus Bequemlichkeit verehren sie die Kühe frommer Inden,
Daß sie den Olympus mögen nächst in jedem Kuhstall finden.

Von den Früchten, die sie aus dem Gartenhain von Schiras stehlen,
Essen sie zu viel, die Armen, und vomieren dann Ghaselen[32].

*Glockentöne

Seht den dicken Pastor[33] dorten unter seiner Tür im Staate,
Läutet mit den Glocken, daß man ihn verehr' in dem Ornate.

Und es kamen, ihn zu schauen, flugs die Blinden und die Lahmen,
Engebrust und Krampf, besonders hysteriegeplagte Damen.

[29] Gemeint ist der Schicksalsdramatiker Ernst Freiherr v. Houwald (1778–1845), der sanfte und sehr tränenreiche Stücke schrieb und von Heine verschiedentlich verspottet wurde. [30] Anspielung auf die vielen Bühnenstücke von Ernst Raupach (1784–1852). [31] Scheikh Moslicheddin Saadi (1184–1291), einer der bedeutendsten persischen Dichter. [32] Goethes ›Westöstlicher Divan‹ hatte die orientalische Lyrik auch in Deutschland bekannt gemacht. Platen und Rückert versuchten sich bald in den östlichen Versgattungen, so vor allem Platen in seinen ›Ghaselen‹. – Diese Epigramme wurden zum Anlaß des erbitterten Streites zwischen Platen, Immermann und Heine. [33] Gemeint ist Friedrich Strauß aus Iserlohn (1786 bis 1863), der 1822 als Hofprediger und Professor nach Berlin berufen wurde.

Weiße Salbe weder heilet, noch verschlimmert irgend Schäden,
Weiße Salbe findest jetzo du in allen Bücherläden.

Geht's so fort, und läßt sich jeder Pfaffe ferner adorieren,
Werd' ich in den Schoß der Kirche ehebaldigst retournieren.

Dort gehorch' ich Einem Papste und verehr' Ein praesens Numen,
Aber hier macht sich zum numen jeglich ordiniertes lumen.

Orbis pictus

Hätte Einen Hals das ganze weltverderbende Gelichter,
Einen Hals, ihr hohen Götter: Priester, Histrionen, Dichter!

In die Kirche ging ich morgens, um Komödien zu schauen,
Abends ins Theater, um mich an der Predigt zu erbauen.

Selbst der liebe Gott verlieret sehr bei mir an dem Gewichte,
Weil nach ihrem Ebenbilde schnitzen ihn viel tausend Wichte.

Wenn ich euch gefall', ihr Leute, dünk' ich mich ein Leineweber,
Aber, wenn ich euch verdrieße, seht, das stärkt mir meine Leber.

»Ganz bewältigt er[34] die Sprache«; ja, es ist, sich tot zu lachen,
Seht nur, was für tolle Sprünge lässet er die arme machen.

Vieles Schlimme kann ich dulden, aber eins ist mir zum Ekel,
Wenn der nervenschwache Zärtling spielt den genialen Rekel.

*Damals mochtst du mir gefallen, als du[35] buhltest mit Lucindchen,
Aber, o der frechen Liebschaft! mit Marien wollen sünd'gen.

Erst in England, dann in Spanien, jetzt in Brahmas Finsternissen,
Überall umhergestrichen, deutschen Rock und Schuh zerrissen[36].

Wenn die Damen schreiben, kramen stets sie aus von ihren
                                        Schmerzen,
Fausses couches, touchierter Tugend, – ach, die gar zu offnen Herzen!

[34] Anspielung auf die Lyrik Platens. [35] Friedrich Schlegel veröffentlichte 1799
seinen Roman ›Lucinde‹, eine romantische Verherrlichung der Sinnlichkeit; 1803
trat er zur katholischen Kirche über. [36] Aug. Wilhelm Schlegel hatte sich viel
mit der romanischen, englischen und indischen Literatur beschäftigt.

Laßt die Damen mir zufrieden; daß sie schreiben, find' ich rätlich:
Führt die Frau die Autorfeder, wird sie wenigstens nicht schädlich.

Glaubt, das Schriftentum wird gleichen bald den ärgsten Rocken-
stuben,
Die Gevatterinnen schnacken, und es hören zu die Buben.

Wär' ich Dschingischan, o China, wärst du längst von mir vernichtet,
Dein verdammtes Teegeplätscher hat uns langsam hingerichtet.

Alles setzet sich zur Ruhe, und der Größte wird geduldig,
Streicht gemächlich ein, was frühre Zeiten blieben waren schuldig.

Jene Stadt[37] ist voller Verse, Töne, Statuen, Schilderein,
Wursthans steht mit der Trompete an dem Tor und schreit: »Herein!«

»Diese Reime klingen schändlich, ohne Metrum und Cäsuren«;
Wollt in Uniform ihr stecken literarische Panduren[38]? –

»Sag, wie kommst du nur zu Worten, die so grob und ungezogen?«
Freund, im wüsten Marktgedränge braucht man seine Ellenbogen.

»Aber du hast auch bereimet, was unleugbar gut und groß.«
Mischt der Beste sich zum Plebse, duldet er des Plebses Los.

Wenn die Sommerfliegen schwärmen, tötet ihr sie mit den Klappen,
Und nach diesen Reimen werdet schlagen ihr mit euren Kappen.

[37] Vermutlich war Dresden gemeint. [38] Kriegstruppe in Südungarn im 17. und
18. Jahrhundert.

DIE BÄDER VON LUCCA

Karl Immermann, dem Dichter,
widmet diese Blätter
als ein Zeichen freudigster Verehrung
der Verfasser

Als ich zu Mathilden ins Zimmer trat, hatte sie den letzten Knopf des grünen Reitkleides zugeknöpft und wollte eben einen Hut mit weißen Federn aufsetzen. Sie warf ihn rasch von sich, sobald sie mich erblickte, mit ihren wallend goldnen Locken stürzte sie mir entgegen – »Doktor des Himmels und der Erde!« rief sie, und nach alter Gewohnheit ergriff sie meine beiden Ohrlappen und küßte mich mit der drolligsten Herzlichkeit.

»Wie geht's, Wahnsinnigster der Sterblichen! Wie glücklich bin ich, Sie wiederzusehen! Denn ich werde nirgends auf dieser weiten Welt einen verrückteren Menschen finden. Narren und Dummköpfe gibt es genug, und man erzeigt ihnen oft die Ehre, sie für verrückt zu halten; aber die wahre Verrücktheit ist so selten wie die wahre Weisheit, sie ist vielleicht gar nichts anderes als Weisheit, die sich geärgert hat, daß sie alles weiß, alle Schändlichkeiten dieser Welt, und die deshalb den weisen Entschluß gefaßt hat, verrückt zu werden. Die Orientalen sind ein gescheutes Volk, sie verehren einen Verrückten wie einen Propheten, wir aber halten jeden Propheten für verrückt.«

»Aber, Mylady, warum haben Sie mir nicht geschrieben?«

»Gewiß, Doktor, ich schrieb Ihnen einen langen Brief und bemerkte auf der Adresse: abzugeben in Neu-Bedlam[1]. Da Sie aber, gegen alle Vermutung, nicht dort waren, so schickte man den Brief nach St. Luze, und da Sie auch hier nicht waren, so ging er weiter nach einer ähnlichen Anstalt, und so machte er die Ronde durch alle Tollhäuser Englands, Schottlands und Irlands, bis man ihn mir zurückschickte mit der Bemerkung, daß der Gentleman, den die Adresse bezeichne, noch nicht eingefangen sei. Und in der Tat, wie haben Sie es angefangen, daß Sie immer noch auf freien Füßen sind?«

»Hab's pfiffig angefangen, Mylady. Überall, wohin ich kam, wußt' ich mich um die Tollhäuser herumzuschleichen, und ich denke, es wird mir auch in Italien gelingen.«

»O Freund, hier sind Sie ganz sicher; denn erstens ist gar kein Tollhaus in der Nähe und zweitens haben wir hier die Oberhand.«

»Wir? Mylady! Sie zählen sich also zu den Unseren? Erlauben Sie, daß ich Ihnen den Bruderkuß auf die Stirne drücke.«

»Ach! ich meine wir Badegäste, worunter ich wahrlich noch die Vernünftigste bin – Und nun machen Sie sich leicht einen Begriff von der Verrücktesten, nämlich von Julie Maxfield, die beständig

---

[1] Neu-Bedlam und St. Luze sind Irrenhäuser in London.

behauptet, grüne Augen bedeuten den Frühling der Seele; dann haben wir noch zwei junge Schönheiten –«

»Gewiß englische Schönheiten, Mylady –«

»Doktor, was bedeutet dieser spöttische Ton? Die gelbfettigen Makkaronigesichter in Italien müssen Ihnen so gut schmecken, daß Sie keinen Sinn mehr haben für britische –«

»Plumpuddings mit Rosinenaugen, Roastbeefbusen festoniert mit weißen Meerrettichstreifen, stolze Pasteten –«

»Es gab eine Zeit, Doktor, wo Sie jedesmal in Verzückung gerieten, wenn Sie eine schöne Engländerin sahen –«

»Ja, das war damals! Ich bin noch immer nicht abgeneigt, Ihren Landsmänninnen zu huldigen; sie sind schön wie Sonnen, aber Sonnen von Eis, sie sind weiß wie Marmor, aber auch marmorkalt – auf ihren kalten Herzen erfrieren die armen –«

»Oho! ich kenne einen – der dort nicht erfroren ist und frisch und gesund übers Meer gesprungen, und es war ein großer, deutscher, impertinenter –«

»Er hat sich wenigstens an den britisch frostigen Herzen so stark erkältet, daß er noch jetzt davon den Schnupfen hat.«

Mylady schien pikiert über diese Antwort, sie ergriff die Reitgerte, die zwischen den Blättern eines Romans, als Lesezeichen, lag, schwang sie um die Ohren ihres weißen Jagdhundes, der leise knurrte, hob hastig ihren Hut von der Erde, setzte ihn keck aufs Lockenhaupt, sah ein paarmal wohlgefällig in den Spiegel und sprach stolz: »Ich bin noch schön!« Aber plötzlich, wie von einem dunkeln Schmerzgefühl durchschauert, blieb sie sinnend stehen, streifte langsam ihren weißen Handschuh von der Hand, reichte sie mir, und meine Gedanken pfeilschnell ertappend, sprach sie: »Nicht wahr, diese Hand ist nicht mehr so schön wie in Ramsgate? Mathilde hat unterdessen viel gelitten!«

Lieber Leser, man kann es den Glocken selten ansehen, wo sie einen Riß haben, und nur an ihrem Tone merkt man ihn. Hättest du nun den Klang der Stimme gehört, womit obige Worte gesprochen wurden, so wüßtest du gleich, Myladys Herz ist eine Glocke vom besten Metall, aber ein verborgener Riß dämpft wunderbar ihre heitersten Töne und umschleiert sie gleichsam mit heimlicher Trauer. Doch ich liebe solche Glocken, sie finden immer ein gutes Echo in meiner eignen Brust; und ich küßte Myladys Hand fast inniger als ehemals, obgleich sie minder vollblühend war und einige Adern, etwas allzublau hervortretend, mir ebenfalls zu sagen schienen: Mathilde hat unterdessen viel gelitten.

Ihr Auge sah mich an wie ein wehmütig einsamer Stern am

herbstlichen Himmel, und weich und innig sprach sie: »Sie scheinen mich wenig mehr zu lieben, Doktor! Denn nur mitleidig fiel eben Ihre Träne auf meine Hand, fast wie ein Almosen.«

»Wer heißt Sie die stumme Sprache meiner Tränen so dürftig ausdeuten? Ich wette, der weiße Jagdhund, der sich jetzt an Sie schmiegt, versteht mich besser; er schaut mich an und dann wieder Sie und scheint sich zu wundern, daß die Menschen, die stolzen Herren der Schöpfung, innerlich so tief elend sind. Ach, Mylady, nur der verwandte Schmerz entlockt uns die Träne, und jeder weint eigentlich für sich selbst.«

»Genug, genug, Doktor. Es ist wenigstens gut, daß wir Zeitgenossen sind und in demselben Erdwinkel uns gefunden mit unseren närrischen Tränen. Ach des Unglücks! wenn Sie vielleicht zweihundert Jahre früher gelebt hätten, wie es mir mit meinem Freunde Michael de Cervantes Saavedra begegnet, oder gar wenn Sie hundert Jahre später auf die Welt gekommen wären als ich, wie ein anderer intimer Freund von mir, dessen Namen ich nicht einmal weiß, eben weil er ihn erst bei seiner Geburt, Anno 1900, erhalten wird! Aber erzählen Sie doch, wie haben Sie gelebt, seit wir uns nicht gesehen?«

»Ich trieb mein gewöhnliches Geschäft, Mylady; ich rollte wieder den großen Stein. Wenn ich ihn bis zur Hälfte des Berges gebracht, dann rollte er plötzlich hinunter, und ich mußte wieder suchen ihn hinaufzurollen – und dieses Bergauf- und Bergabrollen wird sich so lange wiederholen, bis ich selbst unter dem großen Steine liegen bleibe und Meister Steinmetz mit großen Buchstaben darauf schreibt: Hier ruht in Gott –«

»Beileibe, Doktor, ich lasse Ihnen noch keine Ruhe – Sei'n Sie nur nicht melancholisch! Lachen Sie, oder ich –«

»Nein, kitzeln Sie nicht; ich will lieber von selbst lachen!«

»So recht. Sie gefallen mir noch ebensogut wie in Ramsgate, wo wir uns zuerst nahe kamen –«

»Und endlich noch näher als nah'. Ja, ich will lustig sein. Es ist gut, daß wir uns wiedergefunden, und der große deutsche – wird sich wieder ein Vergnügen daraus machen, sein Leben bei Ihnen zu wagen.«

Myladys Augen lachten wie Sonnenschein nach leisem Regenschauer, und ihre gute Laune brach wieder leuchtend hervor, als John hereintrat und mit dem steifsten Lakeienpathos Seine Exzellenz den Markese Christophoro di Gumpelino anmeldete.

»Er sei willkommen! Und Sie, Doktor, werden einen Pair unseres Narrenreichs kennen lernen. Stoßen Sie sich nicht an sein Äußeres,

besonders nicht an seine Nase. Der Mann besitzt vortreffliche
Eigenschaften, z. B. viel Geld, gesunden Verstand und die Sucht,
alle Narrheiten der Zeit in sich aufzunehmen; dazu ist er in meine
grünäugige Freundin Julie Maxfield verliebt und nennt sie seine
Julia und sich ihren Romeo und deklamiert und seufzt – und Lord
Maxfield, der Schwager, dem die treue Julia von ihrem Manne
anvertraut worden, ist ein Argus –«

Schon wollte ich bemerken, daß Argus eine Kuh bewachte, als
die Türe sich weit öffnete und, zu meinem höchsten Erstaunen,
mein alter Freund, der Bankier Christian Gumpel, mit seinem
wohlhabenden Lächeln und gottgefälligem Bauche hereinwatschelte.
Nachdem seine glänzenden breiten Lippen sich an Myladys Hand
genugsam gescheuert und übliche Gesundheitsfragen hervorgebrockt
hatten, erkannte er auch mich – und in die Arme sanken sich die
Freunde.

ZWEITES KAPITEL

Mathildens Warnung, daß ich mich an die Nase des Mannes nicht
stoßen solle, war hinlänglich gegründet, und wenig fehlte, so hätte
er mir wirklich ein Auge damit ausgestochen. Ich will nichts Schlim-
mes von dieser Nase sagen; im Gegenteil, sie war von der edelsten
Form, und sie eben berechtigte meinen Freund, sich wenigstens
einen Markese-Titel beizulegen. Man konnte es ihm nämlich an
der Nase ansehen, daß er von gutem Adel war, daß er von einer
uralten Weltfamilie abstammte, womit sich sogar einst der liebe
Gott ohne Furcht vor Mesallianz verschwägert hat. Seitdem ist
diese Familie freilich etwas heruntergekommen, so daß sie seit Karl
dem Großen, meistens durch den Handel mit alten Hosen und
Hamburger Lotteriezetteln, ihre Subsistenz erwerben mußte, ohne
jedoch im mindesten von ihrem Ahnenstolz abzulassen oder jemals
die Hoffnung aufzugeben, einst wieder ihre alten Güter oder wenigstens hinreichende Emigranten-Entschädigung zu erhalten, wenn
ihr alter legitimer Souverän sein Restaurationsversprechen erfüllt,
ein Versprechen, womit er sie schon zwei Jahrtausende an der Nase
herumgeführt. Sind vielleicht ihre Nasen eben durch dieses lange
an der Nase Herumgeführtwerden so lang geworden? Oder sind
diese langen Nasen eine Art Uniform, woran der Gottkönig Jehovah seine alten Leibgardisten erkennt, selbst wenn sie desertiert
sind? Der Markese Gumpelino war ein solcher Deserteur, aber er
trug noch immer seine Uniform, und sie war sehr brillant, besäet mit

Kreuzchen und Sternchen von Rubinen, einem roten Adlerorden
in Miniatur und anderen Dekorationen.

»Sehen Sie«, sagte Mylady, »das ist meine Lieblingsnase, und ich
kenne keine schönere Blume auf dieser Erde.«

»Diese Blume«, schmunzlächelte Gumpelino, »kann ich Ihnen
nicht an den schönen Busen legen, ohne daß ich mein blühendes
Antlitz hinzulege, und diese Beilage würde Sie vielleicht in der
heutigen Hitze etwas genieren. Aber ich bringe Ihnen eine nicht
minder köstliche Blume, die hier selten ist –«

Bei diesen Worten öffnete der Markese die fließpapierne Tüte,
die er mitgebracht, und mit langsamer Sorgfalt zog er daraus hervor eine wunderschöne Tulpe.

Kaum erblickte Mylady diese Blume, so schrie sie aus vollem
Halse: »Morden! morden! wollen Sie mich morden? Fort, fort mit
dem schrecklichen Anblick!« Dabei gebärdete sie sich, als wolle man
sie umbringen, hielt sich die Hände vor die Augen, rannte unsinnig
im Zimmer umher, verwünschte Gumpelinos Nase und Tulpe,
klingelte, stampfte den Boden, schlug den Hund mit der Reitgerte,
daß er laut aufbellte, und als John hereintrat, rief sie, wie Kean[2]
als König Richard:

> Ein Pferd! ein Pferd!
> Ein Königtum für ein Pferd![3]

und stürmte, wie ein Wirbelwind, von dannen.

»Eine kuriose Frau!« sprach Gumpelino, vor Erstaunen bewegungslos und noch immer die Tulpe in der Hand haltend, so daß
er einem jener Götzenbilder glich, die, mit Lotosblumen in den
Händen, auf altindischen Denkmälern zu schauen sind. Ich aber
kannte die Dame und ihre Idiosynkrasie weit besser, mich ergötzte
dieses Schauspiel über alle Maßen, ich öffnete das Fenster und rief:
»Mylady, was soll ich von Ihnen denken? Ist das Vernunft, Sitte –
besonders ist das Liebe?«

Da lachte herauf die wilde Antwort:

> Wenn ich zu Pferde bin, so will ich schwören:
> Ich liebe dich unendlich.[4]

---

[2] Ed. Kean, sehr bedeutender Schauspieler und englischer Shakespeare-Interpret
(† 1833). [3] Richard III., Akt 5, Sz. 4. [4] Heinrich IV., erster Teil, Akt 2, Sz. 3.

»Eine kuriose Frau!« wiederholte Gumpelino, als wir uns auf den Weg machten, seine beiden Freundinnen, Signora Lätitia und Signora Franscheska, deren Bekanntschaft er mir verschaffen wollte, zu besuchen. Da die Wohnung dieser Damen auf einer etwas entfernten Anhöhe lag, so erkannte ich um so dankbarer die Güte meines wohlwollenden Freundes, der das Bergsteigen etwas beschwerlich fand und auf jedem Hügel atemschöpfend stehen blieb und »O Jesu!« seufzte.

Die Wohnungen in den Bädern von Lucca nämlich sind entweder unten in einem Dorfe, das von hohen Bergen umschlossen ist, oder sie liegen auf einem dieser Berge selbst, unfern der Hauptquelle, wo eine pittoreske Häusergruppe in das reizende Tal hinabschaut. Einige liegen aber auch einzeln zerstreut an den Bergesabhängen, und man muß mühsam hinaufklimmen durch Weinreben, Myrtengesträuch, Geißblatt, Lorbeerbüsche, Oleander, Geranikum und andre vornehme Blumen und Pflanzen, ein wildes Paradies. Ich habe nie ein reizenderes Tal gesehen, besonders wenn man von der Terrasse des oberen Bades, wo die ernstgrünen Cypressen stehen, ins Dorf hinabschaut. Man sieht dort die Brücke, die über ein Flüßchen führt, welches Lima heißt und, das Dorf in zwei Teile durchschneidend, an beiden Enden in mäßigen Wasserfällen über Felsenstücke dahinstürzt und ein Geräusch hervorbringt, als wolle es die angenehmsten Dinge sagen und könne vor dem allseitig plaudernden Echo nicht zu Worte kommen.

Der Hauptzauber dieses Tales liegt aber gewiß in dem Umstand, daß es nicht zu groß ist und nicht zu klein, daß die Seele des Beschauers nicht gewaltsam erweitert wird, vielmehr sich ebenmäßig mit dem herrlichen Anblick füllt, daß die Häupter der Berge selbst, wie die Apenninen überall, nicht abenteuerlich gotisch erhaben mißgestaltet sind, gleich den Bergkarikaturen, die wir ebensowohl wie die Menschenkarikaturen in germanischen Ländern finden: sondern, daß ihre edelgeründeten, heiter grünen Formen fast eine Kunstzivilisation aussprechen und gar melodisch mit dem blaßblauen Himmel zusammenklingen.

»O Jesu!« ächzte Gumpelino, als wir, mühsamen Steigens und von der Morgensonne schon etwas stark gewärmt, oberwähnte Cypressenhöhe erreichten und, ins Dorf hinabschauend, unsere englische Freundin hoch zu Roß, wie ein romantisches Märchenbild, über die Brücke jagen und ebenso traumschnell wieder verschwinden sahen. »O Jesu! welch eine kuriose Frau«, wiederholte einige-

mal der Markese. »In meinem gemeinen Leben ist mir noch keine
solche Frau vorgekommen. Nur in Komödien findet man dergleichen, und ich glaube, zum Beispiel die Holzbecher[5] würde die
Rolle gut spielen. Sie hat etwas von einer Nixe. Was denken Sie?«

»Ich denke, Sie haben recht, Gumpelino. Als ich mit ihr von
London nach Rotterdam fuhr, sagte der Schiffskapitän, sie gliche
einer mit Pfeffer bestreuten Rose. Zum Dank für diese pikante
Vergleichung schüttete sie eine ganze Pfefferbüchse auf seinen Kopf
aus, als sie ihn einmal in der Kajütte eingeschlummert fand, und
man konnte sich dem Manne nicht mehr nähern, ohne zu niesen.«

»Eine kuriose Frau!« sprach wieder Gumpelino. »So zart wie
weiße Seide und ebenso stark, und sitzt zu Pferde ebensogut wie
ich. Wenn sie nur nicht ihre Gesundheit zu Grunde reitet. Sahen
Sie nicht eben den langen, magern Engländer, der auf seinem magern Gaul hinter ihr herjagte wie die galoppierende Schwindsucht?
Das Volk reitet zu leidenschaftlich, gibt alles Geld in der Welt für
Pferde aus. Lady Maxfields Schimmel kostet dreihundert goldne,
lebendige Louisdore – ach! und die Louisdore stehen so hoch und
steigen noch täglich.«

»Ja, die Louisdor werden noch so hoch steigen, daß ein armer
Gelehrter, wie unsereiner, sie gar nicht mehr wird erreichen können.«

»Sie haben keinen Begriff davon, Herr Doktor, wieviel Geld ich
ausgeben muß, und dabei behelfe ich mich mit einem einzigen Bedienten, und nur wenn ich in Rom bin, halte ich mir einen Kapellan für meine Hauskapelle. Sehen Sie, da kommt mein Hyazinth.«

Die kleine Gestalt, die in diesem Augenblick bei der Windung
eines Hügels zum Vorschein kam, hätte vielmehr den Namen einer
Feuerlilie verdient. Es war ein schlotternd weiter Scharlachrock,
überladen mit Goldtressen, die im Sonnenglanze strahlten, und aus
dieser roten Pracht schwitzte ein Köpfchen hervor, das mir sehr
wohlbekannt zunickte. Und wirklich, als ich das bläßlich besorgliche
Gesichtchen und die geschäftig zwinkenden Äuglein näher betrachtete, erkannte ich jemanden, den ich eher auf dem Berg Sinai als
auf den Apenninen erwartet hätte, und das war kein anderer als
Herr Hirsch[6], Schutzbürger in Hamburg, ein Mann, der nicht bloß
immer ein sehr ehrlicher Lotteriekollekteur gewesen, sondern sich
auch auf Hühneraugen und Juwelen versteht, dergestalt, daß er

---

[5] Julie Holzbecher (1809–1839), Karl v. Holteis zweite Frau, eine bekannte Berliner Schauspielerin.   [6] Das Original dieser komischen Figur war ein armer Lot-
teriebote in Hamburg, namens Isak Roccamora, den Heine zu allerlei kleinen
Vertrauensdiensten benutzte.

erstere von letzteren nicht bloß zu unterscheiden weiß, sondern auch die Hühneraugen ganz geschickt auszuschneiden und die Juwelen ganz genau zu taxieren weiß.

»Ich bin guter Hoffnung«, sprach er, als er mir näher kam, »daß Sie mich noch kennen, obgleich ich nicht mehr Hirsch heiße. Ich heiße jetzt Hyazinth und bin der Kammerdiener des Herrn Gumpel.«

»Hyazinth!« rief dieser in staunender Aufwallung über die Indiskretion des Dieners.

»Sein Sie nur ruhig, Herr Gumpel, oder Herr Gumpelino, oder Herr Markese, oder Eure Exzellenza, wir brauchen uns gar nicht vor diesem Herrn zu genieren, der kennt mich, hat manches Los bei mir gespielt, und ich möcht' sogar drauf schwören, er ist mir von der letzten Renovierung noch sieben Mark neun Schilling schuldig – Ich freue mich wirklich, Herr Doktor, Sie hier wiederzusehen. Haben Sie hier ebenfalls Vergnügungsgeschäfte? Was sollte man sonst hier tun in dieser Hitze, und wo man noch dazu bergauf und bergab steigen muß. Ich bin hier des Abends so müde, als wäre ich zwanzigmal vom Altonaer Tore nach dem Steintor gelaufen, ohne was dabei verdient zu haben.«

»O Jesu!« rief der Markese, »schweig, schweig! Ich schaffe mir einen andern Bedienten an.«

»Warum schweigen?« versetzte Hirsch Hyazinthos, »ist es mir doch lieb, wenn ich mal wieder gutes Deutsch sprechen kann mit einem Gesichte, das ich schon einmal in Hamburg gesehen, und denke ich an Hamburg –«

Hier, bei der Erinnerung an sein kleines Stiefvaterländchen, wurden des Mannes Äuglein flimmernd feucht, und seufzend sprach er: »Was ist der Mensch! Man geht vergnügt vor dem Altonaer Tore, auf dem Hamburger Berg, spazieren und besieht dort die Merkwürdigkeiten, die Löwen, die Gevögel, die Papagoyim, die Affen, die ausgezeichneten Menschen, und man läßt sich Karussell fahren oder elektrisieren, und man denkt, was würde ich erst für Vergnügen haben an einem Orte, der noch zweihundert Meilen von Hamburg weiter entfernt ist, in dem Lande, wo die Zitronen und Orangen wachsen, in Italien! Was ist der Mensch! Ist er vor dem Altonaer Tore, so möchte er gern in Italien sein, und ist er in Italien, so möchte er wieder vor dem Altonaer Tore sein! Ach stände ich dort wieder und sähe wieder den Michaelisturm und oben daran die Uhr mit den großen goldnen Zahlen auf dem Zifferblatt, die großen goldnen Zahlen, die ich so oft des Nachmittags betrachtete, wenn sie so freundlich in der Sonne glänzten – ich hätte sie oft küssen mögen.

Ach, ich bin jetzt in Italien, wo die Zitronen und Orangen wachsen; wenn ich aber die Zitronen und Orangen wachsen sehe, so denk' ich an den Steinweg zu Hamburg, wo sie, ganzer Karren voll, gemächlich aufgestapelt liegen, und wo man sie ruhig genießen kann, ohne daß man nötig hat, so viele Gefahrberge zu besteigen und so viel Hitzwärme auszustehen. So wahr mir Gott helfe, Herr Markese, wenn ich es nicht der Ehre wegen getan hätte und wegen der Bildung, so wäre ich Ihnen nicht hierher gefolgt. Aber das muß man Ihnen nachsagen, man hat Ehre bei Ihnen und bildet sich.«

»Hyazinth!« sprach jetzt Gumpelino, der durch diese Schmeichelei etwas besänftigt worden, »Hyazinth, geh jetzt zu –«

»Ich weiß schon –«

»Du weißt nicht, sage ich dir, Hyazinth –«

»Ich sag' Ihnen, Herr Gumpel, ich weiß. Ew. Exzellenz schicken mich jetzt zu der Lady Maxfield – Mir braucht man gar nichts zu sagen. Ich weiß Ihre Gedanken, die Sie noch gar nicht gedacht und vielleicht Ihr Lebtag gar nicht denken werden. Einen Bedienten wie mich bekommen Sie nicht so leicht – und ich tu' es der Ehre wegen und der Bildung wegen, und wirklich, man hat Ehre bei Ihnen und bildet sich –« Bei diesem Worte putzte er sich die Nase mit einem sehr weißen Taschentuche.

»Hyazinth«, sprach der Markese, »du gehst jetzt zu der Lady Julie Maxfield, zu meiner Julia, und bringst ihr diese Tulpe – nimm sie in acht, denn sie kostet fünf Paoli – und sagst ihr –«

»Ich weiß schon –«

»Du weißt nichts. Sag ihr: die Tulpe ist unter den Blumen –«

»Ich weiß schon, Sie wollen ihr etwas durch die Blume sagen. Ich habe für so manches Lotterielos in meiner Kollekte selbst eine Devise gemacht –«

»Ich sage dir, Hyazinth, ich will keine Devise von dir. Bringe diese Blume an Lady Maxfield und sage ihr:

> Die Tulpe ist unter den Blumen
> Was unter den Käsen der Stracchino;
> Doch mehr als Blumen und Käse
> Verehrt dich Gumpelino!«

»So wahr mir Gott alles Gut's gebe, das ist gut!« rief Hyazinth. »Winken Sie mir nicht, Herr Markese, was Sie wissen, das weiß ich, und was ich weiß, das wissen Sie. Und Sie, Herr Doktor, leben Sie wohl! Um die Kleinigkeit mahne ich Sie nicht.« Bei diesen Worten stieg er den Hügel wieder hinab und murmelte beständig: »Gumpelino Stracchino – Stracchino Gumpelino« –

»Es ist ein treuer Mensch« – sagte der Markese – »sonst hätte ich ihn längst abgeschafft wegen seines Mangels an Etikette. Vor Ihnen hat das nichts zu bedeuten. Sie verstehen mich. Wie gefällt Ihnen seine Livree? Es sind noch für vierzig Taler mehr Tressen dran als an der Livree von Rothschilds Bedienten. Ich habe innerlich mein Vergnügen, wie sich der Mensch bei mir perfektioniert. Dann und wann gebe ich ihm selbst Unterricht in der Bildung. Ich sage ihm oft: Was ist Geld? Geld ist rund und rollt weg, aber Bildung bleibt. Ja, Herr Doktor, wenn ich, was Gott verhüte, mein Geld verliere, so bin ich doch noch immer ein großer Kunstkenner, ein Kenner von Malerei, Musik und Poesie. Sie sollen mir die Augen zubinden und mich in der Galerie zu Florenz herumführen, und bei jedem Gemälde, vor welches Sie mich hinstellen, will ich Ihnen den Maler nennen, der es gemalt hat, oder wenigstens die Schule, wozu dieser Maler gehört. Musik? Verstopfen Sie mir die Ohren, und ich höre doch jede falsche Note. Poesie? Ich kenne alle Schauspielerinnen Deutschlands, und die Dichter weiß ich auswendig. Und gar Natur! Ich bin zweihundert Meilen gereist, Tag und Nacht durch, um in Schottland einen einzigen Berg zu sehen. Italien aber geht über alles. Wie gefällt Ihnen hier diese Naturgegend? Welche Schöpfung! Sehen Sie mal die Bäume, die Berge, den Himmel, da unten das Wasser – ist nicht alles wie gemalt? Haben Sie es je im Theater schöner gesehen? Man wird sozusagen ein Dichter! Verse kommen einem in den Sinn, und man weiß nicht woher: –

> Schweigend, in der Abenddämmerung Schleier,
> Ruht die Flur, das Lied der Haine stirbt;
> Nur daß hier im alternden Gemäuer
> Melancholisch noch ein Heimchen zirpt[7].

Diese erhabenen Worte deklamierte der Markese mit überschwellender Rührung, indem er, wie verklärt, in das lachende, morgenhelle Tal hinabschaute.

VIERTES KAPITEL

Als ich einst an einem schönen Frühlingstage unter den Berliner Linden spazieren ging, wandelten vor mir zwei Frauenzimmer, die lange schwiegen, bis endlich die eine schmachtend aufseufzte: »Ach, die jrine Beeme!« worauf die andre, ein junges Ding, mit naiver Verwunderung fragte: »Mutter, was gehn Ihnen die jrine Beeme an?«

[7] Aus der ›Elegie‹ von Friedrich v. Matthisson.

Ich kann nicht umhin, zu bemerken, daß beide Personen zwar nicht in Seide gekleidet gingen, jedoch keineswegs zum Pöbel gehörten, wie es denn überhaupt in Berlin keinen Pöbel gibt, außer etwa in den höchsten Ständen. Was aber jene naive Frage selbst betrifft, so kommt sie mir nie aus dem Gedächtnisse. Überall, wo ich unwahre Naturempfindung und dergleichen grüne Lügen ertappe, lacht sie mir ergötzlich durch den Sinn. Auch bei der Deklamation des Markese wurde sie in mir laut, und den Spott auf meinen Lippen erratend, rief er verdrießlich: »Stören Sie mich nicht – Sie haben keinen Sinn für reine Natürlichkeit – Sie sind ein zerrissener Mensch, ein zerrissenes Gemüt, sozusagen ein Byron.«

Lieber Leser, gehörst du vielleicht zu jenen frommen Vögeln, die da einstimmen in das Lied von Byronischer Zerrissenheit, das mir schon seit zehn Jahren in allen Weisen vorgepfiffen und vorgezwitschert worden und sogar im Schädel des Markese, wie du oben gehört hast, sein Echo gefunden? Ach, teurer Leser, wenn du über jene Zerrissenheit klagen willst, so beklage lieber, daß die Welt selbst mitten entzweigerissen ist. Denn da das Herz des Dichters der Mittelpunkt der Welt ist, so mußte es wohl in jetziger Zeit jämmerlich zerrissen werden. Wer von seinem Herzen rühmt, es sei ganz geblieben, der gesteht nur, daß er ein prosaisches weitabgelegenes Winkelherz hat. Durch das meinige ging aber der große Weltriß, und eben deswegen weiß ich, daß die großen Götter mich vor vielen anderen hoch begnadigt und des Dichtermärtyrtums würdig geachtet haben.

Einst war die Welt ganz, im Altertum und im Mittelalter, trotz der äußeren Kämpfe gab's doch noch immer eine Welteinheit, und es gab ganze Dichter. Wir wollen diese Dichter ehren und uns an ihnen erfreuen; aber jede Nachahmung ihrer Ganzheit ist eine Lüge, eine Lüge, die jedes gesunde Auge durchschaut, und die dem Hohne dann nicht entgeht. Jüngst, mit vieler Mühe, verschaffte ich mir in Berlin die Gedichte eines jener Ganzheitdichter, der über meine Byronische Zerrissenheit so sehr geklagt, und bei den erlogenen Grünlichkeiten, den zarten Naturgefühlen, die mir da, wie frisches Heu, entgegendufteten, wäre mein armes Herz, das schon hinlänglich zerrissen ist, fast auch vor Lachen geborsten, und unwillkürlich rief ich: »Mein lieber Herr Intendanturrat Wilhelm Neumann[8], was gehn Ihnen die jrine Beeme an?«

»Sie sind ein zerrissener Mensch, sozusagen ein Byron« – wiederholte der Markese, sah noch immer verklärt hinab ins Tal,

---

[8] Wilhelm Neumann (1784–1834), Intendanturrat im preußischen Kriegsministerium und Schriftsteller. In Bd. I, S. 44 ff. sein Urteil über Heine.

schnalzte zuweilen mit der Zunge am Gaumen vor andächtiger Bewunderung – »Gott! Gott! alles wie gemalt!«

Armer Byron! solches ruhige Genießen war dir versagt! War dein Herz so verdorben, daß du die Natur nur sehen, ja sogar schildern, aber nicht von ihr beseligt werden konntest? Oder hat Bishy Shelley[9] recht, wenn er sagt, du habest die Natur in ihrer keuschen Nacktheit belauscht und wurdest deshalb, wie Aktäon, von ihren Hunden zerrissen!

Genug davon; wir kommen zu einem besseren Gegenstande, nämlich zu Signora Lätitias und Franscheskas Wohnung, einem kleinen weißen Gebäude, das gleichsam noch im Negligee zu sein scheint und vorn zwei große runde Fenster hat, vor welchen die hochaufgezogenen Weinstöcke ihre langen Ranken herabhängen lassen, daß es aussieht, als fielen grüne Haare in lockiger Fülle über die Augen des Hauses. An der Türe schon klingt es uns bunt entgegen, wirbelnde Triller, Guitarrentöne und Gelächter.

FÜNFTES KAPITEL

Signora Lätitia, eine fünfzigjährige junge Rose, lag im Bette und trillerte und schwatzte mit ihren beiden Galans, wovon der eine auf einem niedrigen Schemel vor ihr saß und der andre, in einem großen Sessel lehnend, die Guitarre spielte. Im Nebenzimmer flatterten dann und wann ebenfalls die Fetzen eines süßen Liedes oder eines noch wundersüßeren Lachens. Mit einer gewissen wohlfeilen Ironie, die den Markese zuweilen anwandelte, präsentierte er mich der Signora und den beiden Herren und bemerkte dabei; ich sei derselbe Johann Heinrich Heine, Doktor Juris, der jetzt in der deutschen juristischen Litteratur berühmt sei. Zum Unglück war der eine Herr ein Professor aus Bologna und zwar ein Jurist, obgleich sein wohlgewölbter, runder Bauch ihn eher zu einer Anstellung bei der sphärischen Trigonometrie zu qualifizieren schien. Einigermaßen in Verlegenheit gesetzt, bemerkte ich, daß ich nicht unter meinem eigenen Namen schriebe, sondern unter dem Namen Jarke[10], und das sagte ich aus Bescheidenheit, indem mir zufällig einer der wehmütigsten Insektennamen unserer juristischen Litteratur ins Gedächtnis kam. Der Bologneser beklagte zwar, diesen berühmten Namen noch nicht

[9] Percy Bysshe Shelley (1792–1822), gefeierter englischer Poet.   [10] K. E. Jarcke (1801–1852), Universitätsprofessor, Publizist, der als Student in Bonn mit Heine für die Burschenschaft schwärmte, dann aber 1832 zum Katholizismus übertrat und eine Stellung in der österreichischen Hof- und Staatskanzlei unter Metternich bekleidete. Gegner des Liberalismus.

gehört zu haben – welches auch bei dir, lieber Leser, der Fall sein wird –, doch zweifelte er nicht, daß er bald seinen Glanz über die ganze Erde verbreiten werde. Dabei lehnte er sich zurück in seinem Sessel, griff einige Akkorde auf der Guitarre und sang aus ›Axur‹[11]:

> O mächtiger Brahma!
> Ach laß dir das Lallen
> Der Unschuld gefallen,
> Das Lallen, das Lallen –

Wie ein lieblich neckendes Nachtigall-Echo schmetterte im Neben-zimmer eine ähnliche Melodie. Signora Lätitia aber trillerte dazwi-schen im feinsten Diskant:

> Dir allein glüht diese Wange,
> Dir nur klopfen diese Pulse;
> Voll von süßem Liebesdrange
> Hebt mein Herz sich dir allein!

Und mit der fettigsten Prosastimme setzte sie hinzu: »Bartolo, gib mir den Spucknapf.«

Von seinem niedern Bänkchen erhob sich jetzt Bartolo mit seinen dürren hölzernen Beinen und präsentierte ehrerbietig einen etwas unreinlichen Napf von blauem Porzellan.

Dieser zweite Galan, wie mir Gumpelino auf deutsch zuflüsterte, war ein sehr berühmter Dichter, dessen Lieder, obgleich er sie schon vor zwanzig Jahren gedichtet, noch jetzt in ganz Italien klingen und mit der süßen Liebesglut, die in ihnen flammt, alt und jung be-rauschen; – derweilen er selbst jetzt nur ein armer, veralteter Mensch ist, mit blassen Augen im welken Gesichte, dünnen weißen Härchen auf dem schwankenden Kopfe und kalter Armut im kümmerlichen Herzen. So ein armer, alter Dichter mit seiner kahlen Hölzernheit gleicht den Weinstöcken, die wir im Winter auf den kalten Bergen stehen sehen, dürr und laublos, im Winde zitternd und von Schnee bedeckt, während der süße Most, der ihnen einst entquoll, in den fernsten Landen gar manches Zecherherz erwärmt und zu ihrem Lobe berauscht. Wer weiß, wenn einst die Kelter der Gedanken, die Druckerpresse, auch mich ausgepreßt hat und nur noch im Verlags-keller von Hoffmann und Campe der alte, abgezapfte Geist zu fin-den ist, sitze ich selbst vielleicht ebenso dünn und kümmerlich wie der arme Bartolo auf dem Schemel neben dem Bett einer alten Inna-morata und reiche ihr auf Verlangen den Napf des Spuckes.

Signora Lätitia entschuldigte sich bei mir, daß sie zu Bette liege und zwar bäuchlings, indem ein Geschwür an der Legitimität, das

[11] ›Axur, König von Ormus‹, Oper von Ant. Salieri (1788).

sie sich durch vieles Feigenessen zugezogen, sie jetzt hindere, wie es
einer ordentlichen Frau zieme, auf dem Rücken zu liegen. Sie lag
wirklich ungefähr wie eine Sphinx; ihr hochfrisiertes Haupt stemmte
sie auf ihre beiden Arme, und zwischen diesen wogte ihr Busen wie
ein rotes Meer.

»Sie sind ein Deutscher?« frug sie mich.

»Ich bin zu ehrlich, es zu leugnen, Signora!« entgegnete meine
Wenigkeit.

»Ach, ehrlich genug sind die Deutschen!« – seufzte sie – »aber
was hilft es, daß die Leute ehrlich sind, die uns berauben! sie richten
Italien zu Grunde. Meine besten Freunde sitzen eingekerkert in
Milano; nur Sklaverei –«

»Nein, nein«, rief der Markese, »beklagen Sie sich nicht über die
Deutschen, wir sind überwundene Überwinder, besiegte Sieger, sobald wir nach Italien kommen; und Sie sehen, Signora, Sie sehen
und Ihnen zu Füßen fallen, ist dasselbe –« Und indem er sein gelb-
seidenes Taschentuch ausbreitete und darauf niederkniete, setzte er
hinzu: »Hier kniee ich und huldige Ihnen im Namen von ganz
Deutschland.«

»Christophoro di Gumpelino!« – seufzte Signora tiefgerührt und
schmachtend – »Stehen Sie auf und umarmen Sie mich!«

Damit aber der holde Schäfer nicht die Frisur und die Schminke
seiner Geliebten verdürbe, küßte sie ihn nicht auf die glühenden
Lippen, sondern auf die holde Stirne, so daß sein Gesicht tiefer hin-
abreichte und das Steuer desselben, die Nase, im roten Meere herum-
ruderte.

»Signor Bartolo!« rief ich, »erlauben Sie mir, daß auch ich mich
des Spucknapfes bediene.«

Wehmütig lächelte Signor Bartolo, sprach aber kein einziges
Wort, obgleich er, nächst Mezzophante[12], für den besten Sprach-
lehrer in Bologna gilt. Wir sprechen nicht gern, wenn Sprechen
unsre Profession ist. Er diente der Signora als ein stummer Ritter,
und nur dann und wann mußte er das Gedicht recitieren, das er ihr
vor fünfundzwanzig Jahren aufs Theater geworfen, als sie zuerst
in Bologna in der Rolle der Ariadne auftrat. Er selbst mag zu jener
Zeit wohlbelaubt und glühend gewesen sein, vielleicht ähnlich dem
heiligen Dionysios selbst, und seine Lätitia-Ariadne stürzte ihm gewiß bacchantisch in die blühenden Arme – Evoe Bacche! Er dichtete
damals noch viele Liebesgedichte, die, wie schon erwähnt, sich in der
italienischen Literatur erhalten haben, nachdem der Dichter und die
Geliebte selbst schon längst zu Makulatur geworden.

[12] Giuseppe Mezzofanti (1774–1849) aus Bologna, einer der größten Sprachgenies.

Fünfundzwanzig Jahre hat sich seine Treue bereits bewährt, und ich denke, er wird auch bis an sein seliges Ende auf dem Schemel sitzen und auf Verlangen seine Verse recitieren oder den Spucknapf reichen. Der Professor der Jurisprudenz schleppt sich fast ebensolange schon in den Liebesfesseln der Signora, er macht ihr noch immer so eifrig die Cour wie im Anfang dieses Jahrhunderts, er muß noch immer seine akademischen Vorlesungen unbarmherzig vertagen, wenn sie seine Begleitung nach irgend einem Orte verlangt, und er ist noch immer belastet mit allen Servituten eines echten Patito[13].

Die treue Ausdauer dieser beiden Anbeter einer längst ruinierten Schönheit mag vielleicht Gewohnheit sein, vielleicht Pietas gegen frühere Gefühle, vielleicht nur das Gefühl selbst, das sich von der jetzigen Beschaffenheit seines ehemaligen Gegenstandes ganz unabhängig gemacht hat und diesen nur noch mit den Augen der Erinnerung betrachtet. So sehen wir oft alte Leute an einer Straßenecke, in katholischen Städten, vor einem Madonnenbilde knien, das so verblaßt und verwittert ist, daß nur noch wenige Spuren und Gesichtsumrisse davon übriggeblieben sind, ja, daß man dort vielleicht nicht mehr sieht als die Nische, worin es gemalt stand, und die Lampe, die etwa noch darüber hängt; aber die alten Leute, die, mit dem Rosenkranz in den zitternden Händen, dort so andächtig knien, haben schon seit ihren Jugendjahren dort gekniet, Gewohnheit treibt sie immer, um dieselbe Stunde, zu demselben Fleck, sie merkten nicht das Erlöschen des geliebten Heiligenbildes, und am Ende macht das Alter ja doch so schwachsichtig und blind, daß es ganz gleichgültig sein mag, ob der Gegenstand unserer Anbetung überhaupt noch sichtbar ist oder nicht. Die da glauben, ohne zu sehen, sind auf jeden Fall glücklicher als die Scharfäugigen, die jede hervorblühende Runzel auf dem Antlitz ihrer Madonnen gleich bemerken. Nichts ist schrecklicher als solche Bemerkungen! Einst freilich glaubte ich, die Treulosigkeit der Frauen sei das Schrecklichste, und um dann das Schrecklichste zu sagen, nannte ich sie Schlangen. Aber ach! jetzt weiß ich, das Schrecklichste ist, daß sie nicht ganz Schlangen sind; denn die Schlangen können jedes Jahr die alte Haut von sich abstreifen und neugehäutet sich verjüngen.

Ob einer von den beiden antiken Seladons darüber eifersüchtig war, daß der Markese, oder vielmehr dessen Nase, oberwähntermaßen in Wonne schwamm, das konnte ich nicht bemerken. Bartolo saß gemütsruhig auf seinem Bänkchen, die Beinstöckchen übereinander geschlagen, und spielte mit Signoras Schoßhündchen, einem

[13] Zwangspflichten eines echten Liebhabers.

jener hübschen Tierchen, die in Bologna zu Hause sind, und die man auch bei uns unter dem Namen Bologneser kennt. Der Professor ließ sich durchaus nicht stören in seinem Gesange, den zuweilen die kichernd süßen Töne im Nebenzimmer parodistisch überjubelten; dann und wann unterbrach er auch selbst seinen Singsang, um mich mit juristischen Fragen zu behelligen. Wenn wir in unserem Urteil nicht übereinstimmten, griff er hastige Akkorde und klimperte Beweisstellen. Ich aber unterstützte meine Meinung immer durch die Autorität meines Lehrers, des großen Hugo[14], der in Bologna unter dem Namen Ugone, auch Ugolino, sehr berühmt ist.

»Ein großer Mann!« rief der Professor und klimperte dabei und sang:

> Seiner Stimme sanfter Ruf
> Tönt noch tief in deiner Brust,
> Und die Qual, die sie dir schuf,
> Ist Entzücken, süße Lust.

Auch Thibaut[15], den die Italiener Tibaldo nennen, wird in Bologna sehr geehrt; doch kennt man dort nicht sowohl die Schriften jener Männer als vielmehr ihre Hauptansichten und deren Gegensatz. Gans[16] und Savigny[17] fand ich ebenfalls nur dem Namen nach bekannt. Letzteren hielt der Professor für ein gelehrtes Frauenzimmer.

»So, so« – sprach er, als ich ihn aus diesem leicht verzeihlichen Irrtum zog – »wirklich kein Frauenzimmer. Man hat mir also falsch berichtet. Man sagte mir sogar, der Signor Gans habe dieses Frauenzimmer einst auf einem Balle zum Tanze aufgefordert, habe einen Refüs bekommen, und daraus sei eine literärische Feindschaft entstanden.«

»Man hat Ihnen in der Tat falsch berichtet, der Signor Gans tanzt gar nicht, schon aus dem menschenfreundlichen Grunde, damit nicht ein Erdbeben entstehe. Jene Aufforderung zum Tanze ist wahrscheinlich eine mißverstandene Allegorie. Die historische Schule und die philosophische werden als Tänzer gedacht, und in solchem Sinne denkt man sich vielleicht eine Quadrille von Ugone, Tibaldo, Gans und Savigny. Und vielleicht in solchem Sinne sagt man, daß Signor Ugone, obgleich er die Diable boiteux der Jurisprudenz ist, doch so zierliche Pas tanze wie die Lemiere und daß Signor Gans in der

---

[14] Vgl. S. 16, Anmerkung 9. [15] A. F. Thibaut (1774–1840), berühmter Rechtslehrer. [16] Vgl. S. 56, Anmerkung 42. [17] Karl von Savigny (1779–1861), das Haupt der historischen Schule in der Rechtswisssenschaft.

neuesten Zeit einige große Sprünge versucht, die ihn zum Hoguet[18] der philosophischen Schule gemacht haben.«

»Der Signor Gans«.– verbesserte sich der Professor – »tanzt also bloß allegorisch, sozusagen metaphorisch« – Doch plötzlich, statt weiter zu sprechen, griff er wieder in die Saiten der Guitarre, und bei dem tollsten Geklimper sang er wie toll:

> Es ist wahr, sein teurer Name
> Ist die Wonne aller Herzen.
> Stürmen laut des Meeres Wogen,
> Droht der Himmel schwarz umzogen,
> Hört man stets Tarar nur rufen,
> Gleich als beugten Erd' und Himmel
> Vor des Helden Namen sich.

Von Herrn Göschen wußte der Professor nicht einmal, daß er existiere. Dies aber hatte seine natürlichen Gründe, indem der Ruhm des großen Göschen noch nicht bis Bologna gedrungen ist, sondern erst bis Poggio, welches noch vier deutsche Meilen davon entfernt ist und wo er sich zum Vergnügen noch einige Zeit aufhalten wird. – Göttingen selbst ist in Bologna lange nicht so bekannt, wie man, schon der Dankbarkeit wegen, erwarten dürfte, indem es sich das deutsche Bologna zu nennen pflegt. Ob diese Benennung treffend ist, will ich nicht untersuchen; auf jeden Fall aber unterscheiden sich beide Universitäten durch den einfachen Umstand, daß in Bologna die kleinsten Hunde und die größten Gelehrten, in Göttingen hingegen die kleinsten Gelehrten und die größten Hunde zu finden sind.

SECHSTES KAPITEL

Als der Markese Christophoro di Gumpelino seine Nase hervorzog aus dem roten Meere, wie weiland König Pharao, da glänzte sein Antlitz in schwitzender Selbstwonne. Tief gerührt gab er Signoren das Versprechen, sie, sobald sie wieder sitzen könne, in seinem eignen Wagen nach Bologna zu bringen. Nun wurde verabredet, daß alsdann der Professor vorausreisen, Bartolo hingegen im Wagen des Markese mitfahren solle, wo er sehr gut auf dem Bock sitzen und das Hündchen im Schoße halten könne, und daß man endlich in vierzehn Tagen zu Florenz eintreffen wolle, wo Signora

[18] Vgl. S. 51, Anmerkung 37.

Franscheska, die mit Myłady nach Pisa reise, unterdessen ebenfalls zurückgekehrt sein würde. Während der Markese an den Fingern die Kosten berechnete, summte er vor sich hin »di tanti palpiti«[19]. Signora schlug dazwischen die lautesten Triller, und der Professor stürmte in die Saiten der Guitarre und sang dabei so glühende Worte, daß ihm die Schweißtropfen von der Stirne und die Tränen aus den Augen liefen und sich auf seinem roten Gesichte zu einem einzigen Strome vereinigten. Während dieses Singens und Klingens ward plötzlich die Türe des Nebenzimmers aufgerissen, und herein sprang ein Wesen –

Euch, ihr Musen der alten und der neuen Welt, euch sogar, ihr noch unentdeckten Musen, die erst ein späteres Geschlecht verehren wird und die ich schon längst geahnet habe, im Walde und auf dem Meere, euch beschwör' ich, gebt mir Farben, womit ich das Wesen male, das nächst der Tugend das Herrlichste ist auf dieser Welt. Die Tugend, das versteht sich von selbst, ist die erste von allen Herrlichkeiten, der Weltschöpfer schmückte sie mit so vielen Reizen, daß es schien, als ob er nichts ebenso Herrliches mehr hervorbringen könne; da aber nahm er noch einmal alle seine Kräfte zusammen, und in einer guten Stunde schuf er Signora Franscheska, die schöne Tänzerin, das größte Meisterstück, das er nach Erschaffung der Tugend hervorgebracht, und wobei er sich nicht im mindesten wiederholt hat, wie irdische Meister, bei deren späteren Werken die Reize der früheren wieder geborgterweise zum Vorschein kommen – Nein, Signora Franscheska ist ganz Original, sie hat nicht die mindeste Ähnlichkeit mit der Tugend, und es gibt Kenner, die sie für ebenso herrlich halten und der Tugend, die früher erschaffen worden, nur den Vorrang der Anciennität zuerkennen. Aber ist das ein großer Mangel, wenn eine Tänzerin einige sechstausend Jahre zu jung ist?

Ach, ich sehe sie wieder, wie sie aus der aufgestoßenen Türe bis zur Mitte des Zimmers hervorspringt, in demselben Momente sich unzähligemal auf einem Fuße herumdreht, sich dann der Länge nach auf das Sofa hinwirft, sich die Augen mit beiden Händen verdeckt hält und atemlos ausruft: »ach, ich bin so müde vom Schlafen!« Nun naht sich der Markese und hält eine lange Rede in seiner ironisch breit ehrerbietigen Manier, die mit seinem kurzabbrechenden Wesen, bei praktischen Geschäftserinnerungen, und mit seiner faden Zerflossenheit, bei sentimentaler Anregung, gar rätselhaft kontrastierte. Dennoch war diese Manier nicht unnatürlich,

---

[19] »Di tanti palpiti, di tante pene, date, mio beue, spero mercè«, Arie Tankreds aus der gleichnamigen Oper von Rossini.

sie hatte sich vielleicht dadurch natürlich in ihm ausgebildet, daß
es ihm an Kühnheit fehlte, jene Obmacht, wozu er sich durch Geld
und Geist berechtigt glaubte, unumwunden kundzugeben, weshalb
er sie feigerweise in die Worte der übertriebensten Demut zu verkappen suchte. Sein breites Lächeln bei solchen Gelegenheiten hatte
etwas unangenehm Ergötzliches, und man wußte nicht, ob man ihm
Prügel oder Beifall zollen sollte. In solcher Weise hielt er seine
Morgenrede vor Signora Franscheska, die, noch halb schläfrig, ihn
kaum anhörte, und als er zum Schluß um die Erlaubnis bat, ihr die
Füße, wenigstens den linken Fuß, küssen zu dürfen, und zu diesem Geschäfte mit großer Sorgfalt sein gelbseidnes Taschentuch über
den Fußboden ausbreitete und darauf niederkniete, streckte sie ihm
gleichgültig den linken Fuß entgegen, der in einem allerliebsten
roten Schuh steckte, im Gegensatz zu dem rechten Fuße, der einen
blauen Schuh trug, eine drollige Koketterie, wodurch die zarte
niedliche Form der Füße noch bemerklicher werden sollte. Als der
Markese den kleinen Fuß ehrfurchtsvoll geküßt, erhob er sich mit
einem ächzenden »O Jesu!« und bat um die Erlaubnis, mich, seinen Freund, vorstellen zu dürfen, welches ihm ebenfalls gähnend
gewährt wurde und wobei er es nicht an Lobsprüchen auf meine
Vortrefflichkeit fehlen ließ und auf Kavalierparole beteuerte, daß
ich die unglückliche Liebe ganz vortrefflich besungen habe.

Ich bat die Dame ebenfalls um die Vergünstigung, ihr den linken Fuß küssen zu dürfen, und in dem Momente, wo ich dieser
Ehre teilhaftig wurde, erwachte sie wie aus einem dämmernden
Traume, beugte sich lächelnd zu mir herab, betrachtete mich mit
großen, verwunderten Augen, sprang freudig empor bis in die
Mitte des Zimmers und drehte sich wieder unzähligemal auf einem
Fuße herum. Ich fühlte wunderbar, wie mein Herz sich beständig
mitdrehte, bis es fast schwindelig wurde. Der Professor aber griff
dabei lustig in die Saiten seiner Guitarre und sang:

> Eine Opernsignora erwählte
> Zum Gemahl mich, ward meine Vermählte,
> Und geschlossen war bald unsre Eh'.
> Wehe mir Armen! weh!
>
> Bald befreiten von ihr mich Korsaren,
> Ich verkaufte sie an die Barbaren,
> Ehe sie sich es konnte versehn.
> Bravo, Biskroma! schön! schön![20]

[20] Aus ›Aseur‹, vgl. S. 112, Anmerkung 11.

Noch einmal betrachtete mich Signora Franscheska scharf und musternd, vom Kopf bis zum Fuße, und mit zufriedener Miene dankte sie dann dem Markese, als sei ich ein Geschenk, das er ihr aus Artigkeit mitgebracht. Sie fand wenig daran auszusetzen: nur waren ihr meine Haare zu hellbraun, sie hätte sie dunkler gewünscht, wie die Haare des Abbate Cecco, auch meine Augen fand sie zu klein und mehr grün als blau. Zur Vergeltung, lieber Leser, sollte ich jetzt Signora Franscheska ebenso mäkelnd schildern; aber ich habe wahrhaftig an dieser lieblichen, fast leichtsinnig geformten Graziengestalt nichts auszusetzen. Auch das Gesicht war ganz göttermäßig, wie man es bei griechischen Statuen findet, Stirne und Nase gaben nur eine einzige senkrecht gerade Linie, einen süßen rechten Winkel bildete damit die untere Nasenlinie, die wundersam kurz war, ebenso schmal war die Entfernung von der Nase zum Munde, dessen Lippen an beiden Enden kaum ausreichten und von einem träumerischen Lächeln ergänzt wurden; darunter wölbte sich ein liebes volles Kinn, und der Hals – Ach! frommer Leser, ich komme zu weit, und außerdem habe ich bei dieser Inauguralschilderung noch kein Recht, von den zwei schweigenden Blumen zu sprechen, die wie weiße Poesie hervorleuchteten, wenn Signora die silbernen Halsknöpfe ihres schwarzseidnen Kleides enthäkelte – Lieber Leser! laß uns wieder emporsteigen zu der Schilderung des Gesichtes, wovon ich nachträglich noch zu berichten habe, daß es klar und blaßgelb wie Bernstein war, daß es von den schwarzen Haaren, die in glänzend glatten Ovalen die Schläfe bedeckten, eine kindliche Ründung empfing und von zwei schwarzen plötzlichen Augen, wie von Zauberlicht, beleuchtet wurde.

Du siehst, lieber Leser, daß ich dir gern eine gründliche Lokalbeschreibung meines Glückes liefern möchte, und wie andere Reisende ihren Werken noch besondere Karten von historisch wichtigen oder sonst merkwürdigen Bezirken beifügen, so möchte ich Franscheska in Kupfer stechen lassen. Aber ach! was hilft die tote Kopie der äußern Umrisse bei Formen, deren göttlichster Reiz in der lebendigen Bewegung besteht. Selbst der beste Maler kann uns diesen nicht zur Anschauung bringen, denn die Malerei ist doch nur eine platte Lüge. Eher vermöchte es der Bildhauer; durch wechselnde Beleuchtung können wir bei Statuen uns einigermaßen eine Bewegung der Formen denken, und die Fackel, die ihnen nur äußeres Licht zuwirft, scheint sie auch von innen zu beleben. Ja, es gibt eine Statue, die dir, lieber Leser, einen marmornen Begriff von Franscheskas Herrlichkeit zu geben vermöchte, und das ist die Venus des großen Canova, die du in einem der letzten Säle des

Palazzo Pitti in Florenz finden kannst. Ich denke jetzt oft an diese Statue, zuweilen träumt mir, sie läge in meinen Armen und belebe sich allmählich und flüstere endlich mit der Stimme Franscheskas. Der Ton dieser Stimme war es aber, der jedem ihrer Worte die lieblichste, unendlichste Bedeutung erteilte, und wollte ich dir ihre Worte mitteilen, so gäbe es bloß ein trocknes Herbarium von Blumen, die nur durch ihren Duft den größten Wert besaßen. Auch sprang sie oft in die Höhe und tanzte, während sie sprach, und vielleicht war eben der Tanz ihre eigentliche Sprache. Mein Herz aber tanzte immer mit und exekutierte die schwierigsten Pas und zeigte dabei so viel Tanztalent, wie ich ihm nie zugetraut hätte. In solcher Weise erzählte Franscheska auch die Geschichte von dem Abbate Cecco, einem jungen Burschen, der in sie verliebt war, als sie noch im Arnotal Strohhüte strickte, und sie versicherte, daß ich das Glück hätte, ihm ähnlich zu sehen. Dabei machte sie die zärtlichsten Pantomimen, drückte ein übers andere Mal die Fingerspitzen ans Herz, schien dann mit gehöhlter Hand die zärtlichsten Gefühle hervorzuschöpfen, warf sich endlich schwebend, mit voller Brust, aufs Sofa, barg das Gesicht in die Kissen, streckte hinter sich ihre Füße in die Höhe und ließ sie wie hölzerne Puppen agieren. Der blaue Fuß sollte den Abbate Cecco und der rote die arme Franscheska vorstellen, und indem sie ihre eigene Geschichte parodierte, ließ sie die beiden verliebten Füße voneinander Abschied nehmen, und es war ein rührend närrisches Schauspiel, wie sich beide mit den Spitzen küßten und die zärtlichsten Dinge sagten – und dabei weinte das tolle Mädchen ergötzlich kichernde Tränen, die aber dann und wann etwas unbewußt tiefer aus der Seele kamen, als die Rolle verlangte. Sie ließ auch, im drolligen Schmerzensübermut, den Abbate Cecco eine lange Rede halten, worin er die Schönheit der armen Franscheska mit pedantischen Metaphern rühmte, und die Art, wie sie auch, als arme Franscheska, Antwort gab und ihre eigene Stimme, in der Sentimentalität einer früheren Zeit, kopierte, hatte etwas Puppenspielwehmütiges, das mich wundersam bewegte. Ade, Cecco! Ade, Franscheska! war der beständige Refrain, die verliebten Füßchen wollten sich nicht verlassen – und ich war endlich froh, als ein unerbittliches Schicksal sie voneinander trennte, indem süße Ahnung mir zuflüsterte, daß es für mich ein Mißgeschick wäre, wenn die beiden Liebenden beständig vereinigt blieben.

Der Professor applaudierte mit possenhaft schwirrenden Guitarrentönen, Signora trillerte, das Hündchen bellte, der Markese und ich klatschten in die Hände wie rasend, und Signora Franscheska stand auf und verneigte sich dankbar. »Es ist wirklich eine schöne

Komödie«, sprach sie zu mir, »aber es ist schon lange her, seit sie zuerst aufgeführt worden, und ich selbst bin schon so alt – raten Sie mal, wie alt?«

Sie erwartete jedoch keineswegs meine Antwort, sprach rasch: »achtzehn Jahr« – und drehte sich dabei wohl achtzehnmal auf einem Fuß herum. »Und wie alt sind Sie, Dottore?«

»Ich, Signora, bin in der Neujahrsnacht Achtzehnhundert geboren[21].«

»Ich habe Ihnen ja schon gesagt«, bemerkte der Markese, »es ist einer der ersten Männer unseres Jahrhunderts.«

»Und wie alt halten Sie mich?« rief plötzlich Signora Lätitia, und ohne an ihr Evakostüm, das bis jetzt die Bettdecke verborgen hatte, zu denken, erhob sie sich bei dieser Frage so leidenschaftlich in die Höhe, daß nicht nur das rote Meer, sondern auch ganz Arabien, Syrien und Mesopotamien zum Vorschein kam.

Indem ich, ob dieses gräßlichen Anblicks, erschrocken zurückprallte, stammelte ich einige Redensarten über die Schwierigkeiten, eine solche Frage zu lösen, indem ich ja Signora erst zur Hälfte gesehen hätte; doch da sie noch eifriger in mich drang, gestand ich ihr die Wahrheit, nämlich daß ich das Verhältnis der italienischen Jahre zu den deutschen noch nicht zu berechnen wisse.

»Ist der Unterschied groß?« frug Signora Lätitia.

»Das versteht sich«, antwortete ich ihr, »da die Hitze alle Körper ausdehnt, so sind die Jahre in dem warmen Italien viel länger als in dem kalten Deutschland.«

Der Markese zog mich besser aus der Verlegenheit, indem er galant behauptete, ihre Schönheit habe sich jetzt erst in der üppigsten Reife entfaltet. »Und Signora!« setzte er hinzu, »so wie die Pomeranze, je älter sie wird, auch desto gelber wird, so wird auch Ihre Schönheit mit jedem Jahr desto reifer.«

Die Dame schien mit dieser Vergleichung zufrieden zu sein und gestand ebenfalls, daß sie sich wirklich reifer fühle als sonst, besonders gegen damals, wo sie noch ein dünnes Ding gewesen und zuerst in Bologna aufgetreten sei, und daß sie noch jetzt nicht begreife, wie sie in solcher Gestalt so viel Furore habe machen können. Und nun erzählte sie ihr Debüt als Ariadne, worauf sie, wie ich später entdeckte, sehr oft zurückkam, bei welcher Gelegenheit auch Signor Bartolo das Gedicht deklamieren mußte, das er ihr damals aufs Theater geworfen. Es war ein gutes Gedicht, voll rührender Trauer über Theseus' Treulosigkeit, voll blinder Begeisterung über Bacchus und blühender Verherrlichung Ariadnes. »Bella cosa!« rief

---

[21] Heine ist 1797 geboren.

Signora Lätitia bei jeder Strophe, und auch ich lobte die Bilder, den Versbau und die ganze Behandlung jener Mythe.

»Ja, sie ist sehr schön«, sagte der Professor, »und es liegt ihr gewiß eine historische Wahrheit zum Grunde, wie denn auch einige Autoren uns ausdrücklich erzählen, daß Oneus[22], ein Priester des Bacchus, sich mit der trauernden Ariadne vermählt habe, als er sie verlassen auf Naxos angetroffen; und, wie oft geschieht, ist in der Sage aus dem Priester des Gottes der Gott selbst gemacht worden.«

Ich konnte dieser Meinung nicht beistimmen, da ich mich in der Mythologie mehr zur historischen Ausdeutung hinneige, und ich entgegnete: »In der ganzen Fabel, daß Ariadne, nachdem Theseus sie auf Naxos sitzen lassen, sich dem Bacchus in die Arme geworfen, sehe ich nichts anderes als die Allegorie, daß sie sich, in jenem verlassenen Zustande, dem Trunk ergeben hat, eine Hypothese, die noch mancher Gelehrte meines Vaterlandes mit mir teilt. Sie, Herr Markese, werden wahrscheinlich wissen, daß der selige Bankier Bethmann[23], im Sinne dieser Hypothese, seine Ariadne so zu beleuchten wußte, daß sie eine rote Nase zu haben schien.«

»Ja, ja, Bethmann in Frankfurt war ein großer Mann!« rief der Markese; jedoch im selben Augenblick schien ihm etwas Wichtiges durch den Kopf zu laufen, seufzend sprach er vor sich hin: »Gott, Gott, ich habe vergessen, nach Frankfurt an Rothschild zu schreiben!« Und mit ernstem Geschäftsgesicht, woraus aller parodistische Scherz verschwunden schien, empfahl er sich kurzweg, ohne lange Zeremonien, und versprach, gegen Abend wiederzukommen.

Als er fort war und ich im Begriff stand, wie es in der Welt gebräuchlich ist, meine Glossen über eben den Mann zu machen, durch dessen Güte ich die angenehmste Bekanntschaft gewonnen, da fand ich zu meiner Verwunderung, daß alle ihn nicht genug zu rühmen wußten, und daß alle besonders seinen Enthusiasmus für das Schöne, sein adelig feines Betragen und seine Uneigennützigkeit in den übertriebensten Ausdrücken priesen. Auch Signora Franscheska stimmte ein in diesen Lobgesang, doch gestand sie, seine Nase sei etwas beängstigend und erinnere sie immer an den Turm von Pisa.

Beim Abschied bat ich sie wieder um die Vergünstigung, ihren linken Fuß küssen zu dürfen, worauf sie, mit lächelndem Ernst, den roten Schuh auszog sowie auch den Strumpf; und indem ich niederkniete, reichte sie mir den weißen, blühenden Lilienfuß, den ich

[22] König von Ätolien, erster Pfleger des Weinbaues.   [23] S. M. Bethmann (1768–1826) aus Frankfurt a. M. In dem von ihm begründeten Museum befindet sich die berühmte Statue der Ariadne, auf dem Panther reitend, von Dannecker in Marmor ausgeführt.

vielleicht gläubiger an die Lippen preßte, als ich es mit dem Fuß des Papstes getan haben möchte. Wie sich von selbst versteht, machte ich auch die Kammerjungfer und half den Strumpf und den Schuh wieder anziehen.

»Ich bin mit Ihnen zufrieden«, sagte Signora Franscheska nach verrichtetem Geschäfte, wobei ich mich nicht zu sehr übereilte, obgleich ich alle zehn Finger in Tätigkeit setze – »ich bin mit Ihnen zufrieden, Sie sollen mir noch öfter die Strümpfe anziehen. Heute haben Sie den linken Fuß geküßt, morgen soll Ihnen der rechte zu Gebote stehen. Übermorgen dürfen Sie mir schon die linke Hand küssen und einen Tag nachher auch die rechte. Führen Sie sich gut auf, so reiche ich Ihnen späterhin den Mund, usw. Sie sehen, ich will Sie gern avancieren lassen, und da Sie jung sind, können Sie es in der Welt noch weit bringen.«

Und ich habe es weit gebracht in dieser Welt! Des seid mir Zeugen, toscanische Nächte, du hellblauer Himmel mit großen silbernen Sternen, ihr wilden Lorbeerbüsche und heimlichen Myrten, und ihr, o Nymphen des Apennins, die ihr mit bräutlichen Tänzen uns umschwebtet und euch zurückträumtet in jene besseren Götterzeiten, wo es noch keine gotische Lüge gab, die nur blinde, tappende Genüsse im verborgenen erlaubt und jedem freien Gefühl ihr heuchlerisches Feigenblättchen vorklebt.

Es bedurfte keiner besonderen Feigenblätter, denn ein ganzer Feigenbaum mit vollen ausgebreiteten Zweigen rauschte über den Häuptern der Glücklichen.

SIEBENTES KAPITEL

Was Prügel sind, das weiß man schon; was aber die Liebe ist, das hat noch keiner herausgebracht. Einige Naturphilosophen haben behauptet, es sei eine Art Elektrizität. Das ist möglich; denn im Momente des Verliebens ist uns zu Mute, als habe ein elektrischer Strahl aus dem Auge der Geliebten plötzlich in unser Herz eingeschlagen. Ach! diese Blitze sind die verderblichsten, und wer gegen diese einen Ableiter erfindet, den will ich höher achten als Franklin. Gäbe es doch kleine Blitzableiter, die man auf dem Herzen tragen könnte, und woran eine Wetterstange wäre, die das schreckliche Feuer anderswohin zu leiten vermöchte! Ich fürchte aber, dem kleinen Amor kann man seine Pfeile nicht so leicht rauben wie dem Jupiter seinen Blitz und den Tyrannen ihr Zepter. Außerdem wirkt nicht jede Liebe blitzartig; manchmal lauert sie, wie eine Schlange unter Rosen, und erspäht die erste Herzenslücke, um hineinzuschlüpfen; manchmal ist es nur ein Wort, ein Blick, die Erzählung einer unscheinbaren Handlung, was wie ein lichtes Samenkorn in unser Herz fällt, eine ganze Winterzeit ruhig darin liegt, bis der Frühling kommt und das kleine Samenkorn aufschießt zu einer flammenden Blume, deren Duft den Kopf betäubt. Dieselbe Sonne, die im Niltal Ägyptens Krokodilleneier ausbrütet, kann zugleich zu Potsdam an der Havel die Liebessaat in einem jungen Herzen zur Vollreife bringen – dann gibt es Tränen in Ägypten und Potsdam. Aber Tränen sind noch lange keine Erklärungen – Was ist die Liebe? Hat keiner ihr Wesen ergründet? hat keiner das Rätsel gelöst? Vielleicht bringt solche Lösung größere Qual als das Rätsel selbst, und das Herz erschrickt und erstarrt darob, wie beim Anblick der Medusa. Schlangen ringeln sich um das schreckliche Wort, das dieses Rätsel auflöst – O, ich will dieses Auflösungswort niemals wissen, das brennende Elend in meinem Herzen ist mir immer noch lieber als kalte Erstarrung. O, sprecht es nicht aus, ihr gestorbenen Gestalten, die ihr schmerzlos wie Stein, aber auch gefühllos wie Stein durch die Rosengärten dieser Welt wandelt und mit bleichen Lippen auf den törichten Gesellen herablächelt, der den Duft der Rosen preist und über Dornen klagt.

Wenn ich dir aber, lieber Leser, nicht zu sagen vermag, was die Liebe eigentlich ist, so könnte ich dir doch ganz ausführlich erzählen, wie man sich gebärdet, und wie einem zu Mut ist, wenn man sich auf den Apenninen verliebt hat. Man gebärdet sich nämlich wie ein Narr, man tanzt über Hügel und Felsen und glaubt, die ganze Welt tanze mit. Zu Mute ist einem dabei, als sei die Welt erst heute erschaffen worden, und man sei der erste Mensch. Ach, wie schön ist das alles! jauchzte ich, als ich Franscheskas Wohnung verlassen hatte. Wie schön und kostbar ist diese neue Welt! Es war mir, als müßte ich allen Pflanzen und Tieren einen Namen geben, und ich benannte alles nach seiner inneren Natur und nach meinem eignen Gefühl, das mit den Außendingen so wunderbar verschmolz. Meine Brust war eine Quelle von Offenbarung, und ich verstand alle Formen und Gestaltungen, den Duft der Pflanzen, den Gesang der Vögel, das Pfeifen des Windes und das Rauschen der Wasserfälle. Manchmal hörte ich auch die göttliche Stimme: »Adam, wo bist du?« »Hier bin ich, Franscheska«, rief ich dann, »ich bete dich an, denn ich weiß ganz gewiß, du hast Sonne, Mond und Sterne erschaffen und die Erde mit allen ihren Kreaturen!« Dann kicherte es aus den Myrthenbüschen, und heimlich seufzte ich in mich hinein: »O süße Torheit, verlaß mich nicht!«

Späterhin, als die Dämmerungszeit herankam, begann erst recht die verrückte Seligkeit der Liebe. Die Bäume auf den Bergen tanzten nicht mehr einzeln, sondern die Berge selbst tanzten mit schweren Häuptern, die von der scheidenden Sonne so rot bestrahlt wurden, als hätten sie sich mit ihren eignen Weintrauben berauscht. Unten der Bach schoß hastiger von dannen und rauschte angstvoll, als fürchte er, die entzückt taumelnden Berge würden zu Boden stürzen. Dabei wetterleuchtete es so lieblich wie lichte Küsse. »Ja«, rief ich, »der lachende Himmel küßt die geliebte Erde – O Franscheska, schöner Himmel, laß mich deine Erde sein! Ich bin so ganz irdisch und sehne mich nach dir, mein Himmel!« So rief ich und streckte die Arme flehend empor und rannte mit dem Kopfe gegen manchen Baum, den ich dann umarmte, statt zu schelten, und meine Seele jauchzte vor Liebestrunkenheit, – als plötzlich ich eine glänzende Scharlachgestalt erblickte, die mich aus allen meinen Träumen gewaltsam herausriß und der kühlsten Wirklichkeit zurückgab.

ACHTES KAPITEL

Auf einem Rasenvorsprung, unter einem breiten Lorbeerbaume, saß Hyazinthos, der Diener des Markese, und neben ihm Apollo, dessen Hund. Letzterer stand vielmehr, indem er die Vorderpfoten auf die Scharlachkniee des kleinen Mannes gelegt hatte und neugierig zusah, wie dieser, eine Schreibtafel in den Händen haltend, dann und wann etwas hineinschrieb, wehmütig vor sich hinlächelte, das Köpfchen schüttelte, tief seufzte und sich dann vergnügt die Nase putzte.

»Was Henker«, rief ich ihm entgegen, »Hirsch Hyazinthos! machst du Gedichte? Nun, die Zeichen sind günstig, Apollo steht dir zur Seite, und der Lorbeer hängt schon über dein Haupte.«

Aber ich tat dem armen Schelme Unrecht. Liebreich antwortete er: »Gedichte? Nein, ich bin ein Freund von Gedichten, aber ich schreibe doch keine. Was sollte ich schreiben? Ich hatte eben nichts zu tun, und zu meinem Vergnügen machte ich mir eine Liste von den Namen derjenigen Freunde, die einst in meiner Kollekte gespielt haben. Einige davon sind mir sogar noch etwas schuldig – Glauben Sie nur nicht, Herr Doktor, ich wollte Sie mahnen – das hat Zeit, Sie sind mir gut. Hätten Sie nur zuletzt 1365 statt 1364 gespielt, so wären Sie jetzt ein Mann von hunderttausend Mark Banko und brauchten nicht hier herumzulaufen und könnten ruhig in Hamburg sitzen, ruhig und vergnügt, und könnten sich auf dem

Sofa erzählen lassen, wie es in Italien aussieht. So wahr mir Gott helfe! ich wäre nicht hergereist, hätte ich es nicht Herrn Gumpel zuliebe getan. Ach, wieviel Hitz' und Gefahr und Müdigkeit muß ich ausstehen, und wo nur eine Überspannung ist oder eine Schwärmerei, ist auch Herr Gumpel dabei, und ich muß alles mitmachen. Ich wäre schon längst von ihm gegangen, wenn er mich missen könnte. Denn wer soll nachher zu Hause erzählen, wieviel Ehre und Bildung er in der Fremde genossen? Und soll ich die Wahrheit sagen, ich selbst fang' an, viel auf Bildung zu geben. In Hamburg hab' ich sie gottlob nicht nötig; aber man kann nicht wissen, man kommt einmal nach einem anderen Ort. Es ist eine ganz andere Welt jetzt. Und man hat recht; so ein bißchen Bildung ziert den ganzen Menschen. Und welche Ehre hat man davon! Lady Maxfield zum Beispiel, wie hat sie mich diesen Morgen aufgenommen und honoriert! Ganz parallel wie ihresgleichen. Und sie gab mir einen Franceskoni Trinkgeld, obschon die Blume nur fünf Paoli gekostet hatte. Außerdem ist es auch ein Vergnügen, wenn man den kleinen, weißen Fuß von Damenpersonen in Händen hat.«

Ich war nicht wenig betreten über diese letzte Bemerkung und dachte gleich: ist das Stichelei? Wie konnte aber der Lump schon Kenntnis haben von dem Glücke, das mir erst denselben Tag begegnet, zu derselben Zeit, als er auf der entgegengesetzten Seite des Bergs war? Gab's dort etwa eine ähnliche Szene, und offenbarte sich darin die Ironie des großen Weltbühnendichters da droben, daß er vielleicht noch tausend solcher Szenen, die gleichzeitig eine die andere parodieren, zum Vergnügen der himmlischen Heerscharen aufführen ließ? Indessen beide Vermutungen waren ungegründet, denn nach langen wiederholten Fragen, und nachdem ich das Versprechen geleistet, dem Markese nichts zu verraten, gestand mir der arme Mensch: Lady Maxfield habe noch zu Bette gelegen, als er ihr die Tulpe überreicht, in dem Augenblick, wo er seine schöne Anrede halten wollen, sei einer ihrer Füße nackt zum Vorschein gekommen, und da er Hühneraugen daran bemerkt, habe er gleich um die Erlaubnis gebeten, sie ausschneiden zu dürfen, welches auch gestattet und nachher, zugleich für die Überreichung der Tulpe, mit einem Franceskoni belohnt worden sei.

»Es ist mir aber immer nur um die Ehre zu tun« – setzte Hyazinth hinzu – »und das habe ich auch dem Baron Rothschild gesagt, als ich die Ehre hatte, ihm die Hühneraugen zu schneiden. Es geschah in seinem Kabinett; er saß dabei auf seinem grünen Sessel, wie auf einem Thron, sprach wie ein König, um ihn herum standen seine Courtiers, und er gab seine Ordres und schickte Stafetten an alle Könige; und wie ich ihm währenddessen die Hühneraugen schnitt, dacht' ich im Herzen: du hast jetzt in Händen den Fuß des Mannes, der selbst jetzt die ganze Welt in Händen hat, du bist jetzt ebenfalls ein wichtiger Mensch, schneidest du ihn unten ein bißchen zu scharf, so wird er verdrießlich und schneidet oben die größten Könige noch ärger – Es war der glücklichste Moment meines Lebens!«

»Ich kann mir dieses schöne Gefühl vorstellen, Herr Hyazinth. Welchen aber von der Rothschildschen Dynastie haben Sie solchermaßen amputiert? War es etwa der hochherzige Brite, der Mann in Lombardstreet, der ein Leihhaus für Kaiser und Könige errichtet hat?«

»Versteht sich, Herr Doktor, ich meine den großen Rothschild, den großen Nathan Rothschild[24], Nathan den Weisen, bei dem der Kaiser von Brasilien seine diamantene Krone versetzt hat. Aber ich habe auch die Ehre gehabt, den Baron Salomon Rothschild[25] in Frankfurt kennen zu lernen, und wenn ich mich auch nicht seines intimen Fußes zu erfreuen hatte, so wußte er mich doch zu schätzen. Als der Herr Markese zu ihm sagte, ich sei einmal Lotteriekollekteur gewesen, sagte der Baron sehr witzig: ›Ich bin ja selbst so etwas, ich bin ja der Oberkollekteur der Rothschildschen Lose, und mein Kollege darf beileibe nicht mit den Bedienten essen, er soll neben mir bei Tische sitzen‹ – Und so wahr wie mir Gott alles Guts geben soll, Herr Doktor, ich saß neben Salomon Rothschild, und er behandelte mich ganz wie seinesgleichen, ganz famillionär. Ich war auch bei ihm auf dem berühmten Kinderball, der in der Zeitung gestanden. So viel Pracht bekomme ich mein Lebtag nicht mehr zu sehen. Ich bin doch auch in Hamburg auf einem Ball gewesen, der 1500 Mark und 8 Schilling kostete, aber das war doch nur wie ein Hühnerdreckchen gegen einen Misthaufen. Wieviel Gold und Silber und Diamanten habe ich dort gesehen! Wieviel Sterne und Orden! Den Falkenorden, das goldne Vlies, den Löwenorden; den Adlerorden – sogar ein ganz klein Kind, ich sage Ihnen, ein ganz klein Kind trug einen Elefantenorden. Die Kinder waren gar schön maskiert und spielten Anleihe und waren angezogen wie die Könige, mit Kronen auf den Köpfen, ein großer Junge aber war angezogen präzise wie der alte Nathan Rothschild. Er machte seine Sache sehr gut, hatte beide Hände in der Hosentasche, klimperte mit Geld, schüttelte sich verdrießlich, wenn einer von den kleinen Königen

[24] Baron Nathan Mayer v. Rothschild (1777–1836), den Heine in London kennenlernte. [25] Baron Salomon Mayer v. Rothschild (1774–1855), dieser leitete das Wiener Haus.

was geborgt haben wollte, und nur dem kleinen mit dem weißen
Rock und den roten Hosen streichelte er freundlich die Backen und
lobte ihn: ›Du bist mein Plaisir, mein Liebling, mein’ Pracht, aber
dein Vetter Michel soll mir vom Leib’ bleiben, ich werde diesem
Narrn nichts borgen, der täglich mehr Menschen ausgibt, als er
jährlich zu verzehren hat; es kommt durch ihn noch ein Unglück
in die Welt, und mein Geschäft wird darunter leiden.‹ So wahr mir
Gott alles Guts gebe, der Junge machte seine Sache sehr gut, besonders wenn er das dicke Kind, das in weißen Atlas mit echten silbernen Lilien gewickelt war, im Gehen unterstützte und bisweilen zu
ihm sagte: ›Na, na, du, du, führ dich nur gut auf, ernähr dich red-
lich, sorg, daß du nicht wieder weggejagt wirst, damit ich nicht
mein Geld verliere‹. Ich versichere Sie, Herr Doktor, es war ein
Vergnügen, den Jungen zu hören; und auch die anderen Kinder,
lauter liebe Kinder, machten ihre Sache sehr gut – bis ihnen Kuchen
gebracht wurde, und sie sich um das beste Stück stritten, und sich
die Kronen vom Kopf rissen, und schrieen und weinten, und einige
sich sogar –«

NEUNTES KAPITEL

Es gibt nichts Langweiligeres auf dieser Erde als die Lektüre einer
italienischen Reisebeschreibung – außer etwa das Schreiben derselben – und nur dadurch kann der Verfasser sie einigermaßen erträg-
lich machen, daß er von Italien selbst so wenig als möglich darin
redet. Trotzdem, daß ich diesen Kunstkniff vollauf anwende, kann
ich dir, lieber Leser, in den nächsten Kapiteln nicht viel Unterhaltung versprechen. Wenn du dich bei dem ennuyanten Zeug, das
darin vorkommen wird, langweilst, so tröste dich mit mir, der all
dieses Zeug sogar schreiben mußte. Ich rate dir, überschlage dann
und wann einige Seiten, dann kömmst du mit dem Buche schneller
zu Ende – ach, ich wollt’, ich könnt’ es ebenso machen! Glaub’ nur
nicht, ich scherze; wenn ich dir ganz ernsthaft meine Herzensmei-
nung über dieses Buch gestehen soll, so rate ich dir, es jetzt zuzu-
schlagen und gar nicht weiter darin zu lesen. Ich will dir nächstens
etwas Besseres schreiben, und wenn wir in einem folgenden Buche,
in der Stadt Lucca, wieder mit Mathilden und Franscheska zusammentreffen, so sollen dich die lieben Bilder viel anmutiger ergötzen
als gegenwärtiges Kapitel und gar die folgenden.

Gottlob, vor meinem Fenster erklingt ein Leierkasten mit lustigen Melodien! Mein trüber Kopf bedarf solcher Aufheiterung, besonders da ich jetzt meinen Besuch bei Seiner Exzellenz, dem Mar-

kese Christophoro di Gumpelino, zu beschreiben habe. Ich will diese rührende Geschichte ganz genau, wörtlich treu, in ihrer schmutzigsten Reinheit mitteilen.

Es war schon spät, als ich die Wohnung des Markese erreichte. Als ich ins Zimmer trat, stand Hyazinth allein und putzte die goldenen Sporen seines Herrn, welcher, wie ich durch die halbgeöffnete Türe seines Schlafkabinetts sehen konnte, vor einer Madonna und einem großen Kruzifix auf den Knien lag.

Du mußt nämlich wissen, lieber Leser, daß der Markese, dieser vornehme Mann, jetzt ein guter Katholik ist, daß er die Zeremonien der alleinseligmachenden Kirche streng ausübt und sich, wenn er in Rom ist, sogar einen eignen Kapellan hält, aus demselben Grunde, weshalb er in England die besten Wettrenner und in Paris die schönste Tänzerin unterhielt.

»Herr Gumpel verrichtet jetzt sein Gebet« – flüsterte Hyazinth mit einem wichtigen Lächeln, und indem er nach dem Kabinette seines Herrn deutete, fügte er noch leiser hinzu: »so liegt er alle Abend zwei Stunden auf den Knien vor der Primadonna mit dem Jesuskind. Es ist ein prächtiges Kunstbild, und es kostet ihm sechshundert Franceskonis.«

»Und Sie, Herr Hyazinth, warum knien Sie nicht hinter ihm? Oder sind Sie etwa kein Freund von der katholischen Religion?«

»Ich bin ein Freund davon und bin auch wieder kein Freund davon«, antwortete jener mit bedenklichem Kopfwiegen. »Es ist eine gute Religion für einen vornehmen Baron, der den ganzen Tag müßig gehen kann, und für einen Kunstkenner; aber es ist keine Religion für einen Hamburger, für einen Mann, der sein Geschäft hat, und durchaus keine Religion für einen Lotteriekollekteur. Ich muß jede Nummer, die gezogen wird, ganz exakt aufschreiben, und denke ich dann zufällig an bum! bum! bum! an eine katholische Glock', oder schwebelt es mir vor den Augen wie katholischer Weihrauch, und ich verschreib' mich, und ich schreibe eine unrechte Zahl, so kann das größte Unglück daraus entstehen. Ich habe oft zu Herren Gumpel gesagt: ›Ew. Ex. sind ein reicher Mann und können katholisch sein, soviel Sie wollen, und können sich den Verstand ganz katholisch einräuchern lassen und können so dumm werden wie eine katholische Glock', und Sie haben doch zu essen; ich aber bin ein Geschäftsmann und muß meine sieben Sinne zusammenhalten, um was zu verdienen.‹ Herr Gumpel meint freilich, es sei nötig für die Bildung, und wenn ich nicht katholisch würde, verstände ich nicht die Bilder, die zur Bildung gehören, nicht den Johann von Viehesel, den Corretschio, den Carratschio, den Carravatschio – aber ich habe immer gedacht, der Corretschio und Carratschio und Carravatschio können mir alle nichts helfen, wenn niemand mehr bei mir spielt, und ich komme dann in die Patschio. Dabei muß ich Ihnen auch gestehen, Herr Doktor, daß mir die katholische Religion nicht einmal Vergnügen macht, und als ein vernünftiger Mann müssen Sie mir recht geben. Ich sehe das Pläsir nicht ein, es ist eine Religion, als wenn der liebe Gott, gottbewahre, eben gestorben wäre, und es riecht dabei nach Weihrauch wie bei einem Leichenbegängnis, und dabei brummt eine so traurige Begräbnismusik, daß man die Melancholik bekömmt – ich sage Ihnen, es ist keine Religion für einen Hamburger.«

»Aber, Herr Hyazinth, wie gefällt Ihnen denn die protestantische Religion?«

»Die ist mir wieder zu vernünftig, Herr Doktor, und gäbe es in der protestantischen Kirche keine Orgel, so wäre sie gar keine Religion. Unter uns gesagt, diese Religion schadet nichts und ist so rein wie ein Glas Wasser, aber sie hilft auch nichts. Ich habe sie probiert, und diese Probe kostet mich vier Mark vierzehn Schilling –«

»Wie so, mein lieber Herr Hyazinth?«

»Sehen, Herr Doktor, ich habe gedacht: das ist freilich eine sehr aufgeklärte Religion, und es fehlt ihr an Schwärmerei und Wunder; indessen, ein bißchen Schwärmerei muß sie doch haben, ein ganz klein Wunderchen muß sie doch tun können, wenn sie sich für eine honette Religion ausgeben will. Aber wer soll da Wunder tun, dacht' ich, als ich mal in Hamburg eine protestantische Kirche besah, die zu der ganz kahlen Sorte gehörte, wo nichts als braune Bänke und weiße Wände sind und an der Wand nichts als ein schwarz Täfelchen hängt, worauf ein halb Dutzend weiße Zahlen stehen. Du tust dieser Religion vielleicht Unrecht, dacht' ich wieder, vielleicht können diese Zahlen ebensogut ein Wunder tun wie ein Bild von der Mutter Gottes oder wie ein Knochen von ihrem Mann, dem heiligen Joseph, und um der Sache auf den Grund zu kommen, ging ich gleich nach Altona, und besetzte eben diese Zahlen in der Altonaer Lotterie, die Ambe besetzte ich mit acht Schilling, die Terne mit sechs, die Quaterne mit vier und die Quinterne mit zwei Schilling – Aber, ich versichere Sie auf meine Ehre, keine einzige von den protestantischen Nummern ist herausgekommen. Jetzt wußte ich, was ich zu denken hatte, jetzt dacht' ich, bleib mir weg mit einer Religion, die gar nichts kann, bei der nicht einmal eine Ambe herauskömmt – werde ich so ein Narr sein, auf diese Religion, worauf ich schon vier Mark und vierzehn Schilling gesetzt und verloren habe, noch meine ganze Glückseligkeit zu setzen?«

»Die altjüdische Religion scheint Ihnen gewiß viel zweckmäßiger, mein Lieber?«

»Herr Doktor, bleiben Sie mir weg mit der altjüdischen Religion, die wünsche ich nicht meinem ärgsten Feind. Man hat nichts als Schimpf und Schande davon. Ich sage Ihnen, es ist gar keine Religion, sondern ein Unglück. Ich vermeide alles, was mich daran erinnern könnte, und weil Hirsch ein jüdisches Wort ist und auf deutsch Hyazinth heißt, so habe ich sogar den alten Hirsch laufen lassen und unterschreibe mich jetzt: ›Hyazinth, Kollekteur, Operateur und Taxator‹. Dazu habe ich noch den Vorteil, daß schon ein H. auf meinem Petschaft steht und ich mir kein neues stechen zu lassen brauche. Ich versichere Ihnen, es kommt auf dieser Welt viel darauf an, wie man heißt: der Name tut viel. Wenn ich mich unterschreibe: ›Hyazinth, Kollekteur, Operateur und Taxator‹, so klingt das ganz anders, als schriebe ich Hirsch schlechtweg, und man kann mich dann nicht wie einen gewöhnlichen Lump behandeln.«

»Mein lieber Herr Hyazinth! Wer könnte Sie so behandeln! Sie scheinen schon so viel für Ihre Bildung getan zu haben, daß man in Ihnen den gebildeten Mann schon erkennt, ehe Sie den Mund auftun, um zu sprechen.«

»Sie haben recht, Herr Doktor, ich habe in der Bildung Fortschritte gemacht wie eine Riesin. Ich weiß wirklich nicht, wenn ich nach Hamburg zurückkehre, mit wem ich dort umgehn soll; und was die Religion anbelangt, so weiß ich, was ich tue. Vorderhand aber kann ich mich mit dem neuen israelitischen Tempel noch behelfen; ich meine den reinen Mosaik-Gottesdienst, mit orthographischen deutschen Gesängen und gerührten Predigten und einigen Schwärmereichen, die eine Religion durchaus nötig hat. So wahr mir Gott alles Guts gebe, für mich verlange ich jetzt keine bessere Religion, und sie verdient, daß man sie unterstützt. Ich will das Meinige tun, und bin ich wieder in Hamburg, so will ich alle Sonnabend', wenn kein Ziehungstag ist, in den neuen Religiontempel gehen. Es gibt leider Menschen, die diesem neuen israelitischen Gottesdienst einen schlechten Namen machen und behaupten, er gäbe, mit Respekt zu sagen, Gelegenheit zu einem Schisma – aber ich kann Ihnen versichern, es ist eine gute reinliche Religion, noch etwas zu gut für den gemeinen Mann, für den die altjüdische Religion vielleicht noch immer sehr nützlich ist. Der gemeine Mann muß eine Dummheit haben, worin er sich glücklich fühlt, und er fühlt sich glücklich in seiner Dummheit. So ein alter Jude mit einem langen Bart und zerrissenem Rock, und der kein orthographisch Wort sprechen kann und sogar ein bißchen grindig ist, fühlt sich vielleicht innerlich glücklicher als ich mich mit all meiner Bildung. Da wohnt in Hamburg, im Bäckerbreitengang, auf einem Sahl, ein Mann, der heißt Moses Lump, man nennt ihn auch Moses Lümpchen oder kurzweg Lümpchen; der läuft die ganze Woche herum, in Wind und Wetter, mit seinem Packen auf dem Rücken, um seine paar Mark zu verdienen; wenn der nun Freitag abends nach Hause kömmt, findet er die Lampe mit sieben Lichtern angezündet, den Tisch weiß gedeckt, und er legt seinen Packen und seine Sorgen von sich und setzt sich zu Tisch mit seiner schiefen Frau und noch schieferen Tochter, ißt mit ihnen Fische, die gekocht sind in angenehmer weißer Knoblauchsauce, singt dabei die prächtigsten Lieder vom König David, freut sich von ganzem Herzen über den Auszug der Kinder Israel aus Ägypten, freut sich auch, daß alle Bösewichter, die ihnen Böses getan, am Ende gestorben sind, daß König Pharao, Nebukadnezar, Haman, Antiochus, Titus und all solche Leute tot sind, daß Lümpchen aber noch lebt und mit Frau und Kind Fisch ißt – Und ich sage Ihnen, Herr Doktor, die Fische sind delikat, und der Mann ist glücklich, er braucht sich mit keiner Bildung abzuquälen, er sitzt vergnügt in seiner Religion und seinem grünen Schlafrock wie Diogenes in seiner Tonne, er betrachtet vergnügt seine Lichter, die er nicht einmal selbst putzt – Und ich sage Ihnen, wenn die Lichter etwas matt brennen und die Schabbesfrau, die sie zu putzen hat, nicht bei der Hand ist, und Rotschild der Große käme jetzt herein mit all seinen Maklern, Diskonteuren, Spediteuren und Chefs de Comptoir, womit er die Welt erobert, und er spräche: ›Moses Lump, bitte dir eine Gnade aus, was du haben willst, soll geschehen‹ – Herr Doktor, ich bin überzeugt, Moses Lump würde ruhig antworten: ›Putz mir die Lichter!‹ und Rothschild der Große würde mit Verwunderung sagen: ›Wär' ich nicht Rothschild, so möchte ich so ein Lümpchen sein!‹«

Während Hyazinth solchermaßen, episch breit, nach seiner Gewohnheit, seine Ansichten entwickelte, erhob sich der Markese von seinem Betkissen und trat zu uns, noch immer einige Paternoster durch die Nase schnurrend. Hyazinth zog jetzt den grünen Flor über das Madonnenbild, das oberhalb des Betpultes hing, löschte die beiden Wachskerzen aus, die davor brannten, nahm das kupferne Kruzifix herab, kam damit zu uns zurück und putzte es mit demselben Lappen und mit derselben spuckenden Gewissenhaftigkeit, womit er eben auch die Sporen seines Herrn geputzt hatte. Dieser aber war wie aufgelöst in Hitze und weicher Stimmung; statt eines Oberkleides trug er einen weiten, blauseidenen Domino mit silbernen Frangen, und seine Nase schimmerte wehmütig wie ein verliebter Louisdor. »O Jesus!« – seufzte er, als er sich in die Kissen des Sofas sinken ließ – »finden Sie nicht Herr Doktor, daß ich heute abend sehr schwärmerisch aussehe? Ich bin sehr bewegt, mein Gemüt ist aufgelöst, ich ahne eine höhere Welt.

> Das Auge sieht den Himmel offen,
> Es schwelgt das Herz in Seligkeit!«

»Herr Gumpel, Sie müssen einnehmen« – unterbrach Hyazinth die pathetische Deklamation – »das Blut in Ihren Eingeweiden ist wieder schwindelig, ich weiß, was Ihnen fehlt –«

»Du weißt nicht« – seufzte der Herr.

»Ich sage Ihnen, ich weiß« – erwiderte der Diener und nickte mit seinem gutmütig betätigenden Gesichtchen – »ich kenne Sie ganz durch und durch, ich weiß, Sie sind ganz das Gegenteil von mir, wenn Sie Durst haben, habe ich Hunger, wenn Sie Hunger haben, habe ich Durst; Sie sind zu korpulent, und ich bin zu mager, Sie haben viel Einbildung, und ich habe desto mehr Geschäftssinn, ich bin ein Praktikus, und Sie sind ein Diarrhetikus, kurz und gut, Sie sind ganz mein Antipodex.«

»Ach Julia!« – seufzte Gumpelino – »wär' ich der gelblederne Handschuh doch auf deiner Hand und küßte deine Wange! Haben Sie, Herr Doktor, jemals die Crelinger[26] in Romeo und Julia gesehen?«

»Freilich, und meine ganze Seele ist noch davon entzückt.«

»Nun dann« – rief der Markese begeistert, und Feuer schoß aus seinen Augen, und beleuchtete die Nase – »dann verstehen Sie mich, dann wissen Sie, was es heißt, wenn ich Ihnen sage: ich liebe! Ich will mich Ihnen ganz dekouvrieren. Hyazinth, geh mal hinaus –«

»Ich brauche gar nicht hinauszugehen« – sprach dieser verdrießlich – »Sie brauchen sich vor mir nicht zu genieren, ich kenne auch die Liebe, und ich weiß schon –«

»Du weißt nicht!« rief Gumpelino.

»Zum Beweise, Herr Markese, daß ich weiß, brauche ich nur den Namen Julia Maxfield zu nennen. Beruhigen Sie sich, Sie werden wieder geliebt – aber es kann Ihnen alles nichts helfen. Der Schwager Ihrer Geliebten läßt sie nicht aus den Augen und bewacht sie Tag und Nacht wie einen Diamant.«

»O ich Unglücklicher« – jammerte Gumpelino –»ich liebe und bin wieder geliebt, wir drücken uns heimlich die Hände, wir treten uns unterm Tisch auf die Füße, wir winken uns mit den Augen, und wir haben keine Gelegenheit! Wie oft stehe ich im Mondschein auf

---

[26] Auguste Crelinger (1795–1865), berühmte Schauspielerin.

dem Balkon und bilde mir ein, ich wäre selbst die Julia, und mein Romeo oder mein Gumpelino habe mir ein Rendezvous gegeben, und ich deklamiere, ganz wie die Crelinger:

> Komm Nacht! Komm Gumpelino, Tag in Nacht!
> Denn du wirst ruhn auf Fittichen der Nacht,
> Wie frischer Schnee auf eines Raben Rücken.
> Komm milde, liebevolle Nacht! Komm, gib
> Mir meinen Romeo, oder Gumpelino –

Aber ach! Lord Maxfield bewacht uns beständig, und wir sterben beide vor Sehnsuchtsgefühl! Ich werde den Tag nicht erleben, daß eine solche Nacht kommt, wo jedes reiner Jugend Blüte zum Pfande setzt, gewinnend zu verlieren! Ach! so eine Nacht wäre mir lieber, als wenn ich das große Los in der Hamburger Lotterie gewönne.«

»Welche Schwärmerei!« – rief Hyazinth – »das große Los, 100 000 Mark!«

»Ja, lieber als das große Los« – fuhr Gumpelino fort – »wär' mir so eine Nacht, und ach! sie hat mir schon oft eine solche Nacht versprochen, bei der ersten Gelegenheit, und ich hab' mir schon gedacht, daß sie dann des Morgens deklamieren wird, ganz wie die Crelinger:

> Willst du schon gehn? Der Tag ist ja noch fern.
> Es war die Nachtigall und nicht die Lerche,
> Die eben jetzt dein banges Ohr durchdrang.
> Sie singt des Nachts auf dem Granatbaum dort.
> Glaub, Lieber, mir, es war die Nachtigall.«[27]

»Das große Los für eine einzige Nacht!« – wiederholte unterdessen mehrmals Hyazinth und konnte sich nicht zufrieden geben – »Ich habe eine große Meinung, Herr Markese, von Ihrer Bildung, aber daß Sie es in der Schwärmerei so weit gebracht, hätte ich nicht geglaubt. Die Liebe sollte einem lieber sein als das große Los! Wirklich, Herr Markese, seit ich mit Ihnen Umgang habe, als Bedienter, habe ich mir schon viel Bildung angewöhnt; aber so viel weiß ich, nicht einmal ein Achtelchen vom großen Los gäbe ich für die Liebe! Gott soll mich davor bewahren! Wenn ich auch rechne fünfhundert Mark Abzugsdekort, so bleiben doch noch immer zwölftausend Mark! Die Liebe! Wenn ich alles zusammenrechne, was mich die Liebe gekostet hat, kommen nur zwölf Mark und dreizehn Schilling heraus. Die Liebe! Ich habe auch viel Umsonstglück in der Liebe gehabt, was mich gar nichts gekostet hat; nur dann und wann habe

[27] ›Romeo und Julia‹, 3. Aufzug, 5. Szene.

ich mal meiner Geliebten par Complaisanz die Hühneraugen ge-
schnitten. Ein wahres, gefühlvoll leidenschaftliches Attachement
hatte ich nur ein einziges Mal, und das war die dicke Gudel vom
Dreckwall. Die Frau spielte bei mir, und wenn ich kam, ihr das Los
zu renovieren, drückte sie mir immer ein Stück Kuchen in die Hand,
ein Stück sehr guten Kuchen; – auch hat sie mir manchmal etwas
Eingemachtes gegeben, und ein Likörchen dabei, und als ich ihr einmal klagte, daß ich mit Gemütsbeschwerden behaftet sei, gab sie
mir das Rezept zu den Pulvern, die ihr eigner Mann braucht. Ich
brauche die Pulver noch bis zur heutigen Stunde, sie tun immer ihre
Wirkung – weitere Folgen hat unsere Liebe nicht gehabt. Ich dächte,
Herr Markese, Sie brauchten mal eins von diesen Pulvern. Es war
mein Erstes, als ich nach Italien kam, daß ich in Mailand nach der
Apotheke ging und mir die Pulver machen ließ, und ich trage sie
beständig bei mir. Warten Sie nur, ich will sie suchen, und wenn ich
suche, so finde ich sie, und wenn ich sie finde, so müssen sie Ew.
Exzellenz einnehmen.«

Es wäre zu weitläufig, wenn ich den Kommentar wiederholen
wollte, womit der geschäftige Sucher jedes Stück begleitete, das er
aus seiner Tasche kramte. Da kam zum Vorschein: 1. ein halbes
Wachslicht, 2. ein silbernes Etui, worin die Instrumente zum Schneiden der Hühneraugen, 3. eine Zitrone, 4. eine Pistole, die, obgleich
nicht geladen, dennoch mit Papier umwickelt war, vielleicht damit
ihr Anblick keine gefährliche Träume verursachte, 5. eine gedruckte
Liste von der letzten Ziehung der großen Hamburger Lotterie, 6.
ein schwarzledernes Büchlein, worin die Psalmen Davids und die
ausstehenden Schulden, 7. ein dürres Weidensträußchen, wie zu
einem Knoten verschlungen, 8. ein Päckchen, das mit verblichenem
Rosataffet überzogen war und die Quittung eines Lotterieloses enthielt, das einst fünfzigtausend Mark gewonnen, 9. ein plattes Stück
Brot, wie weißgebackner Schiffszwieback, mit einem kleinen Loch
in der Mitte, und endlich 10. die oben erwähnten Pulver, die der
kleine Mann mit einer gewissen Rührung und mit seinem verwundert wehmütigen Kopfschütteln betrachtete.

»Wenn ich bedenke« – seufzte er – »daß mir vor zehn Jahren die
dicke Gudel dies Rezept gegeben und daß ich jetzt in Italien bin
und dasselbe Rezept in Händen habe, und wieder die Worte lese:
sal mirabile Glauberi, das heißt auf deutsch extra feines Glaubensalz von der besten Sorte – ach, da ist mir zu Mut, als hätte ich das
Glaubensalz selbst schon eingenommen und als fühlte ich die Wirkung. Was ist der Mensch! Ich bin in Italien und denke an die dicke
Gudel vom Dreckwall! Wer hätte das gedacht! Ich kann mir vor-

stellen, sie ist jetzt auf dem Lande, in ihrem Garten, wo der Mond scheint und gewiß auch eine Nachtigall singt oder eine Lerche –«

»Es ist die Nachtigall und nicht die Lerche!« seufzte Gumpelino dazwischen und deklamierte vor sich hin:

> Sie singt des Nachts auf dem Granatbaum dort;
> Glaub, Lieber, mir, es war die Nachtigall.

»Das ist ganz einerlei« – fuhr Hyazinth fort – »meinethalben ein Kanarienvogel, die Vögel, die man im Garten hält, kosten am wenigsten. Die Hauptsache ist das Treibhaus, und die Tapeten im Pavillon und die Staatsfiguren, die davor stehen, und da stehen zum Beispiel ein nackter General von den Göttern und die Venus Urinia, die beide dreihundert Mark kosten. Mitten im Garten hat sich die Gudel auch eine Fontenelle anlegen lassen – Und da steht sie vielleicht jetzt und puhlt sich die Nase und macht sich ein Schwärmereivergnügen und denkt an mich – Ach!«

Nach diesem Seufzer erfolgte eine sehnsüchtige Stille, die der Markese endlich unterbrach mit der schmachtenden Frage: »Sage mir auf deine Ehre, Hyazinth, glaubst du wirklich, daß dein Pulver wirken wird?«

»Es wird auf meine Ehre wirken«, erwiderte jener. »Warum soll es nicht wirken? Wirkt es doch bei mir! Und bin ich denn nicht ein lebendiger Mensch so gut wie Sie? Glaubensalz macht alle Menschen gleich, und wenn Rothschild Glaubensalz einnimmt, fühlt er dieselbe Wirkung wie das kleinste Maklerchen. Ich will Ihnen alles voraussagen: Ich schütte das Pulver in ein Glas, gieße Wasser dazu, rühre es, und sowie Sie das hinuntergeschluckt haben, ziehen Sie ein saures Gesicht und sagen Prr! Prr! Hernach hören Sie selbst, wie es in Ihnen herumkullert, und es ist Ihnen etwas kurios zu Mut, und Sie legen sich zu Bett, und ich gebe Ihnen mein Ehrenwort, Sie stehen wieder auf, und Sie legen sich wieder und stehen wieder auf und so fort, und den andern Morgen fühlen Sie sich leicht wie ein Engel mit weißen Flügeln, und Sie tanzen vor Gesundeswohlheit, nur ein bißchen blaß sehen Sie dann aus; aber ich weiß, Sie sehen gern schmachtend blaß aus, und wenn Sie schmachtend blaß aussehen, sieht man Sie gern.«

Obgleich Hyazinth solchermaßen zuredete und schon das Pulver bereitete, hätte das doch wenig gefruchtet, wenn nicht dem Markese plötzlich die Stelle, wo Julia den verhängnisvollen Trank einnimmt, in den Sinn gekommen wäre. »Was halten Sie, Doktor« – rief er – »von der Müller[28] in Wien? Ich habe sie als Julia gesehen, und Gott!

[28] Sophie Müller (1803–1830), Schauspielerin am Hofburgtheater in Wien.

Gott! wie spielt sie! Ich bin doch der größte Enthusiast für die Crelinger, aber die Müller, als sie den Becher austrank, hat mich hinge-
rissen. Sehen Sie« – sprach er, indem er mit tragischer Gebärde das
Glas, worin Hyazinth das Pulver geschüttet, zur Hand nahm –
»sehen Sie, so hielt sie den Becher und schauderte, daß man alles mitfühlte, wenn sie sagte:

> Kalt rieselt matter Schau'r durch meine Adern,
> Der fast die Lebenswärm' erstarren macht!

Und so stand sie, wie ich jetzt stehe, und hielt den Becher an die
Lippen, und bei den Worten:

> Weile, Tybalt!
> Ich komme, Romeo! Dies trink ich dir.

Da leerte sie den Becher –«

»Wohl bekomme es Ihnen, Herr Gumpel!« sprach Hyazinth mit
feierlichem Tone; denn der Markese hatte in nachahmender Begeisterung das Glas ausgetrunken und sich, erschöpft von der Deklamation, auf das Sofa hingeworfen.

Er verharrte jedoch nicht lange in dieser Lage; denn es klopfte
plötzlich jemand an die Türe, und herein trat Lady Maxfields kleiner Jockey, der dem Markese mit lächelnder Verbeugung ein Billet
überreichte und sich gleich wieder empfahl. Hastig erbrach jener das
Billet; während er las, leuchteten Nase und Augen vor Entzücken,
jedoch plötzlich überflog eine Geisterblässe sein ganzes Gesicht, Be-
stürzung zuckte in jeder Muskel, mit Verzweiflungsgebärden sprang
er auf, lachte grimmig, rannte im Zimmer umher und schrie:

> »Weh mir, ich Narr des Glücks!«

»Was ist? Was ist?« frug Hyazinth mit zitternder Stimme, und
indem er krampfhaft das Kruzifix, woran er wieder putzte, in zitternden Händen hielt – »Werden wir diese Nacht überfallen?«

»Was ist Ihnen, Herr Markese«, frug ich, ebenfalls nicht wenig
erstaunt.

»Lest! lest!« – rief Gumpelino, indem er uns das empfangene Billet hinwarf und immer noch verzweiflungsvoll im Zimmer umher-
rannte, wobei sein blauer Domino ihn wie eine Sturmwolke um-
flatterte – »Weh mir, ich Narr des Glücks!«

In dem Billete aber lasen wir folgende Worte:

> »Süßer Gumpelino! Sobald es tagt, muß ich nach England ab-
reisen. Mein Schwager ist indessen schon vorangeeilt und erwartet
mich in Florenz. Ich bin jetzt unbeobachtet, aber leider nur diese

einzige Nacht – Laß uns diese benutzen, laß uns den Nektarkelch, den uns die Liebe kredenzt, bis auf den letzten Tropfen leeren. Ich harre, ich zittere –

Julia Maxfield.«

»Weh mir, ich Narr des Glücks!« jammerte Gumpelino – »die Liebe will mir ihren Nektarkelch kredenzen, und ich, ach! ich Hansnarr des Glücks, ich habe schon den Becher des Glaubensalzes geleert! Wer bringt mir den schrecklichen Trank wieder aus dem Magen? Hülfe! Hülfe!«

»Hier kann kein irdischer Lebensmensch mehr helfen«, seufzte Hyazinth.

»Ich bedauere Sie von ganzem Herzen«, kondolierte ich ebenfalls. »Statt eines Kelchs mit Nektar ein Glas mit Glaubersalz zu genießen, das ist bitter! Statt des Thrones der Liebe harrt Ihrer jetzt der Stuhl der Nacht!«

»O Jesus! O Jesus« – schrie der Markese noch immer – »Ich fühle, wie es durch alle meine Adern rinnt – O wackerer Apotheker! dein Trank wirkt schnell – aber ich lasse mich doch nicht dadurch abhalten, ich will zu ihr eilen, zu ihren Füßen will ich niedersinken und da verbluten!«

»Von Blut ist gar nicht die Rede« – begütigte Hyazinth – »Sie haben ja keine Homeriden. Sein Sie nur nicht leidenschaftlich –«

»Nein, nein! ich will zu ihr hin, in ihren Armen – o Nacht! o Nacht –«

»Ich sage Ihnen« – fuhr Hyazinth fort mit philosophischer Gelassenheit – »Sie werden in ihren Armen keine Ruhe haben, Sie werden zwanzigmal aufstehen müssen. Sein Sie nur nicht leidenschaftlich. Je mehr Sie im Zimmer auf- und abspringen und je mehr Sie sich alterieren, desto schneller wirkt das Glaubensalz. Ihr Gemüt spielt der Natur in die Hände. Sie müssen wie ein Mann tragen, was das Schicksal über Sie beschlossen hat. Daß es so gekommen ist, ist vielleicht gut, und es ist vielleicht gut, daß es so gekommen ist. Der Mensch ist ein irdisches Wesen und begreift nicht die Fügung der Göttlichkeit. Der Mensch meint oft, er ginge seinem Glück entgegen, und auf seinem Wege steht vielleicht das Unglück mit einem Stock, und wenn ein bürgerlicher Stock auf einen adeligen Rücken kommt, so fühlt's der Mensch, Herr Markese.«

»Weh mir, ich Narr des Glücks!« tobte noch immer Gumpelino, sein Diener aber sprach ruhig weiter:

»Der Mensch erwartet oft einen Kelch mit Nektar, und er kriegt eine Prügelsuppe, und ist Nektar auch süß, so sind doch Prügel desto bitterer; und es ist noch ein wahres Glück, daß der Mensch, der den andern prügelt, am Ende müde wird, sonst könnte es der andere wahrhaftig nicht aushalten. Gefährlicher ist aber noch, wenn das Unglück mit Dolch und Gift auf dem Wege der Liebe dem Menschen auflauert, so daß er seines Lebens nicht sicher ist. Vielleicht, Herr Markese, ist es wirklich gut, daß es so gekommen ist, denn vielleicht wären Sie in der Hitze der Liebe zu der Geliebten hingelaufen, und auf dem Wege wäre ein kleiner Italiener mit einem Dolch, der sechs Brabanter Ellen lang ist, auf Sie losgerannt und hätte Sie – ich will meinen Mund nicht zum Bösen auftun – bloß in die Wade gestochen. Denn hier kann man nicht, wie in Hamburg, gleich die Wache rufen, und in den Apenninen gibt es keine Nachtwächter. Oder vielleicht gar« – fuhr der unerbittliche Tröster fort, ohne durch die Verzweiflung des Markese sich im mindesten stören zu lassen – »vielleicht gar, wenn Sie bei Lady Maxfield ganz wohl und warm säßen, käme plötzlich der Schwager von der Reise zurück und setzte Ihnen die geladene Pistole auf die Brust und ließe Sie einen Wechsel unterschreiben von hunderttausend Mark. Ich will meinen Mund nicht zum Bösen auftun, aber ich setze den Fall: Sie wären ein schöner Mensch, und Lady Maxfield wäre in Verzweiflung, daß sie den schönen Menschen verlieren soll, und eifersüchtig, wie die Weiber sind, wollte sie nicht, daß eine andre sich nachher an Ihnen beglücke – Was tut sie? Sie nimmt eine Zitrone oder eine Orange und schüttet ein klein weiß Pülverchen hinein, und sagt: ›Kühle dich, Geliebter, du hast dich heiß gelaufen‹ – und den andern Morgen sind Sie wirklich ein kühler Mensch. Da war ein Mann, der hieß Pieper, und der hatte eine Leidenschaftsliebe mit einer Mädchenperson, die das Posaunenengelhannchen hieß, und die wohnte auf der Kaffeemacherei und der Mann wohnte in der Fuhlentwiete[29] –«

»Ich wollte, Hirsch« – schrie wütend der Markese, dessen Unruhe den höchsten Grad erreicht hatte – »ich wollt', dein Pieper von der Fuhlentwiete und sein Posaunenengel von der Kaffeemacherei, und du und die Gudel, ihr hättet mein Glaubensalz im Leibe!«

»Was wollen Sie von mir, Herr Gumpel?« – versetzte Hyazinth, nicht ohne Anflug von Hitze – »Was kann ich dafür, daß Lady Maxfield just heut nacht abreisen will und Sie just heute invitiert? Konnt' ich das voraus wissen? Bin ich Aristoteles? Bin ich bei der Vorsehung angestellt? Ich habe bloß versprochen, daß das Pulver wirken soll, und es wirkt so sicher, wie ich einst selig werde, und wenn Sie so disparat und leidenschaftlich mit solcher Raserei hin und her laufen, so wird es noch schneller wirken –«

[29] Straßen in Hamburg.

»So will ich mich ruhig hinsetzen!« ächzte Gumpelino, stampfte den Boden, warf sich ingrimmig aufs Sofa, unterdrückte gewaltsam seine Wut, und Herr und Diener sahen sich lange schweigend an, bis jener endlich nach einem tiefen Seufzer und fast kleinlaut ihn anredete:

»Aber Hirsch, was soll die Frau von mir denken, wenn ich nicht komme? Sie wartet jetzt auf mich, sie harrt sogar, sie zittert, sie glüht vor Liebe –«

»Sie hat einen schönen Fuß« – sprach Hyazinth in sich hinein und schüttelte wehmütig sein Köpflein. In seiner Brust aber schien es sich gewaltig zu bewegen, unter seinem roten Rocke arbeitete sichtbar ein kühner Gedanke –

»Herr Gumpel« – sprach es endlich aus ihm hervor – »schicken Sie mich!«

Bei diesen Worten zog eine hohe Röte über das bläßliche Geschäftsgesicht.

ZEHNTES KAPITEL

Als Candide nach Eldorado kam[30], sah er auf der Straße mehrere Buben, die mit großen Goldklumpen statt mit Steinen spielten. Dieser Luxus machte ihn glauben, es seien das Kinder des Königs, und er war nicht wenig verwundert, als er vernahm, daß in Eldorado die Goldklumpen ebenso wertlos sind wie bei uns die Kieselsteine, und daß die Schulknaben damit spielen. Einem meiner Freunde, einem Ausländer, ist etwas Ähnliches begegnet, als er nach Deutschland kam und zuerst deutsche Bücher las und über den Gedankenreichtum, welchen er darin fand, sehr erstaunte; bald aber merkte er, daß Gedanken in Deutschland so häufig sind wie Goldklumpen in Eldorado und daß jene Schriftsteller, die er für Geistesprinzen gehalten, nur gewöhnliche Schulknaben waren.

Diese Geschichte kommt mir immer in den Sinn, wenn ich im Begriff stehe, die schönsten Reflexionen über Kunst und Leben niederzuschreiben, und dann lache ich und behalte lieber meine Gedanken in der Feder oder kritzele statt dieser irgendein Bild oder Figürchen auf das Papier und überrede mich, solche Tapeten seien in Deutschland, dem geistigen Eldorado, weit brauchbarer als die goldigsten Gedanken.

Auf der Tapete, die ich dir jetzt zeige, lieber Leser, siehst du wieder die wohlbekannten Gesichter Gumpelinos und seines Hirsch-Hyazinthos, und wenn auch jener mit minder bestimmten Zügen

[30] S. Voltaires ›Candide‹, Cap. XVII.

dargestellt ist, so hoffe ich doch, du wirst scharfsinnig genug sein, einen Negationscharakter ohne allzu positive Bezeichnungen zu begreifen. Letztere können mir einen Injurienprozeß zu Wege bringen oder gar noch bedenklichere Dinge. Denn der Markese ist mächtig durch Geld und Verbindungen. Dabei ist er der natürliche Alliierte meiner Feinde, er unterstützt sie mit Subsidien, er ist Aristokrat, Ultra-Papist, nur etwas fehlte ihm noch – je nun, auch das wird er sich schon anlehren lassen – er hat das Lehrbuch dazu in den Händen, wie du auf der Tapete sehen wirst.

Es ist wieder Abend, auf dem Tische stehen zwei Armleuchter mit brennenden Wachskerzen, ihr Schimmer spielt über die goldenen Rahmen der Heiligenbilder, die, an der Wand hängend, durch das flackernde Licht und die beweglichen Schatten zu leben scheinen. Draußen, vor dem Fenster, stehen im silbernen Mondschein, unheimlich bewegungslos, die düstern Cypressen, und in der Ferne ertönt ein trübes Marienliedchen in abgebrochenen Lauten und wie von einer kranken Kinderstimme. Es herrscht eine eigene Schwüle im Zimmer, der Markese Christophoro di Gumpelino sitzt oder vielmehr liegt wieder nachlässig vornehm auf den Kissen des Sofas, der edle schwitzende Leib ist wieder mit dem dünnen, blauseidenen Domino bekleidet, in den Händen hält er ein Buch, das in rotes Safianpapier mit Goldschnitt gebunden ist, und deklamiert daraus laut und schmachtend. Sein Auge hat dabei einen gewissen klebrigen Lustre, wie er verliebten Katern eigen zu sein pflegt, und seine Wangen, sogar die beiden Seitenflügel der Nase, sind etwas leidend blaß. Jedoch, lieber Leser, diese Blässe ließe sich wohl philosophisch-anthropologisch erklären, wenn man bedenkt, daß der Markese den Abend vorher ein ganzes Glas Glaubersalz verschluckt hat.

Hirsch-Hyazinthos aber kauert am Boden des Zimmers, und mit einem großen Stück weißer Kreide zeichnet er auf das braune Estrich in großem Maßstabe ungefähr folgende Charaktere:

Dieses Geschäft scheint dem kleinen Manne ziemlich sauer zu werden; keuchend, bei dem jedesmaligen Bücken, murmelt er verdrießlich: Spondeus, Trochäus, Jambus, Antispaß, Anapäst und die Pest! Dazu hat er, um der bequemeren Bewegung willen, den roten Oberrock abgelegt, und zum Vorschein kommen zwei kurze demütige

Beinchen in engen Scharlachhosen und zwei etwas längere abgemagerte Arme in weißen, schlotternden Hemdärmeln.

»Was sind das für sonderbare Figuren?« frug ich ihn, als ich diesem Treiben eine Weile zugesehen.

»Das sind Füße in Lebensgröße«, ächzte er zur Antwort, »und ich geplagter Mann muß diese Füße im Kopf behalten, und meine Hände tun mir schon weh von all den Füßen, die ich jetzt aufschreiben muß. Es sind die wahren echten Füße von der Poesie. Wenn ich es nicht meiner Bildung wegen täte, so ließe ich die Poesie laufen mit allen ihren Füßen. Ich habe jetzt bei dem Herrn Markese Privatunterricht in der Poesiekunst. Der Herr Markese liest mir die Gedichte vor und expliziert mir, aus wieviel Füßen sie bestehen, und ich muß sie notieren und dann nachrechnen, ob das Gedicht richtig ist.«

»Sie treffen uns« – sprach der Markese didaktisch-pathetischen Tones – »wirklich in einer poetischen Beschäftigung. Ich weiß wohl, Doktor, Sie gehören zu den Dichtern, die einen eigensinnigen Kopf haben und nicht einsehen, daß die Füße in der Dichtkunst die Hauptsache sind. Ein gebildetes Gemüt wird aber nur durch die gebildete Form angesprochen, diese können wir nur von den Griechen lernen und von neueren Dichtern, die griechisch streben, griechisch denken, griechisch fühlen und in solcher Weise ihre Gefühle an den Mann bringen.«

»Versteht sich an den Mann, nicht an die Frau, wie ein unklassischer romantischer Dichter zu tun pflegt« – bemerkte meine Wenigkeit.

»Herr Gumpel spricht zuweilen wie ein Buch«, flüsterte mir Hyazinth von der Seite zu, preßte die schmalen Lippen zusammen, blinzelte mit stolz vergnügten Äuglein und schüttelte das wunderstaunende Häuptlein. »Ich sage Ihnen« – setzte er etwas lauter hinzu – »wie ein Buch spricht er zuweilen, er ist dann sozusagen kein Mensch mehr, sondern ein höheres Wesen, und ich werde dann wie dumm, je mehr ich ihn anhöre.«

»Und was haben Sie denn jetzt in den Händen?« frug ich den Markese.

»Brillanten!« antwortete er und überreichte mir das Buch.

Bei dem Wort »Brillanten« sprang Hyazinth in die Höhe; doch als er nur ein Buch sah, lächelte er mitleidigen Blicks. Dieses brillante Buch aber hatte auf dem Vorderblatte folgenden Titel:

> »Gedichte von August Grafen von Platen[31]; Stuttgart und Tübingen. Verlag der J. G. Cottaschen Buchhandlung. 1828.«

---

[31] August Graf von Platen-Hallermünde (1796–1835).

Auf dem Hinterblatte stand zierlich geschrieben: »Geschenk warmer brüderlicher Freundschaft.« Dabei roch das Buch nach jenem seltsamen Parfüm, der mit Eau de Cologne nicht die mindeste Verwandtschaft hat, und vielleicht auch dem Umstande beizumessen war, daß der Markese die ganze Nacht darin gelesen hatte.

»Ich habe die ganze Nacht kein Auge zutun können« – klagte er mir – »ich war so sehr bewegt, ich mußte elfmal aus dem Bette steigen, und zum Glück hatte ich dabei diese vortreffliche Lektüre, woraus ich nicht bloß Belehrung für die Poesie, sondern auch Trost für das Leben geschöpft habe. Sie sehen, wie sehr ich das Buch geehrt, es fehlt kein einziges Blatt, und doch, wenn ich so saß, wie ich saß, kam ich manchmal in Versuchung –«

»Das wird mehreren passiert sein, Herr Markese.«

»Ich schwöre Ihnen bei unserer lieben Frau von Loreto, und so wahr ich ein ehrlicher Mann bin« – fuhr jener fort – »diese Gedichte haben nicht ihresgleichen. Ich war, wie Sie wissen, gestern abend in Verzweiflung, sozusagen, au désespoir, als das Fatum mir nicht vergönnte, meine Julia zu besitzen – da las ich diese Gedichte, jedesmal ein Gedicht, wenn ich aufstehen mußte, und eine solche Gleichgültigkeit gegen die Weiber war die Folge, daß mir mein eigener Liebesschmerz zuwider wurde. Das ist eben das Schöne an diesem Dichter, daß er nur für Männer glüht, in warmer Freundschaft; er gibt uns den Vorzug vor dem weiblichen Geschlechte, und schon für diese Ehre sollten wir ihm dankbar sein. Er ist darin größer als alle anderen Dichter, er schmeichelt nicht dem gewöhnlichen Geschmack des großen Haufens, er heilt uns von unserer Passion für die Weiber, die uns so viel Unglück zuzieht – O Weiber! Weiber! wer uns von euren Fesseln befreit, der ist ein Wohltäter der Menschheit. Es ist ewig schade, daß Shakespeare sein eminentes theatralisches Talent nicht dazu benutzt hat, denn er soll, wie ich hier zuerst lese, nicht minder großherzig gefühlt haben als der große Graf Platen, der in seinen Sonetten von Shakespeare sagt:

> Nicht Mädchenlaunen störten deinen Schlummer,
> Doch stets um Freundschaft sehn wir warm dich ringen:
> Dein Freund errettet dich aus Weiberschlingen,
> Und seine Schönheit ist dein Ruhm und Kummer.«

Während der Markese diese Worte mit warmem Gefühl deklamierte und der glatte Mist ihm gleichsam auf der Zunge schmolz, schnitt Hyazinth die widersprechendsten Gesichter, zugleich verdrießlich und beiläufig, und endlich sprach er:

»Herr Markese, Sie sprechen wie ein Buch, auch die Verse gehen

Ihnen wieder so leicht ab wie diese Nacht, aber ihr Inhalt will mir nicht recht gefallen. Als Mann fühle ich mich geschmeichelt, daß der Graf Platen uns den Vorzug gibt vor den Weibern, und als Freund von den Weibern bin ich wieder ein Gegner von solch einem Manne. So ist der Mensch! Der eine ißt gern Zwiebeln, der andere hat mehr Gefühl für warme Freundschaft, und ich, als ehrlicher Mann, muß aufrichtig gestehen, ich esse gern Zwiebeln, und eine schiefe Köchin ist mir lieber als der schönste Schönheitsfreund. Ja, ich muß gestehen, ich sehe nicht so viel Schönes am männlichen Geschlecht, daß man sich darin verlieben sollte.«

Diese letzteren Worte sprach Hyazinth, während er sich musternd im Spiegel betrachtete, der Markese aber ließ sich nicht stören und deklamierte weiter:

>   »Der Hoffnung Schaumgebäude bricht zusammen,
>   Wir mühn uns, ach! und kommen nicht zusammen;
>   Mein Name klingt aus deinem Mund melodisch,
>   Doch reihst du selten dies Gedicht zusammen;
>   Wie Sonn' und Mond uns stets getrennt zu halten,
>   Verschworen Sitte sich und Pflicht zusammen,
>   Laß Haupt an Haupt uns lehnen, denn es taugen
>   Dein dunkles Haar, mein hell Gesicht zusammen!
>   Doch ach! ich träume, denn du ziehst von hinnen,
>   Eh' noch das Glück uns brachte dicht zusammen!
>   Die Seelen bluten, da getrennt die Leiber,
>   O wären's Blumen, die man flicht zusammen!«

»Eine komische Poesie!« – rief Hyazinth, der die Reime nachmurmelte – »Sitte sich und Pflicht zusammen, Gesicht zusammen, dicht zusammen, flicht zusammen! komische Poesie! Mein Schwager, wenn er Gedichte liest, macht oft den Spaß, daß er am Ende jeder Zeile die Worte ›von vorn‹ und ›von hinten‹ abwechselnd hinzusetzt; und ich habe nie gewußt, daß die Poesiegedichte, die dadurch entstehen, Ghaselen[32] heißen. Ich muß einmal die Probe machen, ob das Gedicht, das der Herr Markese deklamiert hat, nicht noch schöner wird, wenn man nach dem Wort ›zusammen‹ jedesmal, mit Abwechslung ›von vorn‹ und ›von hinten‹ setzt; die Poesie davon wird gewiß zwanzig Prozent stärker.«

Ohne auf dieses Geschwätz zu achten, fuhr der Markese fort im Deklamieren von Ghaselen und Sonetten, worin der Liebende seinen Schönheitsfreund besingt, ihn preist, sich über ihn beklagt,

---

[32] Arab.: Gespinst, aus zwanzig und mehr gleichgeformten Versen bestehende Kunstform. Hier zitiert Heine Ghaselen von Platen.

ihn des Kaltsinns beschuldigt, Pläne schmiedet, um zu ihm zu gelangen, mit ihm äugelt, eifersüchtelt, schmächtelt, eine ganze Skala
von Zärtlichkeiten durchliebelt, und zwar so warmselig, betastungs-
süchtig und anleckend, daß man glauben sollte, der Verfasser sei
ein manntolles Mägdlein – Nur müßte es dann einigermaßen befremden, daß dieses Mägdlein beständig jammert, ihre Liebe sei
gegen die »Sitte«, daß sie gegen »diese trennende Sitte« so bitter gestimmt ist wie ein Taschendieb gegen die Polizei, daß sie liebend
»die Lende« des Freundes umschlingen möchte, daß sie sich über
»Neider« beklagt, »die sich schlau vereinen, um uns zu hindern und
getrennt zu halten«, daß sie über verletzende Kränkungen klagt von
seiten des Freundes, daß sie ihm versichert, sie wolle ihn nur flüch-
tig erblicken, ihm beteuert, »Nicht eine Silbe soll dein Ohr erschrecken!« und endlich gesteht:

> »Mein Wunsch bei andern zeugte Widerstreben,
> Du hast ihn nicht erhört, doch abgeschlagen
> Hast du ihn auch nicht, o mein süßes Leben!«

Ich muß dem Markese das Zeugnis erteilen, daß er diese Gedichte
gut vortrug, hinlänglich dabei seufzte, ächzte und, auf dem Sofa
hin- und herrutschend, gleichsam mit dem Gesäße kokettierte. Hyazinth versäumte keineswegs, immer die Reime nachzuplappern,
wenn er auch ungehörige Bemerkungen dazwischen schwätzte. Den
Oden schenkte er die meiste Aufmerksamkeit. »Man kann bei dieser Sorte«, sagte er, »weit mehr lernen als bei Saunetten und Ghaselen; da bei den Oden die Füße oben ganz besonders abgedruckt sind,
kann man jedes Gedicht mit Bequemlichkeit nachrechnen. Jeder
Dichter sollte, wie der Graf Platen bei seinen schwierigsten Poesie-
gedichten, die Füße oben drucken und zu den Leuten sagen: ›Seht,
ich bin ein ehrlicher Mann, ich will euch nicht betrügen, diese krummen und geraden Striche, die ich vor jedes Gedicht setze, sind sozusagen ein Conto finto von jedem Gedicht, und ihr könnt nachrechnen, wieviel Mühe es mich gekostet, sie sind sozusagen das Ellen-
maß von jedem Gedichte, und ihr könnt nachmessen, und fehlt
daran eine einzige Silbe, so sollt ihr mich einen Spitzbuben nennen,
so wahr ich ein ehrlicher Mann bin.‹ Aber eben durch diese ehrliche
Miene kann das Publikum betrogen werden. Eben, wenn die Füße
vor dem Gedichte angegeben sind, denkt man: ich will kein mißtrauischer Mensch sein, wozu soll ich dem Manne nachzählen, er ist
gewiß ein ehrlicher Mann, und man zählt nicht nach und wird
betrogen. Und kann man immer nachrechnen? Wir sind jetzt in
Italien, und da habe ich Zeit, die Füße mit Kreide auf die Erde zu

schreiben und jede Ode zu kollationieren. Aber in Hamburg, wo ich mein Geschäft habe, fehlt mir die Zeit dazu, und ich müßte dem Grafen Platen ungezählt trauen, wie man traut bei den Geldbeuteln von der Kurantkasse, worauf geschrieben steht, wie viel Hundert Taler darin enthalten – sie gehen versiegelt von Hand zu Hand, jeder traut dem andern, daß so viel darin enthalten ist, wie darauf steht, und es gibt doch Beispiele, daß ein Müßiggänger, der nicht viel zu tun hatte, so einen Beutel geöffnet und nachgezählt und ein paar Taler zu wenig darin gefunden hat. So kann auch in der Poesie viel Spitzbüberei vorfallen. Besonders, wenn ich an Geldbeutel denke, werde ich mißtrauisch. Denn mein Schwager hat mir erzählt: im Zuchthaus zu Odensee sitzt – ein gewisser jemand[33], der bei der Post angestellt war und die Geldbeutel, die durch seine Hände gingen, unehrlich geöffnet und unehrlich Geld herausgenommen und sie wieder künstlich zugenäht und weiter geschickt hat. Hört man von solcher Geschicklichkeit, so verliert man das menschliche Zutrauen und wird ein mißtrauischer Mensch. Es gibt jetzt viel Spitzbüberei in der Welt, und es ist gewiß in der Poesie wie in jedem anderen Geschäft.

Die Ehrlichkeit« – fuhr Hyazinth fort, während der Markese weiter deklamierte, ohne unserer zu achten, ganz versunken im Gefühl – »die Ehrlichkeit, Herr Doktor, ist die Hauptsache, und wer kein ehrlicher Mann ist, den betrachte ich wie einen Spitzbuben, und wen ich wie einen Spitzbuben betrachte, von dem kaufe ich nichts, von dem lese ich nichts, kurz, ich mache kein Geschäft mit ihm. Ich bin ein Mann, Herr Doktor, der sich auf nichts etwas einbildet, wenn ich mir aber etwas einbilden wollte auf etwas, so würde ich mir etwas darauf einbilden, daß ich ein ehrlicher Mann bin. Ich will Ihnen einen edlen Zug von mir erzählen, und Sie werden staunen – ich sag' Ihnen, Sie werden staunen, so wahr ich ein ehrlicher Mann bin. Da wohnt ein Mann in Hamburg auf dem Speersort, und der ist ein Krautkrämer und heißt Klötzchen, das heißt, ich heiße den Mann Klötzchen, weil wir gute Freunde sind, sonst heißt der Mann Herr Klotz. Auch seine Frau muß man Madam Klotz nennen, und sie hat nie leiden können, daß ihr Mann bei mir spielte, und wenn ihr Mann bei mir spielen wollte, so durfte ich mit dem Lotterielos nicht zu ihm ins Haus kommen, und er sagte mir immer auf der Straße: die und die Nummer will ich bei dir spielen, und hier hast du das Geld, Hirsch! Und ich sagte dann: gut, Klötzchen! Und kam ich nach Hause, so legte ich die Nummer kouvertiert für ihn

33 Im Zuchthaus zu Odensee saß damals gerade ein Graf Platen.

aparte und schrieb auf das Kouvert mit deutschen Buchstaben: für Rechnung des Herrn Christian Hinrich Klotz. Und nun hören Sie und staunen Sie: Es war ein schöner Frühlingstag, und die Bäume an der Börse waren grün, und die Zephyrlüfte waren angenehm, und die Sonne glänzte am Himmel, und ich stand an der Hamburger Bank. Da kommt Klötzchen, mein Klötzchen, und hat am Arm seine dicke Madam Klotz und grüßt mich zuerst und spricht von der Frühlingspracht Gottes, macht auch einige patriotische Bemerkungen über das Bürgermilitär, und er fragt mich, wie die Geschäfte gehen, und ich erzähle ihm, daß vor einigen Stunden wieder einer am Pranger gestanden, und so im Gespräch sagt er mir: gestern nacht habe ich geträumt, Nummero 1538 wird als das große Los herauskommen – und in demselben Moment, während Madame Klotz die Kaiserstatisten vor dem Rathaus betrachtet, drückt er mir dreizehn vollwichtige Stück Louisdor in die Hand – ich meine, ich fühle sie noch jetzt – und ehe Madame Klotz sich wieder herumdreht, sag' ich: gut Klötzchen! und gehe weg. Und ich gehe directement, ohne mich umzusehen, nach der Hauptkollekte und hole mir Nummero 1538 und kouvertiere sie, sobald ich nach Hause komme, und schreibe auf das Kouvert: für Rechnung des Herrn Christian Hinrich Klotz. Und was tut Gott? Vierzehn Tage nachher, um meine Ehrlichkeit auf die Probe zu stellen, läßt er Nummero 1538 herauskommen mit einem Gewinn von 50000 Mark. Was tut aber Hirsch, derselbe Hirsch, der jetzt vor Ihnen steht? Dieser Hirsch zieht ein reines weißes Oberhemdchen und ein reines weißes Halstuch an und nimmt sich ein Droschke und holt sich bei der Hauptkollekte seine 50000 Mark und fährt damit nach dem Speersort – Und wie mich Klötzchen sieht, fragt er: Hirsch, warum bist du heut' so geputzt? Ich aber antworte kein Wort und setze einen großen Überraschungsbeutel mit Gold auf den Tisch und rede ganz feierlich: Herr Christian Hinrich Klotz! die Nummero 1538, die Sie so gütig waren bei mir zu bestellen, hat das Glück gehabt, 50000 Mark zu gewinnen, in diesem Beutel habe ich die Ehre, Ihnen das Geld zu präsentieren, und ich bin so frei, mir eine Quittung auszubitten! Wie Klötzchen das hört, fängt er an zu weinen, wie Madam Klotz die Geschichte hört, fängt sie an zu weinen, die rote Magd weint, der krumme Ladendiener weint, die Kinder weinen, und ich? ein Rührungsmensch, wie ich bin, konnte ich doch nicht weinen und fiel erst in Ohnmacht, und erst nachher kamen mir die Tränen aus den Augen wie ein Wasserbach, und ich weinte drei Stunden.«

Die Stimme des kleinen Menschen bebte, als er dieses erzählte, und feierlich zog er ein schon erwähntes Päckchen aus der Tasche, wickelte davon den schon verblichenen Rosataffet und zeigte mir den Schein, worin Christian Hinrich Klotz den richtigen Empfang der 50 000 Mark quittierte. »Wenn ich sterbe« – sprach Hyazinth, eine Träne im Auge – »soll man mir diese Quittung mit ins Grab legen, und wenn ich einst dort oben, am Tage des Gerichts, Rechenschaft geben muß von meinen Taten, dann werde ich mit dieser Quittung in der Hand vor den Stuhl der Allmacht treten, und wenn mein böser Engel die bösen Handlungen, die ich auf dieser Welt begangen habe, vorgelesen und mein guter Engel auch die Liste von meinen guten Handlungen ablesen will, dann sag' ich ruhig: Schweig! – ich will nur wissen, ist diese Quittung richtig? ist das die Handschrift von Christian Hinrich Klotz? Dann kommt ein ganz kleiner Engel herangeflogen und sagt, er kenne ganz genau Klötzchens Handschrift, und er erzählt zugleich die merkwürdige Geschichte von der Ehrlichkeit, die ich mal begangen habe. Der Schöpfer der Ewigkeit aber, der Allwissende, der alles weiß, erinnert sich an diese Geschichte, und er lobt mich in Gegenwart von Sonne, Mond und Sternen und berechnet gleich im Kopf, daß wenn meine bösen Handlungen von 50 000 Mark Ehrlichkeit abgezogen werden, mir noch ein Saldo zu gut kommt, und er sagt dann: Hirsch! ich ernenne dich zum Engel erster Klasse, und du darfst Flügel tragen mit rot und weißen Federn.«

ELFTES KAPITEL

Wer ist denn der Graf Platen[34], den wir im vorigen Kapitel als Dichter und warmen Freund kennen lernten? Ach, lieber Leser, diese Frage las ich schon lange auf deinem Gesichte, und nur zaudernd gehe ich an die Beantwortung. Das ist ja eben das Mißgeschick deutscher Schriftsteller, daß sie jeden guten oder bösen Narrn, den sie aufs Tapet bringen, erst durch trockne Charakterschilderung und Personalbeschreibung bekannt machen müssen, damit man erstens wisse, daß er existiert, und zweitens den Ort kenne, wo die Geißel ihn trifft, ob unten oder oben, vorn oder hinten. Anders war es bei den Alten, anders ist es noch jetzt bei neueren Völkern, z. B. den Engländern und Franzosen, die ein Volksleben und daher public characters haben. Wir Deutschen aber, wir haben zwar ein ganzes närrisches Volk, aber wenig ausgezeichnete Narren, die bekannt genug wären, um sie als allgemein verständliche Charaktere in

[34] Über die Hintergründe dieser Polemik gegen Platen vgl. die Einleitung.

Prosa oder Versen gebrauchen zu können. Die wenigen Männer dieser Art, die wir besitzen, haben wirklich recht, wenn sie sich wichtig machen. Sie sind von unschätzbarem Werte und zu den höchsten Ansprüchen berechtigt. So z. B. der Herr Geheimrat Schmalz, Professor der Berliner Universität, ist ein Mann, der nicht mit Geld zu bezahlen ist; ein humoristischer Schriftsteller kann ihn nicht entbehren, und er selbst fühlt diese persönliche Wichtigkeit und Unentbehrlichkeit in so hohem Grade, daß er jede Gelegenheit ergreift, um humoristischen Schriftstellern Stoff zur Satire zu geben, daß er Tag und Nacht grübelt, wie er sich als Staatsmann, Servilist, Dekan, Antihegelianer und Patriot lächerlich machen kann, und somit die Literatur, für die er sich gleichsam aufopfert, tatkräftig zu befördern. Den deutschen Universitäten muß man überhaupt nachrühmen, daß sie den deutschen Schriftsteller, mehr als jede andere Zunft, mit allerlei Narren versorgen, und besonders Göttingen habe ich immer in dieser Hinsicht zu schätzen gewußt. Dies ist auch der geheime Grund, weshalb ich mich für die Erhaltung der Universitäten erkläre, obgleich ich stets Gewerbefreiheit und Vernichtung des Zunftwesens gepredigt habe. Bei solchem fühlbaren Mangel an ausgezeichneten Narren kann man mir nicht genug danken, wenn ich neue aufs Tapet bringe und allgemein brauchbar mache. Zum Besten der Literatur will ich daher jetzt vom Grafen August von Platen-Hallermünde etwas ausführlicher reden. Ich will dazu beitragen, daß er zweckmäßig bekannt und gewissermaßen berühmt werde, ich will ihn literarisch gleichsam herausfüttern, wie die Irokesen tun mit den Gefangenen, die sie bei späteren Festmahlen verspeisen wollen. Ich werde ganz treu ehrlich verfahren und überaus höflich, wie es einem Bürgerlichen ziemt, ich werde das Materielle, das sogenannt Persönliche, nur insoweit berühren, als sich geistige Erscheinungen dadurch erklären lassen, und ich werde immer ganz genau den Standpunkt, von wo aus ich ihn sah, und sogar manchmal die Brille, wodurch ich ihn sah, angeben.

Der Standpunkt, von wo ich den Grafen Platen zuerst gewahrte, war München, der Schauplatz seiner Bestrebungen, wo er bei allen, die ihn kennen, sehr berühmt ist und wo er gewiß, solange er lebt, unsterblich sein wird. Die Brille, wodurch ich ihn sah, gehörte einigen Insassen Münchens, die über seine äußere Erscheinung dann und wann, in heiteren Stunden, ein heiteres Wort hinwarfen. Ich habe ihn selbst nie gesehen, und wenn ich mir seine Person denken will, erinnere ich mich immer an die drollige Wut, womit einmal mein Freund, der Doktor Lautenbacher, über Poetennarrheit im allgemeinen loszog und insbesondere eines Grafen Platen erwähnte, der, mit einem Lorbeerkranze auf dem Kopfe, sich auf der öffentlichen Promenade zu Erlangen den Spaziergängern in den Weg stellte und, mit der bebrillten Nase gen Himmel starrend, in poetischer Begeisterung zu sein vorgab. Andere haben besser von dem armen Graf gesprochen und beklagt nur seine beschränkten Mittel, die ihn bei seinem Ehrgeiz, sich wenigstens als ein Dichter auszuzeichnen, über die Gebühr zum Fleiße nötigten, und sie lobten besonders seine Zuvorkommenheit gegen jüngere, bei denen er die Bescheidenheit selbst gewesen sei, indem er mit der liebreichsten Demut ihre Erlaubnis erbeten, dann und wann zu ihnen aufs Zimmer kommen zu dürfen, und sogar die Gutmütigkeit so weit getrieben habe, immer wieder zu kommen, selbst wenn man ihn die Lästigkeit seiner Visiten aufs deutlichste merken lassen. Dergleichen Erzählungen haben mich gewissermaßen gerührt, obgleich ich diesen Mangel an Personalbeifall sehr natürlich fand. Vergebens klagte oft der Graf:

– »Deine blonde Jugend, süßer Knabe,
Verschmäht den melancholischen Genossen.
So will in Scherz ich mich ergehn, in Possen,
Anstatt ich jetzt mich bloß an Tränen labe,
Und um der Fröhlichkeit mir fremde Gabe
Hab' ich den Himmel anzuflehn beschlossen.«

Vergebens versicherte der arme Graf, daß er einst der berühmteste Dichter werde, daß schon der Schatten eines Lorbeerblattes auf seiner Stirne sichtbar sei, daß er seine süßen Knaben ebenfalls unsterblich machen könne durch unvergängliche Gedichte. Ach! eben diese Celebrität war keinem lieb, und in der Tat, sie war keine beneidenswerte. Ich erinnere mich noch, mit welchem unterdrückten Lächeln ein Kandidat solcher Celebrität von einigen lustigen Freunden unter den Arkaden zu München betrachtet wurde. Ein scharfsichtiger Bösewicht meinte sogar, er sähe zwischen den Rockschößen desselben den Schatten eines Lorbeerblattes. Was mich betrifft, lieber Leser, so bin ich nicht so boshaft, wie du denkst, ich bemitleide den armen Grafen, wenn ihn andere verhöhnen, ich zweifle, daß er sich an der verhaßten »Sitte« tätlich gerächt habe, obgleich er in seinen Liedern schmachtet, sich solcher Rache hinzugeben; ich glaube vielmehr an die verletzenden Kränkungen, beleidigenden Zurücksetzungen und Abweisungen, wovon er selbst so rührend singt. Ich bin überzeugt, er betrug sich gegen die Sitten überhaupt weit löblicher, als ihm selber lieb war, und er kann vielleicht, wie General Tilly, von sich rühmen: Ich war nie berauscht, ich habe nie ein Weib berührt und habe nie eine Schlacht verloren. Deshalb gewiß sagt von ihm der Dichter:

>»Du bist ein nüchterner, modester Junge«[35].

Der arme Junge oder vielmehr der arme alte Junge – denn er hatte schon einige Lustren hinter sich – hockte damals, wenn ich nicht irre, auf der Universität in Erlangen, wo man ihm einige Beschäftigung angewiesen hatte; doch da diese seinem hochstrebenden Geiste nicht genügte, da mit den Lustren auch die Lüsternheit nach illüstrer Lust ihn mehr und mehr stachelte und der Graf von seiner künftigen Herrlichkeit täglich mehr und mehr begeistert wurde, gab er jedes Geschäft auf und beschloß, von der Schriftstellerei, von gelegentlichen Gaben von oben und einigen sonstigen Verdiensten zu leben. Die Grafschaft des Grafen liegt nämlich im Monde, von wo er, wegen der schlechten Kommunikation mit Bayern, nach Gruithuisens[36] Berechnung, erst in 20000 Jahren, wenn der Mond dieser Erde näher kommt, seine ungeheuern Revenuen beziehen kann.

Schon früher hatte Don Platen de Collibrados Hallermünde bei Brockhaus in Leipzig eine Gedichtsammlung mit einer Vorrede, betitelt: »Lyrische Blätter Nummer 1«, herausgegeben, die freilich nicht bekannt wurde, obgleich, wie er uns versichert, die sieben Weisen dem Verfasser ihr Lob gespendet. Später gab er, nach Tieckschem Muster, einige dramatisierte Märchen und Erzählungen heraus, die ebenfalls das Glück hatten, daß sie der unweisen großen Menge unbekannt blieben und nur von den sieben Weisen gelesen wurden. Indessen um außer den sieben Weisen noch einige Leser zu gewinnen, legte sich der Graf auf Polemik und schrieb eine Satire gegen berühmte Schriftsteller, vornehmlich gegen Müllner[37], der damals schon allgemein gehaßt und moralisch vernichtet war, so daß der Graf eben zur rechten Zeit kam, um dem toten Hofrat Orindur[38] noch einen Hauptstich, nicht ins Haupt, sondern, nach Fallstaffscher Weise, in die Wade zu versetzen. Der Widerwille gegen Müllner hatte jedes edle Herz erfüllt; der Mensch ist überhaupt schwach; die Polemik des Grafen mißfiel daher nicht, und ›die verhängnisvolle Gabel‹ fand hie und da eine bereitwillige Aufnahme, nicht beim großen Publikum, sondern bei Literatoren und bei den eigentlichen Schulleuten, bei letztern hauptsächlich, weil jene Satire

[35] Ein Vers von Karl Immermann (1796–1840) auf Platen. [36] Franz von Paula Gruithuisen (1774–1852), deutscher Astronom und Naturforscher. [37] Platens Drama ›Die verhängnisvolle Gabel‹ war eine Parodie auf die Schicksalstragödien von Z. Werner ›Der vierundzwanzigste Februar‹ und A. Müllner ›Der neunundzwanzigste Februar‹. [38] Graf von Orindur ist der Held in Müllners Trauerspiel ›Die Schuld‹.

nicht mehr dem romantischen Tieck, sondern dem klassischen Aristophanes nachgeahmt war.

Ich glaube, es war um diese Zeit, daß der Herr Graf nach Italien reiste; er zweifelte nicht mehr, von seiner Poesie leben zu können, Cotta hatte die gewöhnliche prosaische Ehre, für Rechnung der Poesie das Geld herzugeben; denn die Poesie, die Himmelstochter, die Hochgeborene, hat selbst nie Geld und wendet sich bei solchem Bedürfnis immer an Cotta. Der Graf versifizierte jetzt Tag und Nacht, er blieb nicht bei dem Vorbilde Tiecks und des Aristophanes, sondern er ahmte auch den Goethe nach im Liede, dann den Horaz in der Ode, dann den Petrarcha in Sonetten, dann den Dichter Hafis in persischen Ghaselen – kurz er gab uns solchermaßen eine Blumenlese der besten Dichter und zugleich seine eigenen lyrischen Blätter unter dem Titel: ›Gedichte des Grafen Platen usw.‹

Niemand in Deutschland ist gegen poetische Erzeugnisse billiger als ich, und ich gönne einem armen Menschen wie Platen sein Stückchen Ruhm, das er im Schweiße seines Angesichts so sauer erwirbt, gewiß herzlich gern. Keiner ist mehr geneigt als ich, seine Bestrebungen zu rühmen, seinen Fleiß und seine Belesenheit in der Poesie zu loben und seine silbenmäßigen Verdienste anzuerkennen. Meine eignen Versuche befähigen mich, mehr als jeden andern, die metrischen Verdienste des Grafen zu würdigen. Die bittere Mühe, die unsägliche Beharrlichkeit, das winternächtliche Zähneklappern, die ingrimmigen Anstrengungen, womit er seine Verse ausgearbeitet, entdeckt unsereiner weit eher als der gewöhnliche Leser, der die Glätte, Zierlichkeit und Politur jener Verse des Grafen für etwas Leichtes hält und sich an der glatten Wortspielerei gedankenlos ergötzt, wie man sich bei Kunstspringern, die auf dem Seile balancieren, über Eier tanzen und sich auf den Kopf stellen, ebenfalls einige Stunden amüsiert, ohne zu bedenken, daß jene armen Wesen nur durch jahrelangen Zwang und grausames Hungerleiden solche Gelenkigkeitskünste, solche Metrik des Leibes erlernt haben. Ich, der ich mich in der Dichtkunst nicht so sehr geplagt und sie immer in Verbindung mit gutem Essen ausgeübt habe, ich will den Grafen Platen, dem es saurer und nüchterner dabei ergangen, um so mehr preisen, ich will von ihm rühmen, daß kein Seiltänzer in Europa so gut wie er auf schlaffen Ghaselen balanciert, daß keiner den Eiertanz über

‿‿‿‿‿‿‿‿‿‿
‿‿‿‿‿—‿‿‿‿‿ usw.

so gut exekutiert wie er, daß keiner sich so gut wie er auf den Kopf stellt. Wenn ihm auch die Musen nicht hold sind, so hat er doch den Genius der Sprache in seiner Gewalt, oder vielmehr er weiß ihm Gewalt anzutun; – denn die freie Liebe dieses Genius fehlt ihm, er muß auch diesem Jungen beharrlich nachlaufen, und er weiß nur die äußeren Formen zu erfassen, die trotz ihrer schönen Ründung sich nie edel aussprechen. Nie sind tiefe Naturlaute, wie wir sie im Volksliede, bei Kindern und anderen Dichtern finden, aus der Seele eines Platen hervorgebrochen oder offenbarungsmäßig hervorgeblüht, den beängstigenden Zwang, den er sich antun muß, um etwas zu sagen, nennt er eine »große Tat in Worten« – so gänzlich unbekannt mit dem Wesen der Poesie, weiß er nicht einmal, daß das Wort nur bei dem Rhetor eine Tat ist, bei dem wahren Dichter aber ein Ereignis. Ungleich dem wahren Dichter, ist die Sprache nie Meister geworden in ihm, er ist dagegen Meister geworden in der Sprache oder vielmehr auf der Sprache, wie ein Virtuose auf einem Instrumente. Je weiter er es solcherart im Technischen brachte, desto größere Meinung bekam er von seiner Virtuosität; er wußte ja in allen Weisen zu spielen, er versifizierte ja die schwierigsten Passagen, er dichtete, sozusagen, manchmal nur auf der G-Saite und ärgerte sich, wenn das Publikum nicht klatschte. Wie alle Virtuosen, die solch einsaitiges Talent ausgebildet, strebte er nur nach Applaudissement, sah er mit Ingrimm auf den Ruhm anderer, beneidete er seine Kollegen um ihren Gewinnst, wie z. B. den Clauren, schrieb er gleich fünfaktige Pasquille, wenn er nur eine einzige Xenie des Tadels auf sich beziehen konnte, kontrollierte er alle Rezensionen, worin andere gelobt wurden, und schrie er beständig: ich werde nicht genug gelobt, nicht genug belohnt, denn Ich bin der Poet, der Poet der Poeten usw. So hungerig und lechzend nach Lob und Spenden zeigte sich nie ein wahrer Dichter, niemals Klopstock, niemals Goethe, zu deren Drittem der Graf Platen sich selbst ernennt, obgleich jeder einsieht, daß er nur mit Ramler[39] und etwa A. W. v. Schlegel ein Triumvirat bildet. Der große Ramler, wie man ihn zu seiner Zeit hieß, als er, zwar ohne Lorbeerkranz auf dem Haupte, aber mit desto größerem Zopf und Haarbeutel, das Auge gen Himmel gehoben und den steifleinenen Regenschirm unterm Arm im Berliner Tiergarten skandierend wandelte, hielt sich damals für den Repräsentanten der Poesie auf Erden. Seine Verse waren die vollendetsten in deutscher Sprache, und seine Verehrer, worunter sogar ein Lessing[40] sich verirrte, meinten, weiter könne man es in der Poesie nicht bringen. Fast dasselbe war späterhin der Fall bei A. W. v. Schlegel, dessen poetische Unzulänglichkeit aber

---

[39] Karl Wilh. Ramler (1725–98), ein bekannter Odendichter. [40] Auch Lessing hielt Ramler für einen Meister der Form.

sichtbar wird, seitdem die Sprache weiter ausgebildet worden, so
daß sogar diejenigen, die einst den Sänger des ›Arion‹ für einen
gleichfallsigen Arion gehalten, jetzt nur noch den verdienstlichen
Schullehrer in ihm sehen. Ob aber der Graf Platen schon befugt ist,
über den sonst rühmeswerten Schlegel zu lachen, wie dieser einst
über Ramler lachte, das weiß ich nicht. Aber das weiß ich, in der
Poesie sind alle drei sich gleich, und wenn der Graf Platen noch so
hübsch in den Ghaselen seine schaukelnden Balancierkünste treibt,
wenn er in seinen Oden noch so vortrefflich den Eiertanz exekutiert,
ja, wenn er, in seinen Lustspielen, sich auf den Kopf stellt – so ist er
doch kein Dichter. Er ist kein Dichter, sagt sogar die undankbare
männliche Jugend, die er so zärtlich besingt. Er ist kein Dichter, sagen die Frauen, die vielleicht – ich muß es zu seinem Besten andeuten – hier nicht ganz unparteiisch sind und vielleicht wegen der
Hingebung, die sie bei ihm entdecken, etwas Eifersucht empfinden
oder gar durch die Tendenz seiner Gedichte ihre bisherige vorteil-
hafte Stellung in der Gesellschaft gefährdet glauben. Strenge Kritiker, die mit scharfen Brillen versehen sind, stimmen ein in dieses
Urteil oder äußern sich noch lakonisch bedenklicher. »Was finden
Sie in den Gedichten des Grafen von Platen-Hallermünde?« frug
ich jüngst einen solchen Mann. »Sitzfleisch!« war die Antwort. »Sie
meinen in Hinsicht der mühsamen, ausgearbeiteten Form?« entgegnete ich. »Nein«, erwiderte jener, »Sitzfleisch auch in betreff des
Inhalts.«

Was nun den Inhalt der Platenschen Gedichte betrifft, so möchte
ich den armen Grafen dafür zwar nicht loben, aber ihn auch nicht
unbedingt der Censorischen Wut preisgeben, womit unsere Catonen
davon sprechen oder gar schweigen. Chacun à son goût, dem einen
gefällt der Ochs, dem andren Wasischtas Kuh. Ich tadele sogar den
furchtbaren rhadamantischen Ernst, womit über jenen Inhalt der
Platenschen Gedichte in den Berliner ›Jahrbüchern für wissenschaft-
liche Kritik‹ gerichtet worden[41]. Aber so sind die Menschen, es wird
ihnen sehr leicht, in Eifer zu geraten, wenn sie über Sünden sprechen, die ihnen kein Vergnügen machen würden. Im Morgenblatte
las ich kürzlich einen Aufsatz, überschrieben: ›Aus dem Journal eines
Lesers‹, worin der Graf Platen gegen solche strenge Tadler seiner
Freundschaftsliebe mit jener Bescheidenheit sich ausspricht, die er
nie zu verleugnen weiß und woran man ihn auch hier erkennt.
Wenn er sagt, daß »das Hegelsche Wochenblatt« ihn eines geheimen
Lasters mit »lächerlichem Pathos« beschuldige, so will er, wie leicht
zu erraten ist, nur der Rüge anderer Leute zuvorkommen, deren

---

[41] Der Artikel stammte von Ludwig Robert.

Gesinnung er durch dritte Hand erforschen lassen. Indessen, man hat ihm schlecht berichtet, ich werde mir nie in dieser Hinsicht einen Pathos zu schulden kommen lassen, der edle Graf ist mir vielmehr eine ergötzliche Erscheinung, und in seiner erlauchten Liebhaberei sehe ich nur etwas Unzeitgemäßes, nur die zaghaft verschämte Parodie eines antiken Übermuts. Das ist es ja eben, jene Liebhaberei war im Altertum nicht in Widerspruch mit den Sitten und gab sich kund mit heroischer Öffentlichkeit. Als z. B. der Kaiser Nero auf Schiffen, die mit Gold und Elfenbein ausgelegt waren, ein Gastmahl hielt, das einige Millionen kostete, ließ er sich mit einem aus dem Jünglingsserail, Namens Pythagoras, feierlich einsegnen (cuncta denique spectata quae etiam in femina nox operit[42]) und steckte nachher mit der Hochzeitsfackel die Stadt Rom in Brand, um bei den prasselnden Flammen desto besser den Untergang Trojas besingen zu können. Das war noch ein Ghaselendichter, über den ich mit Pathos sprechen könnte; doch nur lächeln kann ich über den neuen Pythagoräer, der im heutigen Rom die Pfade der Freundschaft dürftig und nüchtern und ängstlich dahinschleicht, mit seinem hellen Gesichte von liebloser Jugend abgewiesen wird und nachher bei kümmerlichem Öllämpchen sein Ghaselchen ausseufzt. Interessant in solcher Hinsicht ist die Vergleichung der Platenschen Gedichtchen mit dem Petron[43]. Bei diesem ist schroffe, antike, plastisch heidnische Offenheit; Graf Platen hingegen, trotz seinem Pochen auf Klassizität, behandelt seinen Gegenstand vielmehr romantisch, verschleiernd, sehnsüchtig, pfäffisch – ich muß hinzusetzen: heuchlerisch. Denn der Graf vermummt sich manchmal in fromme Gefühle, er vermeidet die genaueren Geschlechtsbezeichnungen; nur die Eingeweihten sollen klar sehen; gegen den großen Haufen glaubt er sich genugsam versteckt zu haben, wenn er das Wort Freund manchmal ausläßt, und es geht ihm dann wie dem Vogel Strauß, der sich hinlänglich verborgen glaubt, wenn er den Kopf in den Sand gesteckt, so daß nur der Steiß sichtbar bleibt. Unser erlauchter Vogel hätte besser getan, wenn er den Steiß in den Sand versteckt und uns den Kopf gezeigt hätte. In der Tat, er ist mehr ein Mann von Steiß als ein Mann von Kopf, der Name Mann überhaupt paßt nicht für ihn, seine Liebe hat einen passiv pythagoräischen Charakter, er ist in seinen Gedichten ein Pathikos, er ist ein Weib, und zwar ein Weib, das sich an gleich Weibischem ergötzt,

---

[42] cuncta denique spectata quae etiam in femina nox operit = ja alles ward zur Schau gelegt, was selbst beim Weibe die Nacht verhüllt. (Tacitus, Annalen, Buch 15, Kapitel 37).   [43] Petronius Arbiter, römischer Schriftsteller. Sein Roman ›Saturae‹ ist eine großartige Sittenschilderung von zügellosem Witz und Realismus.

er ist gleichsam eine männliche Tribade. Diese ängstlich schmiegsame Natur duckt durch alle seine Liebesgedichte, er findet immer einen neuen Schönheitsfreund, überall in diesen Gedichten sehen wir Polyandrie, und wenn er auch sentimentalisiert:

>Du liebst und schweigst – O hätt' ich auch geschwiegen
Und meine Blicke nun an dich verschwendet!
O hätt' ich nie ein Wort dir zugewendet,
So müßt' ich keinen Kränkungen erliegen!
Doch diese Liebe möcht' ich nie besiegen,
Und weh dem Tag, an dem sie frostig endet!
Sie ward aus jenen Räumen uns gesendet,
Wo selig Engel sich an Engel schmiegen –«

so denken wir doch gleich an die Engel, die zu Loth, dem Sohne Harans, kamen und nur mit Not und Mühe den zärtlichsten Anschmiegungen entgingen, wie wir lesen im Pentateuch, wo leider die Ghaselen und Sonette nicht mitgeteilt sind, die damals vor Loths Türe gedichtet wurden. Überall in den Platenschen Gedichten sehen wir den Vogel Strauß, der nur den Kopf verbirgt, den eiteln ohnmächtigen Vogel, der das schönste Gefieder hat und doch nicht fliegen kann und zänkisch humpelt über die polemische Sandwüste der Literatur. Mit seinen schönen Federn ohne Schwungkraft, mit seinen schönen Versen ohne poetischen Flug bildet er den Gegensatz zu jenem Adler des Gesanges, der minder glänzende Flügel hat, aber sich damit zur Sonne erhebt – ich muß wieder auf den Refrain zurückkommen: der Graf Platen ist kein Dichter.

Von einem Dichter verlangt man zwei Dinge: in seinen lyrischen Gedichten müssen Naturlaute, in seinen epischen oder dramatischen Gedichten müssen Gestalten sein. Kann er sich in dieser Hinsicht nicht legitimieren, so wird ihn der Dichtertitel abgesprochen, selbst wenn seine übrigen Familienpapiere und Adelsdiplome in der größten Ordnung sind. Daß letzteres bei dem Grafen Platen der Fall sein mag, daran zweifle ich nicht, und ich bin überzeugt, er würde mitleidig heiter lächeln, wenn man seinen Grafentitel verdächtig machen wollte; aber wagt es nur, über seinen Dichtertitel mit einer einzigen Xenie den geringsten Zweifel zu verraten – gleich wird er sich ingrimmig niedersetzen und fünfaktige Satiren gegen euch drucken. Denn die Menschen halten um so eifriger auf einen Titel, je zweideutiger und ungewisser der Titulus ist, der sie dazu berechtigt. Vielleicht aber würde der Graf Platen ein Dichter sein, wenn er in einer anderen Zeit lebte, und wenn er außerdem auch ein anderer wäre, als er jetzt ist. Der Mangel an Naturlauten in den Gedichten des Grafen rührt vielleicht daher, daß er in einer Zeit lebt, wo er seine wahren Gefühle nicht nennen darf, wo dieselbe Sitte, die seiner Liebe immer feindlich entgegensteht, ihm sogar verbietet, seine Klage darüber unverhüllt auszusprechen, wo er jede Empfindung ängstlich verkappen muß, um sowenig das Ohr des Publikums als das eines »spröden Schönen« durch eine einzige Silbe zu erschrecken. Diese Angst läßt bei ihm keine eignen Naturlaute aufkommen, sie verdammt ihn, die Gefühle anderer Dichter, gleichsam als untadelhaften, vorgefundenen Stoff, metrisch zu bearbeiten und nötigen Falls zur Vermummung seiner eigenen Gefühle zu gebrauchen. Unrecht geschieht ihm vielleicht, wenn man, solche unglückliche Lage verkennend, behauptet hat, daß Graf Platen auch in der Poesie sich als Graf zeigen und auf Adel halten wolle und uns daher nur Gefühle von bekannter Familie, Gefühle, die schon ihre 64 Ahnen haben, vorführe. Lebte er in der Zeit des römischen Pythagoras, so würde er vielleicht seine eigenen Gefühle freier hervortreten lassen, und er würde vielleicht für einen Dichter gelten. Es würden dann wenigstens die Naturlaute in seinen lyrischen Gedichten nicht vermißt werden – doch der Mangel an Gestalten in seinen Dramen würde noch immer bleiben, solange sich nicht auch seine sinnliche Natur veränderte und er gleichsam ein anderer würde. Die Gestalten, die ich meine, sind nämlich jene selbständigen Geschöpfe, die aus dem schaffenden Dichtergeiste, wie Pallas Athene aus dem Haupte Kronions, vollendet und gerüstet hervortreten, lebendige Traumwesen, deren mystische Geburt, mehr als man glaubt, in wundersam bedingender Beziehung steht mit der sinnlichen Natur des Dichters, so daß solches geistige Gebären demjenigen versagt ist, der selbst nur, als ein unfruchtbares Geschöpf, sich ghaselig hingibt in windiger Weichheit.

Indessen, das sind Privatmeinungen eines Dichters, und ihr Gewicht hängt davon ab, wie weit man an die Kompetenz desselben glauben will. Ich kann nicht umhin zu erwähnen, daß der Graf Platen gar oft dem Publikum versichert, daß er erst späterhin das Bedeutendste dichten werde, wovon man jetzt noch keine Ahnung habe, ja, daß er Iliaden und Odysseen, Klassizitätstragödien und sonstige Unsterblichkeitskollossalgedichte erst dann schreiben werde, wenn er sich nach so und so viel Lustren gehörig vorbereitet habe. Du hast, lieber Leser, diese Ergießungen des Selbstbewußtseins in mühsam gefeilten Versen vielleicht selbst gelesen, und das Versprechen solcher schönen Zukunft war dir vielleicht um so erfreulicher, als der Graf zu gleicher Zeit alle Dichter Deutschlands, außer dem ganz alten Goethe, wie einen Schwarm schlechter Sudler geschildert, die ihm nur im Wege stehen auf der Bahn des Ruhmes, und die so unverschämt seien, jene Lorbeeren und Belohnungen zu pflücken, die nur ihm gebührten.

Was ich in München darüber sprechen hörte, will ich übergehen; aber, der Choronologie wegen, muß ich anführen, daß zu jener Zeit der König von Bayern die Absicht aussprach, irgend einem deutschen Dichter ein Jahrgehalt zu erteilen, ohne damit ein Amt zu verbinden, welches ungewöhnliche Beispiel für die ganze deutsche Literatur von schöner Folge sein konnte. Man sagte mir –

Doch ich will mein Thema nicht verlassen, ich sprach von den Prahlereien des Grafen Platen, der beständig rief: »Ich bin der Poet, der Poet der Poeten! ich werde Iliaden und Odysseen dichten usw.« Ich weiß nicht, was das Publikum von solchen Prahlereien hält, aber ganz genau weiß ich, was ein Dichter davon denkt, nämlich ein wahrer Dichter, der die verschämte Süßigkeit und die geheimen Schauer der Poesie schon empfunden hat und von der Seligkeit dieser Empfindungen, wie ein glücklicher Page, der die verborgene Gunst einer Prinzessin genießt, gewiß nicht auf öffentlichem Markte prahlen wird.

Man hat schon öfter den Grafen Platen wegen solcher Prahlhansereien weidlich gehänselt, und er wußte immer, wie Fallstaff, sich zu entschuldigen. Bei solchen Entschuldigungen kommt ihm ein Talent zu statten, das außerordentlich in seiner Art ist, und das eine besondere Anerkennung verdient. Der Graf Platen weiß nämlich von jedem Flecken, der in seiner eignen Brust ist, auch bei irgend einem großen Manne eine Spur, und sei sie noch so klein, zu entdecken und sich wegen solcher Wahlfleckenverwandtschaft mit ihm zu vergleichen. z. B. von Shakespeares Sonetten weiß er, daß sie an einen jungen Mann und nicht an ein Weib gerichtet sind, und ob solcher verständigen Wahl preist er Shakespeare, vergleicht sich mit ihm – und das ist das einzige, was er von ihm zu sagen hat. Man könnte negativ eine Apologie des Grafen Platen schreiben und behaupten, daß er sich die und die Verirrung noch nicht zu schulden kommen lassen, weil er sich mit dem oder dem großen Manne, dem sie nachgeredet worden, noch nicht verglichen habe. Am genialsten aber und bewunderungswürdigsten zeigte er sich in der Wahl des Mannes, in dessen Leben er unbescheidene Reden entdeckt, und durch dessen Beispiel er seine eigene Prahlerei beschönigen will. Wahrlich, zu einem solchen Zwecke sind die Worte dieses Mannes noch nie zitiert worden – denn es ist kein Geringerer als Jesus Christus selbst, der uns bisher immer für ein Muster der Demut und Bescheidenheit gegolten. Christus hätte jemals geprahlt? der bescheidenste der Menschen, um so bescheidener, als er der göttlichste war? Ja, was bisher allen Theologen entgangen ist, das entdeckte der Graf Platen, denn er insinuiert uns: Christus, als er vor Pilatus gestanden, sei ebenfalls nicht bescheiden gewesen und habe nicht bescheiden geantwortet, sondern als jener ihn frug, bist du der König der Juden? habe er gesprochen: du sagst es. Und so sage auch er, der Graf Platen: »Ich bin es, ich bin der Poet!« – Was nie dem Hasse eines Verächters Christi gelungen ist, das gelang der Exegese selbstverliebter Eitelkeit.

Wie wir wissen, was wir davon zu halten, wenn einer solchermaßen beständig schreit: »Ich bin der Poet!« so wissen wir auch, was es für eine Bewandtnis hat mit den ganz außerordentlichen Gedichten, die der Graf, wenn er die gehörige Reife erlangt, noch dichten will und die seine bisherigen Meisterstücke an Bedeutung so unerhört übertreffen sollen. Wir wissen ganz genau, daß die späteren Werke des wahren Dichters keineswegs bedeutender sind als die früheren, ebensowenig wie ein Weib, je öfter sie gebärt, desto vollkommenere Kinder zur Welt bringt; nein, das erste Kind ist schon ebenso gut wie das zweite – nur das Gebären wird leichter. Die Löwin wirft nicht erst ein Kaninchen, dann ein Häschen, dann ein Hündchen und endlich einen Löwen. Madame Goethe warf gleich ihren jungen Leu, und dieser gab uns, im ersten Wurf, seinen Löwen von Berlichingen. Ebenso warf auch Schiller gleich seine Räuber, an deren Tatze man schon die Löwenart erkannte. Später kam erst die Politur, die Glätte, die Feile, die ›Natürliche Tochter‹ und die ›Braut von Messina‹. Nicht so begab es sich mit dem Grafen Platen, der mit der ängstlichsten Künstelei anfing und von dem der Dichter singt:

> Du, der du sprangst so fertig aus dem Nichts,
> Geleckten und lackierten Angesichts,
> Gleichst einer Spielerei, geschnitzt aus Korke[44].

Indessen, wenn ich meine geheimsten Gedanken aussprechen soll, so gestehe ich, daß ich den Grafen Platen für keinen so großen Narrn halte, wie man wegen jener Prahlsucht und beständigen Selbstberäucherung glauben sollte. Ein bißchen Narrheit, das versteht sich, gehört immer zur Poesie; aber es wäre entsetzlich, wenn die Natur eine so beträchtliche Portion Narrheit, die für hundert große Dichter hinreichen würde, einem einzigen Menschen aufgebürdet und von der Poesie selbst ihm nur eine so unbedeutend geringe Dosis gegeben hätte. Ich habe Gründe zu vermuten, daß der

---

[44] Ein Vers von Karl Immermann.

Herr Graf an seine eigne Prahlerei nicht glaubt, und daß er, dürftig im Leben wie in der Literatur, vielmehr für das Bedürfnis des Augenblicks sein eigner anpreisender Ruffiano sein mußte, in der Literatur wie im Leben. Daher in beiden die Erscheinungen, von denen man sagen konnte, daß sie mehr ein psychologisches als ästhetisches Interesse gewährten, daher zu gleicher Zeit die weinerlichste Seelenerschlaffung und der erlogene Übermut, daher das klägliche Dünnetun mit baldigem Sterben und das drohende Dicktun mit künftiger Unsterblichkeit, daher der auflodernde Bettelstolz und die schmachtende Untertänigkeit, daher das beständige Klagen, »daß ihn Cotta verhungern lasse«, und wiederum Klagen, »daß ihn Cotta verhungern lasse«, daher die Anfälle von Katholizismus usw.

Ob's dem Grafen mit dem Katholizismus ernst ist, daran zweifle ich. Ob er überhaupt katholisch geworden ist wie einige seiner hochgeborenen Freunde, das weiß ich nicht. Daß er es werden wolle, erfuhr ich zuerst aus öffentlichen Blättern, die sogar hinzufügten, der Graf Platen werde Mönch und ginge ins Kloster. Böse Zungen meinten, daß ihm das Gelübde der Armut und die Enthaltung von Weibern nicht schwer fallen würde. Wie sich von selbst versteht, in München klangen bei solchen Nachrichten die frommen Glöcklein in den Herzen seiner Freunde. Mit Kyrie eleison und Halleluja wurden seine Gedichte gepriesen in den Pfaffenblättern; und in der Tat, die heiligen Männer des Cölibats mußten erfreut sein über jene Gedichte, wodurch die Enthaltung vom weiblichen Geschlechte befördert wird. Leider haben meine Gedichte eine andere Tendenz, und daß Pfaffen und Knabensänger nicht davon angesprochen werden, konnte mich zwar betrüben, aber nicht befremden. Ebensowenig befremdete es mich, als ich den Tag vor meiner Abreise nach Italien von meinem Freunde, dem Doktor Kolb, vernahm, daß der Graf Platen sehr feindselig gegen mich gestimmt sei und mir mein Verderben schon bereitet habe in einem Lustspiele, Namens ›König Ödipus‹, das bereits zu Augsburg bei einigen Fürsten und Grafen, deren Namen ich vergessen habe oder vergessen will, angelangt sei. Auch andere erzählten mir, daß mich der Graf Platen hasse und sich mir als Feind entgegenstelle; – und das war mir auf jeden Fall angenehmer, als hätte man mir nachgesagt, daß mich der Graf Platen als Freund hinter meinem Rücken liebe. Was die heiligen Männer betrifft, deren fromme Wut sich zu gleicher Zeit gegen mich kundgab und nicht bloß meiner anticölibatischen Gedichte wegen, sondern auch wegen der ›Politischen Annalen‹, die ich damals herausgab, so konnte ich ebenfalls nur gewinnen, wenn man deutlich sah, daß ich keiner der Ihrigen sei. Wenn ich hiermit andeute, daß man nichts Gutes von ihnen sagt, so sage ich darum noch nichts Böses von ihnen. Ich bin sogar der Meinung, daß sie, nur aus Liebe zum Guten, durch frommen Betrug und gottgefällige Verleumdung das Wort der Bösen entkräftigen möchten, und daß sie diesen nur für einen solchen edlen Zweck, der jedes Mittel heiligt, nicht bloß die geistigen Lebensquellen, sondern auch die materiellen zu verschütten suchen. Man hat jene guten Leute, die sich in München sogar öffentlich als Kongregation präsentierten, törichterweise mit dem Namen Jesuiten beehrt. Sie sind wahrlich keine Jesuiten, sonst hätten sie eingesehen, daß z. B. ich, einer von den Bösen, schlimmstenfalls die literarisch-alchimistische Kunst verstehe, aus meinen Feinden selbst Dukaten zu schlagen, dergestalt, daß ich dabei die Dukaten bekomme und meine Feinde die Schläge; – sie hätten eingesehen, daß solche Schläge nichts von ihrem Gehalte verlieren, wenn man auch den Namen des Schlagenden aviliert, wie der arme Sünder den Staupbesen nicht minder stark fühlt, obgleich der Scharfrichter, der ihn erteilt, für unehrlich erklärt wird; – und was die Hauptsache ist, sie hätten eingesehen, daß etwas Vorliebe für den antiaristokratischen Voß und einige arglose Muttergotteswitze, weshalb sie mich zuerst mit Kot und Dummheit angriffen, nicht aus antikatholischem Eifer hervorgegangen. Wahrlich, sie sind keine Jesuiten, sondern nur Mischlinge von Kot und Dummheit, die ich ebensowenig wie eine Mistkarre und den Ochsen, der sie zieht, zu hassen vermag, und die mit allen ihren Anstrengungen nur das Gegenteil ihrer Absicht erreichen und mich nur dahin bringen könnten: daß ich ihnen zeige, wie sehr ich Protestant bin, daß ich mein gutes protestantisches Recht in seiner weitesten Ermächtigung ausübe und die gute protestantische Streitaxt mit Herzenslust handhabe. Sie könnten dann immerhin, um den Plebs zu gewinnen, die alten Weiberlegenden von meiner Ungläubigkeit durch ihren Leibpoeten in Verse bringen lassen – an den wohlbekannten Schlägen sollten sie schon den Glaubensgenossen eines Luthers, Lessings und Voß erkennen. Freilich, ich würde nicht mit dem Ernste dieser Heroen die alte Axt schwingen – denn der Anblick der Gegner bringt mich leicht zum Lachen, und ich bin ein bißchen Eulenspiegeliger Natur und liebe eine Beimischung von Spaß – aber ich würde jenen Mistochsen nicht minder stark vor den Kopf schlagen, wenn ich auch vorher mit lachenden Blumen meine Axt umkränzte.

Doch ich will mein Thema nicht zu weit verlassen. Ich glaube, es war um jene Zeit, daß der König von Bayern in schon erwähnter Absicht dem Grafen Platen ein Jahrgehalt von sechshundert Gulden gab, und zwar nicht aus der Staatskasse, sondern aus der königlichen Privatkasse, wie es sich der Graf als besondere Gnade gewünscht hatte. Letzteren Umstand, der die Kaste charakterisiert, so geringfügig er auch erscheint, erwähne ich nur als Notiz für den Naturforscher, der vielleicht Beobachtungen über den Adel macht. In der Wissenschaft ist alles wichtig. Wer mir vorwerfen möchte, daß ich den Grafen Platen zu wichtig nehme, der gehe nach Paris und sehe, wie sorgfältig der feine, zierliche Cuvier in seinen Vorlesungen das unreinste Insekt mit dem genauesten Detail schildert. Es ist mir deshalb auch sogar leid, daß ich das Datum jener 600 Gulden nicht genauer konstatieren kann; so viel weiß ich aber, daß der Graf Platen den ›König Ödipus‹ früher verfertigt hatte und daß dieser nicht so bissig geworden wäre, wenn der Verfasser mehr zu beißen gehabt hätte.

In Norddeutschland, wohin mich plötzlich der Tod meines Vaters zurückrief, erhielt ich endlich das ungeheure Geschöpf, das dem großen Ei, worüber unser schöngefiederter Vogel Strauß so lange gebrütet, endlich entkrochen war und das die Nachteulen der Kongregation mit frommem Gekrächze und die adeligen Pfauen mit freudigem Radschlagen schon lange im voraus begrüßt hatten. Es sollte nichts Minderes als ein verderblicher Basilisk sein. Kennst du, lieber Leser, die Sage von dem Basilisk? Das Volk erzählt: wenn ein männlicher Vogel, wie ein Weib, ein Ei gelegt, so entstände daraus ein giftiges Geschöpf, dessen Hauch die Luft verpeste und das man nur dadurch töten könne, daß man ihm einen Spiegel vorhalte, indem es alsdann über den Anblick seiner eigenen Scheußlichkeit vor Schrecken sterbe.

Heilige Schmerzen, die ich nicht entweihen wollte, erlaubten es mir erst zwei Monat später, als ich auf der Insel Helgoland badete, den ›König Ödipus‹ zu lesen, und dort, großgestimmt von dem beständigen Anblick des großen, kühnen Meers, mußte mir die kleinliche Gesinnung und die Altflickerei des hochgeborenen Verfassers recht anschaulich werden. Jenes Meisterwerk zeigte mir ihn endlich ganz, wie er ist, mit all seiner blühenden Welkheit, seinem Überfluß an Geistesmangel, seiner Einbildung ohne Einbildungskraft, ganz wie er ist, forciert ohne Force, pikiert ohne pikant zu sein, eine trockne Wasserseele, ein trister Freudenjunge. Dieser Troubadour des Jammers, geschwächt an Leib und Seele, versuchte es, den gewaltigsten, phantasiereichsten und witzigsten Dichter der jugendlichen Griechenwelt nachzuahmen! Nichts ist wahrlich widerwärtiger als diese krampfhafte Ohnmacht, die sich wie Kühnheit aufblasen möchte, diese mühsam zusammengetragenen Invektiven, denen der Schimmel des verjährten Grolls anklebt, und dieser silbenstecherisch ängstlich nachgeahmte Geistestaumel. Wie sich von selbst versteht, zeigt sich in des Grafen Werk keine Spur von einer tiefen Weltvernichtungsidee, die jedem Aristophanischen Lustspiele zum Grunde liegt und die darin, wie ein phantastisch-ironischer Zauberbaum, emporschießt mit blühendem Gedankenschmuck, singenden Nachtigallnestern und kletternden Affen. Eine solche Idee mit dem Todesjubel und dem Zerstörungsfeuerwerk, das dazu gehört, durften wir freilich von dem armen Grafen nicht erwarten. Der Mittelpunkt, die erste und letzte Idee, Grund und Zweck seines sogenannten Lustspiels, besteht, wie bei der verhängnisvollen Gabel, wieder in geringfügig literarischen Händeln, der arme Graf konnte nur einige Äußerlichkeiten des Aristophanes nachahmen, nämlich die feinen Verse und die groben Worte. Ich sage: grobe Worte, weil ich keinen gröbern Ausdruck brauchen will. Wie ein keifendes Weib gießt er ganze Blumentöpfe von Schimpfreden auf die Häupter der deutschen Dichter. Ich will dem Grafen herzlich gern seinen Groll verzeihen, aber er hätte doch einige Rücksichten beobachten müssen. Er hätte wenigstens das Geschlecht in uns ehren sollen, da wir keine Weiber sind, sondern Männer, und folglich zu einem Geschlechte gehören, das nach seiner Meinung das schöne Geschlecht ist und das er so sehr liebt. Es bleibt dieses immer ein Mangel an Delikatesse, mancher Jüngling wird deshalb an seinen Huldigungen zweifeln, da jeder fühlt, daß der Wahrhaftliebende auch das ganze Geschlecht verehrt. Der Sänger Frauenlob war gewiß nie grob gegen irgend ein Weib, und ein Platen sollte daher mehr Achtung zeigen gegen Männer. Aber der Undelikate! ohne Scheu erzählt er dem Publikum: Wir Dichter in Norddeutschland hätten alle die »Krätze, wofür wir leider eine Salbe brauchten, die als mephitisch er vor vielen schätze«. Der Reim ist gut. Am unzartesten ist er gegen Immermann. Schon im Anfang seines Gedichts läßt er diesen hinter einer spanischen Wand Dinge tun, die ich nicht nennen darf und die dennoch nicht zu widerlegen sind. Ich halte es sogar für wahrscheinlich, daß Immermann schon solche Dinge getan hat. Es ist aber charakteristisch, daß die Phantasie des Grafen Platen sogar seine Feinde a posteriori zu belauschen weiß. Er schonte nicht einmal Houwald, diese gute Seele, sanft wie ein Mädchen – ach, vielleicht eben dieser holden Weiblichkeit wegen haßt ihn ein Platen. Müllner, den er, wie er sagt, schon längst »durch wirklichen Witz urkräftig erlegt«, dieser Tote wird wieder aus dem Grabe gescharrt. Kind und Kindeskind bleiben nicht unangetastet. Raupach ist ein Jude,

»Das Jüdchen Raupel –
Das jetzt als Raupach trägt so hoch die Nase«

»schmiert Tragödien im Katzenjammer«. Noch weit schlimmer er-
geht es dem »getauften Heine«. Ja, ja, du irrst dich nicht, lieber
Leser, das bin ich, den er meint, und im ›König Ödipus‹ kannst du
lesen, wie ich ein wahrer Jude bin, wie ich, wenn ich einige Stunden
Liebeslieder geschrieben, gleich darauf mich niedersetze und Dukaten beschneide, wie ich am Sabbat mit langbärtigen Mauscheln zu-
sammenhocke und den Talmud singe, wie ich in der Osternacht
einen unmündigen Christen schlachte und aus Malice immer einen
unglücklichen Schriftsteller dazu wähle – Nein, lieber Leser, ich will
dich nicht belügen, solche gute, ausgemalte Bilder stehen nicht im
›König Ödipus‹, und daß sie nicht darin stehen, das nur ist der
Fehler, den ich tadele. Der Graf Platen hat zuweilen die besten
Motive und weiß sie nicht zu benutzen. Hätte er nur ein bißchen
mehr Phantasie, so würde er mich wenigstens als geheimen Pfänder-
verleiher geschildert haben; welche komische Szenen hätten sich
dargeboten! Es tut mir in der Seele weh, wenn ich sehe, wie sich der
arme Graf jede Gelegenheit zu guten Witzen vorbeigehen lassen!
Wie kostbar hätte er Raupach benutzen können als Tragödien-
Rothschild, bei dem die königlichen Bühnen ihre Anleihen machen!
Den Ödipus selbst, die Hauptperson seines Lustspiels, hätte er durch
einige Modifikationen in der Fabel des Stückes ebenfalls besser benutzen können. Statt daß er ihn den Vater Lajus töten und die
Mutter Jokaste heiraten ließ, hätte es im Gegenteil so einrichten
sollen, daß Ödipus seine Mutter tötet und seinen Vater heiratet.
Das dramatische Drastische in einem solchen Gedichte hätte dem
Platen meisterhaft gelingen müssen, seine eigene Gefühlsrichtung
wäre ihm dabei zu statten gekommen, er hätte manchmal, wie eine
Nachtigall, nur die Regungen der eignen Brust zu besingen gebraucht, er hätte ein Stück geliefert, das, wenn der ghaselige Iffland
noch lebte, gewiß in Berlin gleich einstudiert worden wäre und das
man auch jetzt auf Privatbühnen geben würde. Ich kann mir nichts
Vollendeteres denken als den Schauspieler Wurm[45] in der Rolle eines
solchen Ödipus. Er würde sich selbst übertreffen. Dann finde ich es
auch nicht politisch vom Grafen, daß er in seinem Lustspiele versichert, er habe »wirklichen Witz«. Oder arbeitet er vielleicht auf
den Überraschungseffekt, auf den Theatercoup, daß dadurch das
Publikum beständig Witz erwarten und dieser am Ende doch nicht

[45] Ein beliebter Komiker (gest. 1834); er gehörte einige Zeit dem Berliner Schau-
spielhause an.

erscheinen soll? Oder will er vielmehr das Publikum aufmuntern, den Wirkl. Geh. Witz im Stücke zu suchen, und das Ganze wäre nur ein Blindekuhspiel, wo der Platensche Witz so schlau ist, sich nie ertappen zu lassen? Deshalb vielleicht ist auch das Publikum, das sonst bei Lustspielen zu lachen pflegt, bei der Lektüre des Platenschen Stücks so verdrießlich, es kann den versteckten Witz nicht finden, vergebens piept der versteckte Witz und piept immer lauter: hier bin ich! hier bin ich wirklich! – vergebens, das Publikum ist dumm und macht ein ernsthaftes Gesicht. Ich aber, der ich weiß, wo der Witz steckt, habe herzlich gelacht, als ich von dem »gräflichen, herrschsüchtigen Dichter« las, der sich in einen aristokratischen Nimbus hüllt, der von sich rühmt, »daß jeder Hauch, der zwischen seine Zähne komme, eine Zermalmung sei«, und der zu allen deutschen Dichtern sagt:

> »Ja, gleichwie Nero, wünsch' ich euch nur Ein Gehirn,
> Durch einen einzigen Witzeshieb zu spalten es –«

Der Vers ist schlecht. Der versteckte Witz aber besteht darin: daß der Graf eigentlich wünscht, wir wären alle lauter Neronen und er, im Gegenteil, unser einziger lieber Freund Pythagoras.

Vielleicht würde ich zum Besten des Grafen noch manchen anderen versteckten Witz hervorloben, doch da er mir in seinem ›König Ödipus‹ das Liebste angegriffen – und was könnte mir lieber sein als mein Christentum? – so ist es mir nicht zu verdenken, wenn ich, menschlich gesinnt, den Ödipus, diese »große Tat in Worten«, minder ernstlich als die früheren Tätigkeiten würdige.

Indessen, das wahre Verdienst hat immer seinen Lohn gefunden, und dem Verfasser des Ödipus wird der seinige nicht entgehen, obgleich er sich auch hier, wie immer, nur dem Einfluß seiner adeligen und geistlichen Hintersassen hingab. Ja, es geht eine uralte Sage unter den Völkern des Orients und Okzidents, daß jede gute oder böse Tat ihre nächsten Folgen habe für den Täter. Und kommen wird der Tag, wo sie kommen – mach dich darauf gefaßt, lieber Leser, daß ich jetzt etwas in Pathos gerate und schauerlich werde – kommen wird der Tag, wo sie dem Tartaros entsteigen, die furchtbaren Töchter der Nacht, ›die Eumeniden‹. Beim Styx! – bei diesem Flusse schwören wir Götter niemals falsch – kommen wird der Tag, wo sie erscheinen, die dunkeln, urgerechten Schwestern, sie werden erscheinen mit schlangengelockten, roterzürnten Gesichtern, mit denselben Schlangengeißeln, womit sie einst den Orestes geißelt, den unnatürlichen Sünder, der die Mutter gemordet, die tyndaridische Klytämnestra. Vielleicht hört der Graf schon jetzt die Schlan-

gen zischen – ich bitte dich, lieber Leser, denk dir jetzt die Wolfs-
schlucht und Samielmusik – Vielleicht erfaßt den Grafen schon jetzt
das geheime Sündergrauen, der Himmel verdüstert sich, Nachtge-
vögel kreischt, ferne Donner rollen, es blitzt, es riecht nach Kolo-
phonium. Wehe! Wehe! die erlauchten Ahnen steigen aus den Gräbern, sie rufen noch drei- bis viermal Wehe! Wehe! über den kläg-
lichen Enkel, sie beschwören ihn, ihre alten Eisenhosen anzuziehen,
um sich zu schützen vor den entsetzlichen Ruten – denn die Eumeniden werden ihn damit zerfetzen, die Geißelschlangen werden sich
ironisch an ihm vergnügen, und wie der buhlerische König Rodrigo,
als man ihn in den Schlangenturm gesperrt, wird auch der arme
Graf am Ende wimmern und winseln:

> Ach! sie fressen, ach! sie fressen,
> Womit meistens ich gesündigt.

Entsetze dich nicht, lieber Leser, es ist ja alles nur Scherz. Diese
furchtbaren Eumeniden sind nichts als ein heiteres Lustspiel, das ich,
nach einigen Lustren, unter diesem Titel schreiben werde, und die
tragischen Verse, die dich eben erschreckt, stehen in dem allerlustig-
sten Buche von der Welt, ›Don Quichotte von la Mancha‹, wo
eine alte, anständige Hofdame sie in Gegenwart des ganzen Hofes
recitiert. Ich sehe, du lächelst wieder. Laß uns heiter und lachend
voneinander Abschied nehmen. Wenn dieses letzte Kapitel etwas
langweilig war, so lag's nur an dem Gegenstande; auch schrieb ich
es mehr zum Nutzen als zur Lust, und wenn es mir gelungen ist,
einen neuen Narrn auch für die Literatur brauchbar gemacht zu haben, wird mir das Vaterland Dank schuldig sein. Ich habe das Feld
urbar gemacht, worauf geistreichere Schriftsteller säen und ernten
werden. Das bescheidene Bewußtsein dieses Verdienstes ist mein
schönster Lohn.

Für etwaige Könige, die mir dafür noch extra eine Tabatiere
schicken wollen, bemerke ich, daß die Buchhandlung ›Hoffmann
und Campe in Hamburg‹ Order hat, dergleichen für mich in Empfang zu nehmen.

Geschrieben im Spätherbst des Jahres 1829.

DIE STADT LUCCA

Die umgebende Natur wirkt auf den Menschen – warum nicht auch der Mensch auf die Natur, die ihn umgibt? In Italien ist sie leidenschaftlich wie das Volk, das dort lebt; bei uns in Deutschland ist sie ernster, sinniger und geduldiger. Hatte einst wie die Menschen auch die Natur mehr inneres Leben? Die Gemütskraft eines Orpheus, sagt man, konnte Bäume und Steine nach begeisterten Rhythmen bewegen. Könnte noch jetzt dergleichen geschehen? Menschen und Natur sind phlegmatisch geworden und gähnen sich einander an. Ein königl. Preuß. Poet wird nimmermehr, mit den Klängen seiner Leier, den Templower Berg oder die Berliner Linden zum Tanzen bringen können.

Auch die Natur hat ihre Geschichte, und das ist eine andere Naturgeschichte als wie die, welche in Schulen gelehrt wird. Irgend eine von jenen grauen Eidechsen, die schon seit Jahrtausenden in den Felsenspalten des Apennins leben, sollte man als ganz außerordentliche Professorin bei einer unserer Universitäten anstellen, und man würde ganz außerordentliche Dinge zu hören bekommen. Aber der Stolz einiger Herren von der juristischen Fakultät würde sich gegen eine solche Anstellung auflehnen. Hegt doch einer von ihnen schon jetzt eine geheime Eifersucht gegen den armen Fido Savant, fürchtend, daß dieser ihn einst im gelehrten Apportieren ersetzen könnte.

Die Eidechsen mit ihren klugen Schwänzchen und spitzfündigen Äuglein haben mir wunderbare Dinge erzählt, wenn ich einsam zwischen den Felsen der Apenninen umherkletterte. Wahrlich, es gibt Dinge zwischen Himmel und Erde, die nicht bloß unsere Philosophen, sondern sogar die gewöhnlichsten Dummköpfe nicht begreifen.

Die Eidechsen haben mir erzählt, es gebe eine Sage unter den Steinen, daß Gott einst Stein werden wolle, um sie aus ihrer Starrheit zu erlösen. Eine alte Eidechse meinte aber, diese Steinwerdung würde nur dann stattfinden, wenn Gott bereits in alle Tier- und Pflanzenarten sich verwandelt und sie erlöst habe.

Nur wenige Steine haben Gefühl, und nur im Mondschein atmen sie. Aber diese wenige Steine, die ihren Zustand fühlen, sind schrecklich elend. Die Bäume sind viel besser daran, sie können weinen. Die Tiere aber sind am meisten begünstigt, denn sie können sprechen, jedes nach seiner Art und die Menschen am besten. Einst, wenn die ganze Welt erlöst ist, werden alle anderen Erschaffnisse ebenfalls sprechen können, wie in jenen uralten Zeiten, wovon die Dichter singen.

Die Eidechsen sind ein ironisches Geschlecht und betören gern die anderen Tiere. Aber sie waren gegen mich so demütig, sie seufzten so ehrlich, sie erzählten mir Geschichten von Atlantis, die ich nächstens aufschreiben will, zu Nutz und Frommen der Welt. Es ward mir so innig zu Mute bei den kleinen Wesen, die gleichsam die geheimen Annalen der Natur aufbewahren. Sind es etwa verzauberte Priesterfamilien, gleich denen des alten Ägyptens, die ebenfalls naturbelauschend in labyrinthischen Felsengrotten wohnten? Auf ihren Köpfchen, Leibchen und Schwänzchen blühen so wunderbare Zeichenbilder wie auf ägyptischen Hieroglyphenmützen und Hierophatenröcken.

Meine kleinen Freunde haben mich auch eine Zeichensprache gelehrt, vermittelst welcher ich mit der stummen Natur zu sprechen vermag. Dieses erleichtert mir oft die Seele, besonders gegen Abend, wenn die Berge in schaurig-süßen Schatten gehüllt stehen und die Wasserfälle rauschen und alle Pflanzen duften und hastige Blitze hin und her zucken –

O Natur! du stumme Jungfrau! wohl verstehe ich dein Wetterleuchten, den vergeblichen Redeversuch, der über dein schönes Antlitz dahinzuckt, und du dauerst mich so tief, daß ich weine. Aber alsdann verstehst du auch mich, und du heiterst dich auf und lachst mich an aus goldnen Augen. Schöne Jungfrau, ich verstehe deine Sterne, und du verstehst meine Tränen!

ZWEITES KAPITEL

»Nichts in der Welt will rückwärts gehen«, sagte mir ein alter Eidechs, »alles strebt vorwärts, und am Ende wird ein großes Naturavancement stattfinden. Die Steine werden Pflanzen, die Pflanzen werden Tiere, die Tiere werden Menschen, und die Menschen werden Götter werden.«

»Aber«, rief ich, »was soll denn aus diesen guten Leuten, aus den armen alten Göttern werden?«

»Das wird sich finden, lieber Freund«, antwortete jener; »wahrscheinlich danken sie ab oder werden auf irgend eine ehrende Art in den Ruhestand versetzt.«

Ich habe von meinem hieroglyphenhäutigen Naturphilosophen noch manches andre Geheimnis erfahren; aber ich gab mein Ehrenwort, nichts zu enthüllen. Ich weiß jetzt mehr als Schelling und Hegel.

»Was halten Sie von diesen beiden?« frug mich der alte Eidechs mit einem höhnischen Lächeln, als ich mal diese Namen gegen ihn erwähnte.

»Wenn man bedenkt«, antwortete ich, »daß sie bloß Menschen und keine Eidechsen sind, so muß man über das Wissen dieser Leute sehr erstaunen. Im Grunde lehren sie eine und dieselbe Lehre, die Ihnen wohlbekannte Identitätsphilosophie, nur in der Darstellungsart unterscheiden sie sich. Wenn Hegel die Grundsätze seiner Philosophie aufstellt, so glaubt man jene hübschen Figuren zu sehen, die ein geschickter Schulmeister, durch eine künstliche Zusammenstellung von allerlei Zahlen, zu bilden weiß, dergestalt, daß ein gewöhnlicher Beschauer nur das Oberflächliche, nur das Häuschen oder Schiffchen oder absolute Soldätchen sieht, das aus jenen Zahlen formiert ist, während ein denkender Schulknabe in der Figur selbst vielmehr die Auflösung eines tiefen Rechenexempels erkennen kann. Die Darstellungen Schellings gleichen mehr jenen indischen Tierbildern, die aus allerlei anderen Tieren, Schlangen, Vögeln, Elefanten und dergleichen lebendigen Ingredienzien, durch abenteuerliche Verschlingungen, zusammengesetzt sind. Diese Darstellungsart ist viel anmutiger, heiterer, pulsierend wärmer, alles darin lebt, statt daß die abstrakt Hegelschen Chiffern uns so grau, so kalt und tot anstarren.«

»Gut, gut«, erwiderte der alte Eidechserich, »ich merke schon, was Sie meinen; aber sagen Sie mir, haben diese Philosophen viele Zuhörer?«

Ich schilderte ihm nun, wie in der gelehrten Karawanserai zu Berlin die Kamele sich sammeln um den Brunnen Hegelscher Weisheit, davor niederknien, sich die kostbaren Schläuche aufladen lassen und damit weiter ziehen durch die Märksche Sandwüste. Ich schilderte ihm ferner, wie die neuen Athener um den Springquell des Schellingschen Geistestranks sich drängen, als wäre es das beste Bier, Breihahn[1] des Lebens, Gesöffe der Unsterblichkeit –

Den kleinen Naturphilosophen überlief der gelbe Neid, als er hörte, daß seine Kollegen sich so großen Zuspruchs erfreuen, und ärgerlich frug er: »Welchen von beiden halten Sie für den größten?« – »Das kann ich nicht entscheiden«, gab ich zur Antwort, »ebensowenig wie ich entscheiden könnte, ob die Schechner[2] größer sei als die Sontag, und ich denke –«

»Denke!« rief der Eidechs mit einem scharfen, vornehmen Tone der tiefsten Geringschätzung, »denken! wer von euch denkt? Mein weiser Herr, schon an die dreitausend Jahre mache ich Untersuchun-

---

[1] Breihahn, eigentlich Broihahn, ein nach seinem Erfinder benanntes Bier.
[2] Nanette Schechner (1806–1860), berühmte Sängerin.

gen über die geistigen Funktionen der Tiere, ich habe besonders Menschen, Affen und Schlangen zum Gegenstand meines Studiums gemacht, ich habe so viel Fleiß auf diese seltsamen Geschöpfe verwendet wie Lyonnet[3] auf seine Weidenraupen, und als Resultat aller meiner Beobachtungen, Experimente und anatomischen Vergleichungen kann ich Ihnen bestimmt versichern: kein Mensch denkt, es fällt nur dann und wann den Menschen etwas ein, solche ganz unverschuldete Einfälle nennen sie Gedanken, und das Aneinanderreihen derselben nennen sie Denken. Aber in meinem Namen können Sie es wiedersagen: kein Mensch denkt, kein Philosoph denkt, weder Schelling noch Hegel denkt, und was gar ihre Philosophie betrifft, so ist sie eitel Luft und Wasser wie die Wolken des Himmels; ich habe schon unzählige solcher Wolken stolz und sicher über mich hinziehen sehen, und die nächste Morgensonne hat sie aufgelöst in ihr ursprüngliches Nichts; – es gibt nur eine einzige wahre Philosophie, und diese steht, in ewigen Hieroglyphen, auf meinem eigenen Schwanze.«

Bei diesen Worten, die mit einem dedaignanten Pathos gesprochen wurden, drehte mir der alte Eidechs den Rücken, und indem er langsam fortschwänzelte, sah ich darauf die wunderlichsten Charaktere, die sich in bunter Bedeutsamkeit bis über den ganzen Schwanz hinabzogen.

DRITTES KAPITEL

Auf dem Wege zwischen den Bädern von Lucca und der Stadt dieses Namens, unweit von dem großen Kastanienbaume, dessen wildgrüne Zweige den Bach überschatten, und in Gegenwart eines alten, weißbärtigen Ziegenbocks, der dort einsiedlerisch weidete, wurde das Gespräch geführt, das ich im vorigen Kapitel mitgeteilt habe. Ich ging nach der Stadt Lucca, um Franscheska und Mathilde zu suchen, die ich unserer Verabredung gemäß schon vor acht Tagen dort treffen sollte. Ich war aber zur bestimmten Zeit vergebens hingereist, und ich hatte mich jetzt zum zweitenmale auf den Weg gemacht. Ich ging zu Fuße, längs den schönen Bergen und Baumgruppen, wo die goldnen Orangen wie Sterne des Tages aus dem dunklen Grün hervorleuchteten und Guirlanden von Weinreben in festlichen Windungen sich meilenweit hinzogen. Das ganze Land ist dort so gartenhaft und geschmückt wie bei uns die ländlichen Szenen, die auf dem Theater dargestellt werden; auch die Landleute selbst gleichen jenen bunten Gestalten, die uns dann als singende,

[3] P. Lyonnet (1707–1789), ein hervorragender Naturforscher.

lächelnde und tanzende Staffage ergötzen. Nirgends Philisterge-sichter. Und gibt es hier auch Philister, so sind es doch italienische Orangenphilister und keine plump deutschen Kartoffelphilister. Pittoresk und idealisch wie das Land sind auch die Leute, und da-bei trägt jeder Mann einen so individuellen Ausdruck im Gesicht und weiß in Stellung, Faltenwurf des Mantels und nötigen Falls in Handhabung des Messers seine Persönlichkeit geltend zu machen. Dagegen bei uns zu Lande lauter Menschen mit allgemeinen, gleich-förmlichen Physiognomien; wenn ihrer zwölf beisammen sind, bil-den sie ein Dutzend, und wenn einer sie dann angreift, rufen sie die Polizei.

Auffallend war mir, im Luccesischen wie im größten Teile Tos-canas tragen die Frauenzimmer große, schwarze Filzhüte mit her-abwallend schwarzen Straußfedern; sogar die Strohflechterinnen tragen dergleichen schwere Hauptbedeckung. Die Männer hingegen tragen meistens einen leichten Strohhut, und junge Burschen erhal-ten solchen zum Geschenk von einem Mädchen, das ihn selbst ver-fertigt, ihre Liebesgedanken und vielleicht auch manchen Seufzer hineingeflochten. So saß einst Franscheska unter den Mädchen und Blumen des Arnotals und flocht einen Hut für ihren caro Cecco und küßte jeden Strohhalm, den sie dazu nahm, und trillerte ihr hübsches Occhie, Stelle mortale; – das lockigte Haupt, das den hüb-schen Hut nachher so hübsch trug, hat jetzt eine Tonsur, und der Hut selbst hängt, alt und abgenutzt, im Winkel eines trüben Ab-batestübchens zu Bologna.

Ich gehöre zu den Leuten, die immer gern einen kürzeren Weg nehmen, als die Landstraße bietet, und denen es alsdann wohl be-gegnet, daß sie sich auf engen Holz- und Felsenpfaden verirren. Das geschah auch hier, und ich habe zu meiner Reise nach Lucca gewiß doppelt soviel Zeit gebraucht als gewöhnliche Landstraßmenschen. Ein Sperling, den ich um den Wag frug, zwitscherte und zwit-scherte und konnte mir doch keinen rechten Bescheid geben. Viel-leicht auch wußte er ihn selbst nicht. Den Schmetterlingen und Li-bellen, die auf großen Glockenblumen saßen, konnte ich kein Wort abgewinnen; sie waren schon davon geflattert, ehe sie noch meine Fragen vernommen, und die Blumen schüttelten ihre tonlosen Glok-kenhäupter. Manchmal weckten mich die wilden Myrten, die mit feinen Stimmchen aus der Ferne kicherten. Hastig erklomm ich dann die höchsten Felsenspitzen und rief: »Ihr Wolken des Himmels! Segler der Lüfte! sagt mir, wo geht der Weg nach Franscheska? Ist sie in Lucca? Sagt mir, was tut sie? was tanzt sie? Sagt mir alles, und wenn ihr mir alles gesagt habt, so sagt es mir nochmals!«

Bei solcher Überfülle von Torheit konnte es wohl geschehen, daß ein ernster Adler, den mein Ruf aus seinen einsamen Träumen aufgestört, mich mit geringschätzendem Unmute ansah. Aber ich verzieh's ihm gerne; denn er hatte niemals Franscheska gesehen, und daher konnte er noch immer so erhabenmütig auf seinem festen Felsen sitzen und so seelenfrei zum Himmel emporstarren oder so impertinent ruhig auf mich herabglotzen. So ein Adler hat einen unerträglich stolzen Blick und sieht einen an, als wollte er sagen: »Was bist du für ein Vogel? Weißt du wohl, daß ich noch immer ein König bin, ebensogut wie in jenen Heldenzeiten, als ich Jupiters Blitze trug und Napoleons Fahnen schmückte? Bist du etwa ein gelehrter Papagoi, der die alten Lieder auswendig gelernt hat und pedantisch nachplappert? Oder eine vermüffte Turteltaube, die schön fühlt und miserabel gurrt? Oder eine Allmanachsnachtigall? Oder ein abgestandener Gänserich, dessen Vorfahren das Kapitol gerettet? Oder gar ein serviler Haushahn, dem man aus Ironie das Emblem des kühnen Fliegens, nämlich mein Miniaturbild, um den Hals gehängt hat und der sich deshalb so mächtig spreizt, als wäre er nun selbst ein Adler?« Du weißt, lieber Leser, wie wenig Ursache ich habe, mich beleidigt zu fühlen, wenn ein Adler dergleichen von mir dachte. Ich glaube, der Blick, den ich ihm zurückwarf, war noch stolzer als der seinige, und wenn er sich bei dem ersten besten Lorbeerbaume erkundigt hat, so weiß er jetzt, wer ich bin.

Ich war wirklich im Gebirge verirrt, als schon die Dämmerung hereinbrach und die bunten Waldlieder allmählich verstummten und die Bäume immer ernsthafter rauschten. Eine erhabene Heimlichkeit und innige Feier zog, wie der Odem Gottes, durch die verklärte Stille. Hie und da aus dem Boden blickte ein schönes dunkles Auge zu mir herauf und verschwand im selben Augenblick. Zärtliches Flüstern tändelte mir ums Herz, und unsichtbare Küsse berührten luftig meine Wangen. Das Abendrot umhüllte die Berge wie mit Purpurmänteln, und die letzten Sonnenstrahlen beleuchteten ihre Gipfel, daß es aussah, als wären sie Könige mit goldenen Kronen auf den Häuptern. Ich aber stand wie ein Kaiser der Welt in der Mitte dieser gekrönten Vasallen, die schweigend mir huldigten.

VIERTES KAPITEL

Ich weiß nicht, ob der Mönch, der mir unfern Lucca begegnete, ein frommer Mann ist. Aber ich weiß, sein alter Leib steckt arm und nackt in einer groben Kutte, jahraus jahrein; die zerrissenen Sandalen können seine bloßen Füße nicht genug schützen, wenn er, durch Dorn und Gestrippe, die Felsen hinaufklimmt, um droben in den Bergdörfern Kranke zu trösten oder Kinder beten zu lehren; – und er ist zufrieden, wenn man ihm dafür ein Stückchen Brot in den Sack steckt und ihm ein bißchen Stroh gibt, um darauf zu schlafen.

»Gegen *den* Mann will ich nicht schreiben«, sprach ich zu mir selbst. »Wenn ich wieder zu Hause in Deutschland auf meinem Lehnsessel am knisternden Öfchen bei einer behaglichen Tasse Tee wohlgenährt und warm sitze und gegen die katholischen Pfaffen schreibe – gegen *den* Mann will ich nicht schreiben.« –

Um gegen die katholischen Pfaffen zu schreiben, muß man auch ihre Gesichter kennen. Die Originalgesichter sieht man aber nur in Italien. Die deutschen katholischen Priester und Mönche sind bloß schlechte Nachahmungen, oft sogar Parodien der italienischen; eine Vergleichung derselben würde ebenso ausfallen, als wenn man römische oder florentinische Heiligenbilder vergleichen wollte mit jenen heuschrecklichen, frommen Fratzen, die etwa dem spießbürgerlichen Pinsel eines Nürenberger Stadtmalers oder gar der lieben Einfalt eines Gemütsbeflissenen aus der langhaarig christlich neudeutschen Schule ihr trauriges Dasein verdanken.

Die Pfaffen in Italien haben sich schon längst mit der öffentlichen Meinung abgefunden, das Volk dort ist längst daran gewöhnt, die geistliche Würde von der unwürdigen Person zu unterscheiden, jene zu ehren, wenn auch diese verächtlich ist. Eben der Kontrast, den die idealen Pflichten und Ansprüche des geistlichen Standes und die unabweislichen Bedürfnisse der sinnlichen Natur bilden müssen, jener uralte, ewige Konflikt zwischen dem Geiste und der Materie, macht die italienischen Pfaffen zu stehenden Charakteren des Volkshumors in Satiren, Liedern und Novellen. Ähnliche Erscheinungen zeigen sich uns überall, wo ein ähnlicher Priesterstand vorhanden ist, z. B. in Hindostan. In den Komödien dieses urfrommen Landes, wie wir schon in der ›Sakontala⁴‹ bemerkt und in der neulich übersetzten Vasantasena⁵ bestätigt finden, spielt immer ein Brahmine die komische Rolle, sozusagen den Priestergrazioso, ohne daß dadurch die Ehrfurcht, die man seinen Opferverrichtungen und seiner privilegierten Heiligkeit schuldig ist, im mindesten beeinträchtigt wird – ebensowenig wie ein Italiener mit minderer Andacht bei einem Priester Messe hört oder beichtet, den er noch tags zuvor betrunken im Straßenkote gefunden hat. In Deutschland ist das an-

⁴ Indisches Drama aus dem 6. Jahrhundert n. Chr. ⁵ Eine Hetäre, Heldin des Schauspiels ›Irdenes Wägelchen‹.

ders, der katholische Priester will da nicht bloß seine Würde durch
sein Amt, sondern auch sein Amt durch seine Person repräsentieren;
und weil er es vielleicht anfangs mit seinem Berufe wirklich ganz
ernsthaft gemeint hat und er nachher, wenn seine Keuschheits- und
Demutsgelübde etwas mit dem alten Adam kollidieren, sie dennoch
nicht öffentlich verletzen will, besonders auch weil er unserem
Freunde Krug[6] in Leipzig keine Blöße geben will, so sucht er wenigstens den Schein eines heiligen Wandels zu bewahren. Daher Schein-
heiligkeit, Heuchelei und gleißendes Frömmeln bei deutschen Pfaffen; bei den italienischen hingegen viel mehr Durchsichtigkeit der
Maske und eine gewisse feiste Ironie und behagliche Weltver-
dauung.

Doch was helfen solche allgemeine Reflexionen! Sie können dir
wenig nutzen, lieber Leser, wenn du etwa Lust hättest, gegen das
katholische Pfaffentum zu schreiben. Zu diesem Zwecke muß man,
wie gesagt, mit eignen Augen die Gesichter sehen, die dazu gehören.
Wahrlich, es ist nicht einmal hinreichend, wenn man sie im königlichen Opernhause zu Berlin gesehen hat. Der vorige Generalintendant tat zwar immer das Seinige, um den Krönungszug in der Jungfrau von Orleans so täuschend treu als möglich darzustellen, seinen
Landsleuten die Idee einer Prozession zu veranschaulichen und
ihnen Pfaffen von allen Couleuren vor Augen zu bringen. Doch das
getreueste Kostüm kann nicht die Originalgesichter ersetzen, und
vertrödelte man sogar noch extra 100 000 Taler für goldne Bischofsmützen, festonnierte Chorhemden, buntgestickte Meßgewänder und
ähnlichen Kram – so würden doch die protestantisch vernünftigen
Nasen, die unter jenen Bischofsmützen hervorprotestieren, die dünnen denkgläubigen Beine, die aus den weißen Spitzen dieser Chorhemden herausgucken, die aufgeklärten Bäuche, denen jene Meßgewänder viel zu weit, alles würde unsereinen daran erinnern, daß
keine katholische Geistliche, sondern Berliner Weltliche über die
Bühne wandeln.

Ich habe oft darüber nachgedacht, ob der Generalintendant jenen
Zug nicht viel besser darstellen und uns das Bild einer Prozession
viel treuer vor Augen bringen könnte, wenn er die Rollen
der katholischen Pfaffen nicht mehr von den gewöhnlichen Stati-
sten, sondern von jenen protestantischen Geistlichen spielen ließe,

---

[6] Tr. W. Krug (1770–1842), der bekannte philosophische Schriftsteller, hatte damals gerade eine Broschüre unter dem Titel: ›Der Zölibat der katholischen Geistlichkeit‹ (Leipzig, 1829) herausgegeben, in der er den Zölibat »als ein ungerech-
tes, unsittliches, unchristliches und unbürgerliches Institut« darzustellen versuchte.

die in der theologischen Fakultät, in der Kirchenzeitung[7] und auf den Kanzeln am orthodoxesten gegen Vernunft, Weltlust, Gesenius[8] und Teufeltum zu predigen wissen. Es würden dann Gesichter zum Vorschein kommen, deren pfäffisches Gepräge gewiß jenen Rollen viel täuschender entspräche. Ist es doch eine bekannte Bemerkung, daß die Pfaffen in der ganzen Welt, Rabbinen, Muftis, Dominikaner, Konsistorialräte, Popen, Bonzen, kurz das ganze diplomatische Korps Gottes, im Gesichte eine gewisse Familienähnlichkeit haben, wie man sie immer findet bei Leuten, die ein und dasselbe Gewerbe treiben. Schneider, in der ganzen Welt, zeichnen sich aus durch Zartheit der Glieder, Metzger und Soldaten tragen wieder überall denselben farouchen[9] Anstrich, Juden haben ihre eigentümlich ehrliche Miene, nicht weil sie von Abraham, Isaak und Jakob abstammen, sondern weil sie Kaufleute sind, und der Frankfurter christliche Kaufmann sieht dem Frankfurter jüdischen Kaufmanne ebenso ähnlich wie ein faules Ei dem andern. Die geistlichen Kaufleute, solche, die von Religionsgeschäften ihren Unterhalt gewinnen, erlangen daher auch im Gesichte eine Ähnlichkeit. Freilich, einige Nuancen entstehen durch die Art und Weise, wie sie ihr Geschäft treiben. Der katholische Pfaffe treibt es mehr wie ein Kommis, der in einer großen Handlung angestellt ist; die Kirche, das große Haus, dessen Chef der Papst ist, gibt ihm bestimmte Beschäftigung und dafür ein bestimmtes Salär; er arbeitet lässig wie jeder, der nicht für eigne Rechnung arbeitet und viele Kollegen hat und im großen Geschäftstreiben leicht unbemerkt bleibt – nur der Kredit des Hauses liegt ihm am Herzen, und noch mehr dessen Erhaltung, da er bei einem etwaigen Bankerotte seinen Lebensunterhalt verlöre. Der protestantische Pfaffe hingegen ist überall selbst Prinzipal, und er treibt die Religionsgeschäfte für eigene Rechnung. Er treibt keinen Großhandel wie sein katholischer Gewerbsgenosse, sondern nur einen Kleinhandel; und da er demselben allein vorstehen muß, darf er nicht lässig sein, er muß seine Glaubensartikel den Leuten anrühmen, die Artikel seiner Konkurrenten herabsetzen, und als echter Kleinhändler steht er in seiner Ausschnittbude voll von Gewerbsneid gegen alle großen Häuser, absonderlich gegen das große Haus in Rom, das viele tausend Buchhalter und Packknechte besoldet und seine Faktoreien hat in allen vier Weltteilen.

---

[7] Die ›Evangelische Kirchenzeitung‹, herausgeg. von E. W. Hengstenberg, dem bekannten orthodoxen Eiferer. [8] W. Gesenius (1786–1842), Bibelkritiker und Orientalist, der wegen seiner aufgeklärten Gesinnung und seiner exegetischen Schriften von der orthodoxen Partei heftig angefeindet wurde. [9] farouch = wild, rauh.

Solches hat nun freilich auch seine physiognomische Wirkungen, aber diese sind doch nicht vom Parterre aus bemerkbar, die Familienähnlichkeit in den Gesichtern katholischer und protestantischer Pfaffen bleibt doch in ihren Hauptzügen unverändert, und wenn der Generalintendant die obenerwähnten Herren gut bezahlt, so werden sie ihre Rolle wie immer recht täuschend spielen. Auch ihr Gang wird zur Illusion beitragen, obgleich ein feines, geübtes Auge wohl merkt, daß er sich von dem Gange katholischer Priester und Mönche ebenfalls durch feine Nuancen unterscheidet.

Ein katholischer Pfaffe wandelt einher, als wenn ihm der Himmel gehöre; ein protestantischer Pfaffe hingegen geht herum, als wenn er den Himmel gepachtet habe.

FÜNFTES KAPITEL

Es war schon Nacht, als ich die Stadt Lucca erreichte.

Wie ganz anders erschien sie mir die Woche vorher, als ich am Tage durch die widerhallend öden Straßen wandelte und mich in eine jener verwunschenen Städte versetzt glaubte, wovon mir einst die Amme so viel erzählt. Da war die ganze Stadt still wie das Grab, alles war so verblichen und verstorben, auf den Dächern spielte der Sonnenglanz wie Goldflitter auf dem Haupte einer Leiche, hie und da aus den Fenstern eines altverfallenen Hauses hingen Efeuranken wie vertrocknet grüne Tränen, überall glimmender Moder und ängstlich stockender Tod, die Stadt schien nur das Gespenst einer Stadt, ein steinerner Spuk am hellen Tage. Da suchte ich lange vergebens die Spur eines lebendigen Wesens. Ich erinnere mich nur, vor einem alten Palazzo lag ein schlafender Bettler mit ausgestreckt offener Hand. Auch erinnere ich mich, oben am Fenster eines schwärzlich morschen Häuslein sah ich einen Mönch, der den roten Hals mit dem feisten Glatzenhaupt recht lang aus der braunen Kutte hervorreckte, und neben ihm kam ein vollbusig nacktes Weibsbild zum Vorschein; unten in die halb offene Haustüre sah ich einen kleinen Jungen hineingehen, der als ein schwarzer Abbate gekleidet war und mit beiden Händen eine mächtig großbäuchige Weinflasche trug. – In demselben Augenblick läutete unfern ein feines ironisches Glöcklein, und in meinem Gedächtnisse kicherten die Novellen des Boccaccio. Diese Klänge konnten aber keineswegs das seltsame Grauen, das meine Seele durchschauerte, ganz verscheuchen. Es hielt mich vielleicht um so gewaltiger befangen, da die Sonne so warm und hell die unheimlichen Gebäude beleuchtete; und ich merkte wohl, Gespenster sind noch furchtbarer, wenn sie den schwarzen Mantel der Nacht abwerfen und sich im hellen Mittags- lichte sehen lassen.

Als ich jetzt, acht Tage später, wieder nach Lucca kam, wie er- staunte ich über den veränderten Anblick dieser Stadt! »Was ist das?« rief ich, als die Lichter mein Auge blendeten und die Men- schenströme durch die Gassen sich wälzten. »Ist ein ganzes Volk als nächtliches Gespenst aus dem Grabe gestiegen, um im tollsten Mum- menchanz das Leben nachzuäffen? Die hohen, trüben Häuser sind mit Lampen verziert, überall aus den Fenstern hängen bunte Tep- piche, die morschgrauen Wände fast bedeckend, und darüber lehnen sich holde Mädchengesichter, so frisch, so blühend, daß ich wohl merke, es ist das Leben selbst, das sein Vermählungsfest mit dem Tode feiert und Schönheit und Jugend dazu eingeladen hat.« Ja, es war so ein lebendes Totenfest, ich weiß nicht, wie es im Kalen- der genannt wird, auf jeden Fall so ein Schindungstag irgend eines geduldigen Martyrers, denn ich sah nachher einen heiligen Toten- schädel und noch einige Extra-Knochen, mit Blumen und Edelsteinen geziert und unter hochzeitlicher Musik herumtragen. Es war eine schöne Prozession.

Voran gingen die Kapuziner, die sich von den anderen Mönchen durch lange Bärte auszeichneten und gleichsam die Sappeurs dieser Glaubensarmee bildeten. Darauf folgten Kapuziner ohne Bärte, worunter viele männlich edle Gesichter, sogar manch jugendlich schönes Gesicht, das die breite Tonsur sehr gut kleidete, weil der Kopf dadurch wie mit einem zierlichen Haarkranz umflochten schien und samt dem bloßen Nacken recht anmutig aus der braunen Kutte hervortrat. Hierauf folgten Kutten von anderen Farben, schwarz, weiß, gelb, panaché, auch herabgeschlagene dreieckige Hüte, kurz all jene Klosterkostüme, womit wir durch die Bemü- hungen unseres Generalintendanten längst bekannt sind. Nach den Mönchsorden kamen die eigentlichen Priester, weiße Hemde über schwarze Hosen und farbige Käppchen; hinter ihnen kamen noch vornehmere Geistliche, in buntseidene Decken gewickelt und auf dem Haupte eine Art hoher Mützen, die wahrscheinlich aus Ägyp- ten stammen und die man auch aus dem Denonschen[10] Werke, aus der Zauberflöte und aus dem Belzoni[11] kennen lernt; es waren alt-

[10] D. V. v. Denon (1747–1825) hat ein berühmtes Werk über Ägypten: ›Voyage dans la Basse – et la Haute-Egypte‹ mit einem Atlas herausgegeben. [11] G. V. Bel- zoni (1778–1823), der Leiter der ersten ägyptischen Ausgrabungen in den zwan- ziger Jahren dieses Jahrhunderts. Dieselben sind in seinem Buche ›Narrative of the operations and recent discoveries in Egypt and Nubia‹ (London 1821) ge- schildert.

gediente Gesichter, und sie schienen eine Art von alter Garde zu bedeuten. Zuletzt kam der eigentliche Stab, ein Thronhimmel und darunter ein alter Mann mit einer noch höheren Mütze und in einer noch reicheren Decke, deren Zipfel von zwei ebenso gekleideten alten Männern nach Pagenart getragen wurden.

Die vorderen Mönche gingen mit gekreuzten Armen ernsthaft schweigend; aber die mit den hohen Mützen sangen einen gar unglücklichen Gesang, so näselnd, so schlürfend, so kollerend, daß ich überzeugt bin: wären die Juden die größere Volksmenge und ihre Religion wäre die Staatsreligion, so würde man obiges Gesinge mit dem Namen »Mauscheln« bezeichnen. Glücklicherweise konnte man es nur zur Hälfte vernehmen, indem hinter der Prozession mit lautem Trommeln und Pfeifen mehrere Kompanien Militär einherzogen, so wie überhaupt an beiden Seiten neben den wallenden Geistlichen auch immer je zwei und zwei Grenadiere marschierten. Es waren fast mehr Soldaten als Geistliche; aber zur Unterstützung der Religion gehören heutzutage viel Bajonette, und wenn gar der Segen gegeben wird, dann müssen in der Ferne auch die Kanonen bedeutungsvoll donnern.

Wenn ich eine solche Prozession sehe, wo unter stolzer Militäreskorte die Geistlichen so gar trübselig und jammervoll einherwandeln, so ergreift es mich immer schmerzhaft, und es ist mir, als sähe ich unseren Heiland selbst umringt von Lanzenträgern zur Richtstätte abführen. Die Sterne zu Lucca dachten gewiß wie ich, und als ich seufzend nach ihnen hinaufblickte, sahen sie mich so übereinstimmend an mit ihren frommen Augen, so hell, so klar. Aber man bedurfte nicht ihres Lichtes, tausend und abertausend Lampen und Kerzen und Mädchengesichter flimmerten aus allen Fenstern, an den Straßenecken standen lodernde Pechkränze aufgepflanzt, und dann hatte auch jeder Geistliche noch seinen besonderen Kerzenträger zur Seite. Die Kapuziner hatten meistens kleine Buben, die ihnen die Kerze trugen, und die jugendlich frischen Gesichtchen schauten bisweilen recht neugierig vergnügt hinauf nach den alten, ernsten Bärten; so ein armer Kapuziner kann keinen großen Kerzenträger besolden, und der Knabe, den er das Ave Maria lehrt oder dessen Muhme ihm beichtet, muß bei Prozessionen wohl gratis dieses Amt übernehmen, und es wird darum gewiß nicht mit geringerer Liebe verrichtet. Die folgenden Mönche hatten nicht viel größere Buben, einige vornehmere Orden hatten schon erwachsene Rangen, und die hochmütigen Priester hatten wirkliche Bürgersleute zu Kerzenträgern. Aber endlich gar der Herr Erzbischof – denn das war wohl der Mann, der in vornehmer Demut unter dem Thronhimmel

ging und sich die Gewandzipfel von greisen Pagen nachtragen ließ –
dieser hatte an jeder Seite einen Lakaien, die beide in blauen
Livreen mit gelben Tressen prangten und zeremoniös, als servierten
sie bei Hof, die weißen Wachskerzen trugen.

Auf jeden Fall schien mir solche Kerzenträgerei eine gute Einrichtung, denn ich konnte dadurch umso heller die Gesichter besehen,
die zum Kahtolizismus gehören. Und ich habe sie jetzt gesehen und
zwar in der besten Beleuchtung. Und was sah ich denn? Nun ja, der
klerikale Stempel fehlte nirgends. Aber dieses abgerechnet, waren
die Gesichter untereinander ebenso verschieden wie andre Gesichter.
Das eine war blaß, das andre rot, diese Nase erhob sich stolz, jene
war niedergeschlagen, hier ein funkelnd schwarzes, dort ein schim-
mernd graues Auge – aber in allen diesen Gesichtern lagen die Spuren derselben Krankheit, einer schrecklichen, unheilbaren Krankheit,
die wahrscheinlich Ursache sein wird, daß mein Enkel, wenn er hundert Jahr’ später die Prozession in Lucca zu sehen bekommt, kein
einziges von jenen Gesichtern wiederfindet. Ich fürchte, ich bin selbst
angesteckt von dieser Krankheit, und eine Folge derselben ist jene
Weichheit, die mich wunderbar beschleicht, wenn ich so ein sieches
Mönchsgesicht betrachte und darauf die Symptome jener Leiden
sehe, die sich unter der groben Kutte verstecken: – gekränkte Liebe,
Podagra, getäuschter Ehrgeiz, Rückendarre, Reue, Hämorrhoiden,
die Herzwunden, die uns vom Undank der Freunde, von der Verleumdung der Feinde und von der eignen Sünde geschlagen worden,
alles dieses und noch viel mehr, was ebenso leicht unter einer groben
Kutte wie unter einem feinen Modefrack seinen Platz zu finden
weiß. O! es ist keine Übertreibung, wenn der Poet in seinem Schmerze ausruft: das Leben ist eine Krankheit, die ganze Welt ein Lazarett!

»Und der Tod ist unser Arzt –« Ach! ich will nichts Böses von
ihm reden und nicht andre in ihrem Vertrauen stören; denn da er
der einzige Arzt ist, so mögen sie immerhin glauben, er sei auch der
beste, und das einzige Mittel, das er anwendet, seine ewige Erdkur,
sei auch das beste. Wenigstens kann man von ihm rühmen, daß er
immer gleich bei der Hand ist und trotz seiner großen Praxis nie
lange auf sich warten läßt, wenn man ihn verlangt. Manchmal folgt
er seinen Patienten sogar zur Prozession und trägt ihnen die Kerze.
Es war gewiß der Tod selbst, den ich an der Seite eines blassen, be-
kümmerten Priesters gehen sah; in dünnen zitternden Knochenhän-
den trug er diesem die flimmernde Kerze, nickte dabei gar gutmütig
besänftigend mit dem ängstlich kahlen Köpfchen, und so schwach
er selbst auf den Beinen war, so unterstützte er doch noch zuweilen

den armen Priester, der bei jedem Schritte noch bleicher wurde und umsinken wollte. Er schien ihm Mut einzusprechen: »Warte nur noch einige Stündchen, dann sind wir zu Hause, und ich lösche die Kerze aus, und ich lege dich aufs Bett, und die kalten, müden Beine können ausruhen, und du sollst so fest schlafen, daß du das wimmernde Sankt Michaelsglöckchen nicht hören wirst.«

»Gegen den Mann will ich auch nicht schreiben«, dacht' ich, als ich den armen, bleichen Priester sah, dem der leibhaftige Tod zu Bette leuchtete.

Ach! man sollte eigentlich gegen niemanden in dieser Welt schreiben. Jeder ist selbst krank genug in diesem großen Lazarett, und manche polemische Lektüre erinnert mich unwillkürlich an ein widerwärtiges Gezänk in einem kleineren Lazarett zu Krakau, wobei ich mich als zufälliger Zuschauer befand und wo entsetzlich anzuhören war, wie die Kranken sich einander ihre Gebrechen spottend vorrechneten, wie ausgedörrte Schwindsüchtige den aufgeschwollenen Wassersüchtling verhöhnten, wie der eine lachte über den Nasenkrebs des andern und dieser wieder über Maulsperre und Augenverdrehung seiner Nachbarn, bis am Ende die Fiebertollen nackt aus den Betten sprangen und den andern Kranken die Decken und Laken von den wunden Leibern rissen und nichts als scheußliches Elend und Verstümmelung zu sehen war.

SECHSTES KAPITEL

»Jener schenkte nunmehr auch der übrigen Götterversammlung,
Rechtshin, lieblichen Nektar dem Mischkrug emsig entschöpfend.
Doch unermeßliches Lachen erscholl den seligen Göttern,
Als sie sahn, wie Hephästos im Saal so gewandt umherging.
Also den ganzen Tag bis spät zur sinkenden Sonne
Schmausten sie; und nicht mangelt' ihr Herz des gemeinsamen Mahles,
Nicht des Saitengetöns von der lieblichen Leier Apollons,
Noch des Gesangs der Musen mit holdantwortender Stimme.«[12]

(VULGATA)

Da plötzlich keuchte heran ein bleicher, bluttriefender Jude, mit einer Dornenkrone auf dem Haupte und mit einem großen Holzkreuz auf der Schulter; und er warf das Kreuz auf den hohen Göttertisch, daß die goldnen Pokale zitterten und die Götter verstummten und erblichen und immer bleicher wurden, bis sie endlich ganz in Nebel zerrannen.

Nun gab's eine traurige Zeit, und die Welt wurde grau und dun-

[12] Ilias, 9. Gesang.

kel. Es gab keine glücklichen Götter mehr, der Olymp wurde ein Lazarett, wo geschundene, gebratene und gespießte Götter langweilig umherschlichen und ihre Wunden verbanden und triste Lieder sangen. Die Religion gewährte keine Freude mehr, sondern Trost; es war eine trübselige, blutrünstige Deliquentenreligion.

War sie vielleicht nötig für die erkrankte und zertretene Menschheit? Wer seinen Gott leiden sieht, trägt leichter die eignen Schmerzen. Die vorigen heiteren Götter, die selbst keine Schmerzen fühlten, wußten auch nicht, wie armen gequälten Menschen zu Mute ist, und ein armer gequälter Mensch könnte auch in seiner Not kein rechtes Herz zu ihnen fassen. Es waren Festtagsgötter, um die man lustig herumtanzte und denen man nur danken konnte. Sie wurden deshalb auch nie so ganz von ganzem Herzen geliebt. Um so ganz von ganzem Herzen geliebt zu werden – muß man leidend sein. Das Mitleid ist die letzte Weihe der Liebe, vielleicht die Liebe selbst. Von allen Göttern, die jemals gelebt haben, ist daher Christus derjenige Gott, der am meisten geliebt worden. Besonders von den Frauen –

Dem Menschengewühl entfliehend, habe ich mich in eine einsame Kirche verloren, und was du, lieber Leser, eben gelesen hast, sind nicht so sehr meine eignen Gedanken als vielmehr einige unwillkürliche Worte, die in mir laut geworden, während ich, dahingestreckt auf einer der alten Betbänke, die Töne einer Orgel durch meine Brust ziehen ließ. Da liege ich, mit phantasierender Seele der seltsamen Musik noch seltsamere Texte unterdichtend; dann und wann schweifen meine Blicke durch die dämmernden Bogengänge und suchen die dunklen Klangfiguren, die zu jenen Orgelmelodien gehören. Wer ist die Verschleierte, die dort kniet vor dem Bilde einer Madonna? Die Ampel, die davor hängt, beleuchtet grauenhaft süß die schöne Schmerzenmutter einer gekreuzigten Liebe, die Venus dolorosa; doch kupplerisch geheimnisvolle Lichter fallen zuweilen wie verstohlen auf die schönen Formen der verschleierten Beterin. Diese liegt zwar regungslos auf den steinernen Altarstufen, doch in der wechselnden Beleuchtung bewegt sich ihr Schatten, läuft manchmal zu mir heran, zieht sich wieder hastig zurück wie ein stummer Mohr, der ängstliche Liebesbote in einem Harem – und ich verstehe ihn. Er verkündet mir die Gegenwart seiner Herrin, der Sultanin meines Herzens.

Es wird aber allmählich immer dunkler im leeren Hause, hie und da huscht eine unbestimmte Gestalt den Pfeilern entlang, dann und wann steigt leises Murmeln aus einer Seitenkapelle, und ihre langen, langgezogenen Töne stöhnt die Orgel wie ein seufzendes Riesenherz –

Es war aber, als ob jene Orgeltöne niemals aufhören, als ob jene Sterbelaute, jener lebende Tod ewig dauern wollte, ich fühlte so unsägliche Beklommenheit, so namenlose Angst, als wäre ich scheintot begraben worden, ja als wäre ich, ein Längstverstorbener, aus dem Grabe gestiegen und sei mit unheimlichen Nachtgesellen in die Gespensterkirche gegangen, um die Totengebete zu hören und Leichensünden zu beichten. Manchmal war mir, als sähe ich sie wirklich neben mir sitzen, in geisterhaftem Dämmerlichte, die abgeschiedene Gemeinde, in verschollen altflorentinischen Trachten, mit langen, blassen Gesichtern, goldbeschlagene Gebetbücher in dünnen Händen, heimlich wispernd und melancholisch einander zunickend. Der wimmernde Ton eines fernen Sterbeglöckchens mahnte mich wieder an den kranken Priester, den ich bei der Prozession gesehen, und ich sprach zu mir selber: »Der ist jetzt auch gestorben und kommt hierher, um die erste Nachtmesse zu lesen, und da beginnt erst recht der traurige Spuk.« Plötzlich aber erhob sich von den Stufen des Altars die holde Gestalt der verschleierten Beterin –

Ja, sie war es, schon ihr lebendiger Schatten verscheuchte die weißen Gespenster, ich sah jetzt nur sie, ich folgte ihr rasch zur Kirche hinaus, und als sie vor der Türe den Schleier zurückschlug, sah ich in Franscheskas beträntes Antlitz. Es glich einer sehnsüchtig weißen Rose, angeperlt vom Tau der Nacht und beglänzt vom Strahl des Mondes. »Franscheska, liebst du mich?« Ich frug viel, und sie antwortete wenig. Ich begleitete sie nach dem Hotel Crotsche di Malta, wo sie und Mathilde logierten. Die Straßen waren leer geworden, die Häuser schliefen mit geschlossenen Fensteraugen, nur hie und da durch die hölzernen Wimpern blinzelte ein Lichtchen. Oben am Himmel aber trat ein breiter hellgrüner Raum aus den Wolken hervor, und darin schwamm der Halbmond wie eine silberne Gondel in einem Meer von Smaragden. Vergebens bat ich Franscheska, nur ein einziges Mal hinaufzusehen zu unserem alten, lieben Vertrauten; sie hielt aber das Köpfchen träumend gesenkt. Ihr Gang, der sonst so heiter dahinschwebend, war jetzt wie kirchlich gemessen, ihr Schritt war düster katholisch, sie bewegte sich wie nach dem Takte einer feierlichen Orgel, und wie in früheren Nächten die Sünde, so war ihr jetzt die Religion in die Beine gefahren. Unterwegs vor jedem Heiligenbilde bekreuzte sie sich Haupt und Busen; vergebens versuchte ich ihr dabei zu helfen. Als wir aber auf dem Markte der Kirche Sant Mitschiele vorbeikamen, wo die marmorne Schmerzenmutter mit den vergoldeten Schwertern im Herzen und mit der Lämpchenkrone auf dem Haupte aus der dunkeln Nische hervorleuchtete, da schlang Franscheska ihren Arm um meinen Hals, küßte mich und flüsterte: »Cecco, Cecco, caro Cecco!«

Ich nahm diese Küsse ruhig in Empfang, obgleich ich wohl wußte, daß sie im Grunde einem bolognesischen Abbate, einem Diener der römisch-katholischen Kirche, zugedacht waren. Als Protestant machte ich mir kein Gewissen daraus, mir die Güter der katholischen Geistlichkeit zuzueignen, und auf der Stelle säkularisierte ich die frommen Küsse Franscheskas. Ich weiß, die Pfaffen werden hierüber wütend sein, sie schreien gewiß über Kirchenraub und würden gern das französische Sakrileggengesetz auf mich anwenden. Leider muß ich gestehen, daß besagte Küsse das einzige waren, was ich in jener Nacht erbeuten konnte. Franscheska hatte beschlossen, diese Nacht nur zum Heile ihrer Seele kniend und betend zu benutzen. Vergebens erbot ich mich, ihre Andachtsübungen zu teilen; – als sie ihr Zimmer erreichte, schloß sie mir die Türe vor der Nase zu. Vergebens stand ich draußen noch eine ganze Stunde und bat um Einlaß und seufzte alle möglichen Seufzer und heuchelte fromme Tränen und schwor die heiligsten Eide – versteht sich, mit geistlichem Vorbehalte, ich fühlte, wie ich allmählich ein Jesuit wurde, ich wurde ganz schlecht und erbot mich endlich sogar, katholisch zu werden für diese einzige Nacht –

»Franscheska!« rief ich, »Stern meiner Gedanken! Gedanke meiner Seele! vita della mia vita! meine schöne, oftgeküßte, schlanke, katholische Franscheska! für diese einzige Nacht, die du mir noch gewährst, will ich selbst katholisch werden – aber auch nur für diese einzige Nacht! O, die schöne, selige, katholische Nacht! Ich liege in deinen Armen, strengkatholisch glaube ich an den Himmel deiner Liebe, von den Lippen küssen wir uns das holde Bekenntnis, das Wort wird Fleisch, der Glaube wird versinnlicht in Form und Gestalt, welche Religion! Ihr Pfaffen! jubelt unterdessen eu'r Kyrie Eleison, klingelt, räuchert, läutet die Glocken, laßt die Orgel brausen, laßt die Messe von Palestrina erklingen: ›Das ist der Leib!‹ ich glaube, ich bin selig, ich schlafe ein – aber sobald ich des anderen Morgens erwache, reibe ich mir den Schlaf und den Katholizismus aus den Augen und sehe wieder klar in die Sonne und in die Bibel und bin wieder prostestantisch vernünftig und nüchtern, nach wie vor.«

Als am anderen Tage die Sonne wieder herzlich vom Himmel nerablachte, erloschen gänzlich die trübseligen Gedanken und Gefühle, die von der Prozession des vorhergehenden Abends in mir erregt worden und mir das Leben wie eine Krankheit und die Welt wie ein Lazarett ansehen ließen.

Die ganze Stadt wimmelte von heiterem Volk. Geputzt bunte Menschen, dazwischen hüpfte hie und da ein schwarz Pfäfflein. Das brauste und lachte und schwatzte, man hörte fast nicht das Glockengebimmel, das zu einer großen Messe einlud in die Kathedrale. Diese ist eine schöne, einfache Kirche, deren buntmarmorne Fassade mit jenen kurzen, übereinander gebauten Säulchen geziert ist, die uns so witzig trübe ansehen. Inwendig waren Pfeiler und Wände mit rotem Tuche überkleidet, und heitere Musik ergoß sich über die wogende Menschenmenge. Ich führte Signora Franscheska am Arm, und als ich ihr beim Eintritt das Weihwasser reichte und durch die süßfeuchte Fingerberührung unsere Seelen elektrisiert wurden, bekam ich auch zu gleicher Zeit einen elektrischen Schlag ans Bein, daß ich vor Schreck fast hinpurzelte über die knienden Bäuerinnen, die, ganz weiß gekleidet und mit langen Ohrringen und Halsketten von gelbem Golde belastet, in dichten Haufen den Boden bedeckten. Als ich mich umsah, erblickte ich ein ebenfalls kniendes Frauenzimmer, das sich fächerte, und hinter dem Fächer erspähte ich Myladys kichernde Augen. Ich beugte mich zu ihr hinab, und sie hauchte mir schmachtend ins Ohr: »delightful!«

»Um Gottes willen!« flüsterte ich ihr zu, »bleiben Sie ernsthaft, lachen Sie nicht; sonst werden wir wahrhaftig hinausgeschmissen!«

Aber da half kein Bitten und Flehen. Zum Glück verstand man unsre Sprache nicht. Denn als Mylady aufstand und uns durch das Gedränge zum Hauptaltar folgte, überließ sie sich ihren tollen Launen ohne die mindeste Rücksicht, als stünden wir allein auf den Apenninen. Sie mokierte sich über alles, sogar die armen gemalten Bilder an den Wänden waren vor ihren Pfeilen nicht sicher.

»Sieh da!« rief sie, »auch Lady Eva, Geborene von Rippe, wie sie mit der Schlange diskuriert! Es ist ein guter Einfall des Malers, daß er der Schlange einen menschlichen Kopf mit einem menschlichen Gesichte gab; es wäre jedoch noch weit sinnreicher gewesen, wenn er dieses Verführungsgesicht mit einem militärischen Schnurrbart verziert hätte. Sehen Sie, Doktor, dort den Engel, welcher der hochgebenedeiten Jungfrau ihren gesegneten Zustand verkündigt und dabei so ironisch lächelt? Ich weiß, was dieser Ruffiano denkt!

Und diese Maria, zu deren Füßen die heilige Allianz des Morgen-
landes mit Gold- und Weihrauchgaben niederkniet, sieht sie nicht
aus wie die Catalani[13]?«

Signora Franscheska, welche von diesem Geschwätz wegen ihrer
Unkenntnis des Englischen nichts verstand als das Wort Catalani,
bemerkte hastig: daß die Dame, wovon unsre Freundin spreche,
jetzt wirklich den größten Teil ihrer Renommee verloren habe. Unsre
Freundin aber ließ sich nicht stören und kommentierte auch die Pas-
sionsbilder bis zur Kreuzigung, einem überaus schönen Gemälde,
worauf unter anderen drei dumme untätige Gesichter abgebildet
waren, die dem Gottesmärtyrtum gemächlich zusahen und von
denen Mylady durchaus behauptete, es seien die bevollmächtigten
Kommissarien von Österreich, Rußland und Frankreich.

Indessen die alten Freskos, die zwischen den roten Decken der
Wände zum Vorschein kamen, vermochten einigermaßen mit ihrem
inwohnenden Ernste die britische Spottlust abzuwehren. Es waren
darauf Gesichter aus jener heldenmütigen Zeit Luccas, wovon in
den Geschichtsbüchern Machiavells, des romantischen Sallusts, so
viel die Rede ist und deren Geist uns aus den Gesängen Dantes,
des katholischen Homers, so feurig entgegenweht. Wohl sprechen
aus jenen Mienen die strengen Gefühle und barbarischen Gedanken
des Mittelalters; wenn auch auf manchem stummen Jünglingsmunde
das lächelnde Bekenntnis schwebt, daß damals nicht alle Rosen so
ganz steinern und umflort gewesen sind, und wenn auch durch die
fromm gesenkten Augenwimpern mancher Madonna aus jener Zeit
ein so schalkhafter Liebeswink blinzelt, als ob sie uns gern noch ein
zweites Christkindlein schenken möchte. Jedenfalls ist es aber ein
hoher Geist, der uns aus jenen altflorentinischen Gemälden anspricht,
es ist das eigentlich Heroische, das wir auch in den marmornen Göt-
terbildern der Alten erkennen und das nicht, wie unsre Ästhetiker
meinen, in einer ewigen Ruhe ohne Leidenschaft, sondern in einer
ewigen Leidenschaft ohne Unruhe besteht. Auch durch einige spätere
Ölbilder, die im Dome von Lucca hängen, zieht sich, vielleicht als
traditioneller Nachhall, jener altflorentinische Sinn. Besonders fiel
mir auf eine Hochzeit zu Canan, von einem Schüler des Andrea del
Sarto[14], etwas hart gemalt und schroff gestaltet. Der Heiland sitzt
zwischen der weichen schönen Braut und einem Pharisäer, dessen
steinernes Gesetztafelgesicht sich wundert über den genialen Propheten, der sich heiter mischt in die Reihen der Heiteren und die

---

[13] Angelica Catalani (1779–1849), italienische Sängerin von großer Schönheit und
Begabung. [14] Andrea del Sarto (1488–1531), einer der bedeutendsten Maler der
florentinischen Schule.

Gesellschaft mit Wundern regaliert, die noch größer sind als die Wunder des Moses; denn dieser konnte, wenn er noch so stark gegen den Felsen schlug, nur Wasser hervorbringen, jener aber brauchte nur ein Wort zu sprechen, und die Krüge füllten sich mit dem besten Wein. Viel weicher, fast venezianisch koloriert ist das Gemälde von einem Unbekannten, das daneben hängt, und worin der freundlichste Farbenschmelz von einem durchbebenden Schmerze gar seltsam gedämpft wird. Es stellt dar, wie Maria ein Pfund Salbe nahm, von ungefälschter köstlicher Narde, und damit die Füße Jesu salbte und sie mit ihren Haaren trocknete. Christus sitzt da, im Kreise seiner Jünger, ein schöner, geistreicher Gott, menschlich wehmütig fühlt er eine schaurige Pietät gegen seinen eigenen Leib, der bald so viel dulden wird und dem die salbende Ehre, die man den Gestorbenen erweist, schon jetzt gebührt und schon jetzt widerfährt; er lächelt gerührt hinab auf das kniende Weib, das getrieben von ahnender Liebesangst, jene barmherzige Tat verrichtet, eine Tat, die nie vergessen wird, solange es leidende Menschen gibt, und die zur Erquickung aller leidenden Menschen durch die Jahrtausende duftet. Außer dem Jünger, der am Herzen Christi lag und der auch diese Tat verzeichnet hat, scheint keiner von den Aposteln ihre Bedeutung zu fühlen, und der mit dem roten Barte scheint sogar, wie in der Schrift steht[15], die verdrießliche Bemerkung zu machen: »Warum ist diese Salbe nicht verkauft um dreihundert Groschen und den Armen gegeben?« Dieser ökonomische Apostel ist eben derjenige, der den Beutel führt, die Gewohnheit der Geldgeschäfte hat ihn abgestumpft gegen alle uneigennützigen Nardendüfte der Liebe, er möchte Groschen dafür einwechseln zu einem nützlichen Zweck, und eben er, der Groschenwechsler, er war es, der den Heiland verriet – um dreißig Silberlinge. So hat das Evangelium auch symbolisch, in der Geschichte des Bankiers unter den Aposteln, die unheimliche Verführungsmacht, die im Geldsacke lauert, offenbart und vor der Treulosigkeit der Geldgeschäftsleute gewarnt. Jeder Reiche ist ein Judas Ischariot.

»Sie schneiden ja ein verbissen gläubiges Gesicht, teurer Doktor«, flüsterte Mylady, »ich habe Sie eben beobachtet, und verzeihen Sie mir, wenn ich Sie etwa beleidige, Sie sahen aus wie ein guter Christ.«

»Unter uns gesagt, das bin ich; ja, Christus –«

»Glauben Sie vielleicht ebenfalls, daß er ein Gott sei?«

»Das versteht sich, meine gute Mathilde. Es ist der Gott, den ich am meisten liebe – nicht weil er so ein legitimer Gott ist, dessen

---

[15] Vgl. Johannes Evangelium, Kap. 12, 5.

Vater schon Gott war und seit undenklicher Zeit die Welt beherrschte: sondern weil er, obgleich ein geborener Dauphin des Himmels, dennoch, demokratisch gesinnt, keinen höfischen Zeremonialprunk liebt, weil er kein Gott einer Aristokratie von geschorenen Schriftgelehrten und galonierten Lanzenknechten, und weil er ein bescheidener Gott des Volks ist, ein Bürgergott, un bon dieu citoyen. Wahrlich, wenn Christus noch kein Gott wäre, so würde ich ihn dazu wählen, und viel lieber als einem aufgezwungenen absoluten Gotte würde ich ihm gehorchen, ihm, dem Wahlgotte, dem Gotte meiner Wahl.«

ACHTES KAPITEL

Der Erzbischof, ein ernster Greis, las selber die Messe, und ehrlich gestanden, nicht bloß ich, sondern einigermaßen auch Mylady, wir wurden heimlich berührt von dem Geiste, der in dieser heiligen Handlung wohnt, und von der Weihe des alten Mannes, der sie vollzog; – ist ja doch jeder alte Mann an und für sich ein Priester, und die Zeremonien der katholischen Messe, sind sie doch so uralt, daß sie vielleicht das einzige sind, was sich aus dem Kindesalter der Welt erhalten hat und als Erinnerung an die ersten Vorfahren aller Menschen unsere Pietät in Anspruch nimmt. »Sehen Sie, Mylady«, sagte ich, »jede Bewegung, die Sie hier erblicken, die Art des Zusammenlegens der Hände und des Ausbreitens der Arme, dieses Knixen, dieses Händewaschen, dieses Beräuchterwerden, dieser Kelch, ja die ganze Kleidung des Mannes, von der Mitra bis zum Saume der Stola, alles dieses ist altägyptisch und Überbleibsel eines Priestertums, von dessen wundersamem Wesen nur die ältesten Urkunden etwas Weniges berichten, eines frühesten Priestertums, das die erste Weisheit erforschte, die ersten Götter erfand, die ersten Symbole bestimmte und die junge Menschheit –«

»Zuerst betrog«, setzte Mylady bitteren Tones hinzu, »und ich glaube, Doktor, aus dem frühesten Weltalter ist uns nichts übriggeblieben als einige triste Formeln des Betrugs. Und sie sind noch immer wirksam. Denn sehen Sie dort die stockfinsteren Gesichter? Und gar jenen Kerl, der dort auf seinen dummen Knien liegt und mit seinem aufgesperrten Maule so ultradumm aussieht?«

»Um des lieben Himmels willen!« begütigte ich leise, »was ist daran gelegen, daß dieser Kopf so wenig von der Vernunft erleuchtet ist? Was geht das uns an? Was irritiert Sie dabei? Sehen Sie doch täglich Ochsen, Kühe, Hunde, Esel, die ebenso dumm sind,

ohne daß Sie durch solchen Anblick aus Ihrem Gleichmut aufgestört und zu unmutigen Äußerungen angeregt werden?«

»Ach, das ist was anderes«, fiel mir Mylady in die Rede, »diese
Bestien tragen hinten Schwänze, und ich ärgre mich eben, daß ein
Kerl, der ebenso bestialisch dumm ist, dennoch hinten keinen
Schwanz hat.«

»Ja, das ist was andres, Mylady.«

NEUNTES KAPITEL

Nach der Messe gab's allerlei zu schauen und zu hören, besonders
die Predigt eines großen, vierstämmigen Mönchs, dessen befehlend
kühnes, altrömisches Gesicht gegen die grobe Bettelkutte gar wundersam abstach, so daß der Mann aussah wie ein Imperator der Armut. Er predigte von Himmel und Hölle und geriet zuweilen in
die wütendste Begeisterung. Seine Schilderung des Himmels war ein
bißchen barbarisch überladen, und es gab da viel Gold, Silber, Edel-
steine, köstliche Speisen und Weine von den besten Jahrgängen; dabei machte er ein so verklärt schlürfendes Gesicht, und er schob sich
vor Wonne in der Kutte hin und her, wenn er unter den Englein
mit weißen Flüglein sich selber dachte als ein Englein mit weißen
Flüglein. Minder ergötzlich, ja sogar sehr praktisch ernsthaft war
seine Schilderung der Hölle. Hier war der Mann weit mehr in seinem Elemente. Er eiferte besonders über die Sünder, die nicht mehr
so recht christlich ans alte Feuer der Hölle glauben und sogar wähnen,
sie habe sich in neuerer Zeit etwas abgekühlt und werde nächstens
ganz und gar erlöschen. »Und wäre auch«, rief er, »die Hölle am
Erlöschen, so würde ich, ich mit meinem Atem, die letzten glim-
menden Kohlen wieder anfachen, daß sie wieder auflodern sollten
zu ihrer alten Flammenglut.« Hörte man nun die Stimme, die gleich
dem Nordwind diese Worte hervorheulte, sah man dabei das brennende Gesicht, den roten büffelstarken Hals und die gewaltigen
Fäuste des Mannes, so hielt man jene höllische Drohung für keine
Hyperbel.

»I like this man«, sagte Mylady.

»Da haben Sie recht«, antwortete ich, »auch mir gefällt er besser
als mancher unserer sanften, homöopathischen Seelenärzte, die
$1/10000$ Vernunft in einem Eimer Moralwasser schütten und uns damit des Sonntags zur Ruhe predigen.«

»Ja, Doktor, für seine Hölle habe ich Respekt; aber zu seinem
Himmel hab' ich kein rechtes Vertrauen. Wie ich mich denn über-

haupt in Ansehung des Himmels schon sehr früh in geheimen Zweifel verfing. Als ich noch klein war, in Dublin, lag ich oft auf dem Rücken im Gras und sah in den Himmel und dachte nach: ob wohl der Himmel wirklich so viele Herrlichkeiten enthalten mag, wie man davon rühmt? Aber, dacht' ich, wie kommt's, daß von diesen Herrlichkeiten niemals etwas herunterfällt, etwa ein brillantener Ohrring oder eine Schnur Perlen oder wenigstens ein Stückchen Ananaskuchen, und daß immer nur Hagel oder Schnee oder gewöhnlicher Regen uns von oben herabbeschert wird? Das ist nicht ganz richtig, dacht' ich –«

»Warum sagen Sie das, Mylady? Warum diese Zweifel nicht lieber verschweigen? Ungläubige, die keinen Himmel glauben, sollten nicht Proselyten machen; minder tadelnswert, sogar lobenswert ist die Proselytenmacherei derjenigen Leute, die einen süperben Himmel haben und dessen Herrlichkeiten nicht selbstsüchtig allein genießen wollen und deshalb ihre Nebenmenschen einladen, dran teilzunehmen, und sich nicht eher zufrieden geben, bis diese ihre gütige Einladung angenommen.«

»Ich habe mich aber immer gewundert, Doktor, daß manche reiche Leute dieser Gattung, die wir als Präsidenten, Vizepräsidenten oder Sekretäre von Bekehrungsgesellschaften eifrigst bemüht sehen, etwa einen alten verschimmelten Betteljuden himmelfähig zu machen und seine einstige Genossenschaft im Himmelreich zu erwerben, dennoch nie dran denken, ihn schon jetzt auf Erden an ihren Genüssen teilnehmen zu lassen, und ihn z. B. nie des Sommers auf ihre Landhäuser einladen, wo es gewiß Leckerbissen gibt, die dem armen Schelm ebensogut schmecken würden, als genösse er sie im Himmel selbst.«

»Das ist erklärlich, Mylady, die himmlischen Genüsse kosten sie nichts, und es ist ein doppeltes Vergnügen, wenn wir so wohlfeilerweise unsere Nebenmenschen beglücken können. Zu welchen Genüssen aber kann der Ungläubige jemanden einladen?«

»Zu nichts, Doktor, als zu einem langen, ruhigen Schlafe, der aber zuweilen für einen Unglücklichen sehr wünschenswert sein kann, besonders wenn er vorher mit zudringlichen Himmelseinladungen gar zu sehr geplagt worden.«

Dieses sprach das schöne Weib mit stechend bitteren Akzenten, und nicht ganz ohne Ernst antwortete ich ihr: »Liebe Mathilde, bei meinen Handlungen auf dieser Welt kümmert mich nicht einmal die Existenz von Himmel und Hölle, ich bin zu groß und zu stolz, als daß der Geiz nach himmlischen Belohnungen oder die Furcht vor höllischen Strafen mich leiten sollten. Ich strebe nach dem Guten, weil es schön ist und mich unwiderstehlich anzieht, und ich verabscheue das Schlechte, weil es häßlich und mir zuwider ist. Schon als Knabe, wenn ich den Plutarch las – und ich lese ihn noch jetzt alle Abend im Bette und möchte dabei manchmal aufspringen und gleich Extrapost nehmen und ein großer Mann werden – schon damals gefiel mir die Erzählung von dem Weibe, das durch die Straßen Alexandriens schritt, in der einen Hand einen Wasserschlauch, in der andern eine brennende Fackel tragend, und den Menschen zurief, daß sie mit dem Wasser die Hölle auslöschen und mit der Fackel den Himmel in Brand stecken wolle, damit das Schlechte nicht mehr aus Furcht vor Strafe unterlassen und das Gute nicht mehr aus Begierde nach Belohnung ausgeübt werde. Alle unsre Handlungen sollen aus dem Quell einer uneigennützigen Liebe hervorsprudeln, gleichviel ob es eine Fortdauer nach dem Tode gibt oder nicht.«

»Sie glauben also auch nicht an Unsterblichkeit.«

»O Sie sind schlau, Mylady! Ich daran zweifeln? Ich, dessen Herz in die entferntesten Jahrtausende der Vergangenheit und der Zukunft immer tiefer und tiefer Wurzel schlägt, ich, der ich selbst einer der ewigsten Menschen bin, jeder Atemzug ein ewiges Leben, jeder Gedanke ein ewiger Stern – ich sollte nicht an Unsterblichkeit glauben?«

»Ich denke, Doktor, es gehört eine beträchtliche Portion Eitelkeit und Anmaßung dazu, nachdem wir schon so viel Gutes und Schönes auf dieser Erde genossen, noch obendrein vom lieben Gott die Unsterblichkeit zu verlangen! Der Mensch, der Aristokrat unter den Tieren, der sich besser dünkt als alle seine Mitgeschöpfe, möchte sich auch dieses Ewigkeitsvorrecht am Throne des Weltkönigs durch höfische Lob- und Preisgesänge und kniendes Bitten auswirken. – O, ich weiß, was dieses Zucken mit den Lippen bedeutet, unsterblicher Herr!«

ZEHNTES KAPITEL

Signora bat uns, mit ihr nach dem Kloster zu gehn, worin das wundertätige Kreuz, das Merkwürdigste in ganz Toscana, bewahrt wird. Und es war gut, daß wir den Dom verließen, denn Myladys Tollheiten würden uns doch zuletzt in Verlegenheiten gestürzt haben. Sie sprudelte von witziger Laune; lauter lieblich närrische Gedanken, so übermütig wie junge Kätzchen, die in der Maisonne herumspringen. Am Ausgang des Doms tunkte sie den Zeigefinger dreimal ins Weihwasser, besprengte mich jedesmal und murmelte:

»Dem Zefardeyim Kinnim«[16], welches nach ihrer Behauptung die arabische Formel ist, womit die Zauberinnen einen Menschen in einen Esel verwandeln.

Auf der Piazza vor dem Dome manövrierte eine Menge Militär, beinah' ganz östreichisch uniformiert und nach deutschem Kommando. Wenigstens hörte ich die deutschen Worte: »Präsentierts Gewehr! Fuß Gewehr! Schulterts Gewehr! Rechtsum! Halt!« Ich glaube, bei allen Italienern, wie noch bei einigen andern europäischen Völkern, wird auf Deutsch kommandiert. Sollen wir Deutschen uns etwas darauf zu gute tun? Haben wir in der Welt so viel zu befehlen, daß das Deutsche sogar die Sprache des Befehlens geworden? Oder wird uns so viel befohlen, daß der Gehorsam am besten die deutsche Sprache versteht?

Mylady scheint von Paraden und Revuen keine Freundin zu sein. Sie zog uns mit ironischer Furchtsamkeit von dannen. »Ich liebe nicht«, sprach sie, »die Nähe von solchen Menschen mit Säbeln und Flinten, besonders wenn sie in großer Anzahl, wie bei außerordentlichen Manövern, in Reih und Glied aufmarschieren. Wenn nun einer von diesen Tausenden plötzlich verrückt wird und mit der Waffe, die er schon in der Hand hat, mich auf der Stelle niedersticht? Oder wenn er gar plötzlich vernünftig wird und nachdenkt: ›Was hast du zu riskieren? zu verlieren? selbst wenn sie dir das Leben nehmen? Mag auch jene andre Welt, die uns nach dem Tode versprochen wird, nicht so ganz brillant sein, wie man sie rühmt, mag sie noch so schlecht sein, weniger, als man dir jetzt gibt, weniger als sechs Kreuzer per Tag, kann man dir auch dort nicht geben – drum mach dir den Spaß und erstich jene kleine Engländerin mit der impertinenten Nase!‹ Bin ich da nicht in der größten Lebensgefahr? Wenn ich König wäre, so würde ich meine Soldaten in zwei Klassen teilen. Die einen ließe ich an Unsterblichkeit glauben, um in der Schlacht Mut zu haben und den Tod nicht zu fürchten, und ich würde sie bloß im Kriege gebrauchen. Die andern aber würde ich zu Paraden und Revuen bestimmen, und damit es ihnen nie in den Sinn komme, daß sie nichts riskieren, wenn sie des Spaßes wegen jemanden umbrächten, so würde ich ihnen bei Todesstrafe verbieten, an Unsterblichkeit zu glauben, ja, ich würde ihnen sogar noch etwas Butter zu ihrem Kommisbrot geben, damit sie das Leben recht lieb gewinnen. Erstern hingegen, jenen unsterb-

---

[16] Eine kleine Mystifikation, wie sie bei Heine nicht selten. Die betreffende Formel, die genau: Dam, Zephardea, Kinnim (Blut, Frösche, Mücken) lautet, ist nicht arabisch, sondern hebräisch und stammt aus der Aufzählung der ägyptischen Plagen in der Hagada.

lichen Helden, würde ich das Leben sehr sauer machen, damit sie es
recht verachten lernen und die Mündung der Kanonen für einen
Eingang in eine bessere Welt ansehen.«

»Mylady«, sprach ich, »Sie wären ein schlechter Regent. Sie wissen wenig vom Regieren, und von der Politik verstehen Sie gar
nichts. Hätten Sie die politischen Annalen[17] gelesen –«

»Ich verstehe dergleichen vielleicht besser als Sie, teurer Doktor.
Schon früh suchte ich mich darüber zu unterrichten. Als ich noch
klein war, in Dublin –«

»Und auf dem Rücken lag, im Gras – und nachdachte, oder auch
nicht, wie in Ramsgate –«

Ein Blick, wie leiser Vorwurf der Undankbarkeit, fiel aus Myladys Augen, dann aber lachte sie wieder und fuhr fort: »Als ich
noch klein war, in Dublin, und auf einem Eckchen von dem Schemel sitzen konnte, worauf Mutters Füße ruhten, da hatte ich immer
allerlei zu fragen, was die Schneider, die Schuster, die Bäcker, kurz,
was die Leute in der Welt zu tun haben? Und die Mutter erklärte
dann: die Schneider machen Kleider, die Schuster machen Schuhe,
die Bäcker backen Brot – Und als ich nun frug: ›Was tun denn die
Könige?‹ da gab die Mutter zur Antwort: ›Die regieren‹. ›Weißt
du wohl, liebe Mutter‹, sagte ich da, ›wenn ich König wäre, so
würde ich mal einen ganzen Tag gar nicht regieren, bloß um zu
sehen, wie es dann in der Welt aussieht.‹ ›Liebes Kind‹, antwortete
die Mutter, ›das tun auch manche Könige, und es sieht auch dann
danach aus.‹ «

»Wahrhaftig, Mylady, Ihre Mutter hatte recht. Besonders hier
in Italien gibt es solche Könige, und man merkt es wohl in Pie-
mont und Neapel –«

»Aber, lieber Doktor, es ist so einem italienischen König nicht
zu verargen, wenn er manchen Tag gar nicht regiert, wegen der allzugroßen Hitze. Es ist nur zu befürchten, daß die Karbonari so
einen Tag benutzen möchten; denn in der neuesten Zeit ist es mir
besonders aufgefallen, daß die Revolutionen immer an solchen Tagen ausgebrochen sind, wo nicht regiert wurde. Irrten sich einmal
die Karbonari, und glaubten sie, es wäre so ein unregierter Tag,
und gegen alle Erwartung wurde dennoch regiert, so verloren sie
die Köpfe. Die Karbonari können daher nie vorsichtig genug sein
und müssen sich genau die rechte Zeit merken. Dagegen aber ist es
die höchste Politik der Könige, daß sie es ganz geheim halten, an

---

[17] ›Neue allgemeine politische Annalen‹, deren 26. und 27. Band Heine mit Lind-
ner zusammen herausgab.

welchen Tagen sie nicht regieren, daß sie sich an solchen Tagen wenigstens einigemal auf den Regierstuhl setzen und etwa Federn schneiden oder Briefkouverts versiegeln oder weiße Blätter liniieren, alles zum Schein, damit das Volk draußen, das neugierig in die Fenster des Palais hineinguckt, ganz sicher glaube, es werde regiert.«

Während solche Bemerkungen aus Myladys feinem Mündchen hervorgaukelten, schwamm eine lächelnde Zufriedenheit um die vollen Rosenlippen Franscheskas. Sie sprach wenig. Ihr Gang war jedoch nicht mehr so seufzend entsagungsselig wie am verflossenen Abend, sie trat vielmehr siegreich einher, jeder Schritt ein Trompetenton; es war indessen mehr ein geistlicher Sieg als ein weltlicher, der sich in ihren Bewegungen kund gab, sie war fast das Bild einer triumphierenden Kirche, und um ihr Haupt schwebte eine unsichtbare Glorie. Die Augen aber, wie aus Tränen hervorlachend, waren wieder ganz weltkindlich, und in dem bunten Menschenstrom, der uns vorbeiflutete, ist auch kein einziges Kleidungsstück ihrem Forscherblick entgangen. »Ekko!« war dann ihr Ausruf, »welcher Shawl! der Markese soll mir eben solchen Kaschmir zu einem Turbane kaufen, wenn ich die Roxelane tanze. Ach! er hat mir auch ein Kreuz mit Diamanten versprochen!«

Armer Gumpelino! zu dem Turbane wirst du dich leicht verstehen, jedoch das Kreuz wird dir noch manche saure Stunde machen; aber Signora wird dich so lange quälen und auf die Folter spannen, bis du dich endlich dazu bequemst.

ELFTES KAPITEL

Die Kirche, worin das wundertätige Kreuz von Lucca zu sehen ist, gehört zu einem Kloster, dessen Namen mir diesen Augenblick nicht im Gedächtnisse.

Bei unserem Eintritt in die Kirche lagen vor dem Hauptaltare ein Dutzend Mönche auf den Knien, in schweigendem Gebet. Nur dann und wann, wie im Chor, sprachen sie einige abgebrochene Worte, die in den einsamen Säulengängen etwas schauerlich widerhallten. Die Kirche war dunkel, nur durch kleine gemalte Fenster fiel ein buntes Licht auf die kahlen Häupter und braunen Kutten. Glanzlose Kupferlampen beleuchteten spärlich die geschwärzten Freskos und Altarbilder, aus den Wänden traten hölzerne Heiligenköpfe, grell bemalt und bei dem zweifelhaften Lichte wie lebendig grinsend – Mylady schrie laut auf und zeigte zu unseren Füßen einen Grabstein, worauf in Relief das starre Bild eines Bischofs mit Mitra und Hirtenstab, gefalteten Händen und abgetretener Nase. »Ach!« flüsterte sie, »ich selbst trat ihm unsanft auf die steinerne Nase, und nun wird er mir diese Nacht im Traume erscheinen, und da gibt's eine Nase.«

Der Sakristan, ein bleicher, junger Mönch, zeigte uns das wundertätige Kreuz und erzählte dabei die Mirakel, die es verrichtet. Launisch, wie ich bin, habe ich vielleicht kein ungläubiges Gesicht dazu gemacht; ich habe dann und wann Anfälle von Wunderglauben, besonders wo, wie hier, Ort und Stunde denselben begünstigt. Ich glaube dann, daß alles in der Welt ein Wunder sei und die ganze Weltgeschichte eine Legende. War ich angesteckt von dem Wunderglauben Franscheskas, die das Kreuz mit wilder Begeisterung küßte? Verdrießlich wurde mir die ebenso wilde Spottlust der witzigen Britin. Vielleicht verletzte mich solche um so mehr, da ich mich selbst nicht davon frei fühlte und sie keineswegs als etwas Lobenswertes erachtete. Es ist nun mal nicht zu leugnen, daß die Spottlust, die Freude am Widerspruch der Dinge, etwas Bösartiges in sich trägt, statt daß der Ernst mehr mit den besseren Gefühlen verwandt ist – die Tugend, der Freiheitssinn und die Liebe selbst sind sehr ernsthaft. Indessen, es gibt Herzen, worin Scherz und Ernst, Böses und Heiliges, Glut und Kälte sich so abenteuerlich verbinden, daß es schwer wird, darüber zu urteilen. Ein solches Herz schwamm in der Brust Mathildens; manchmal war es eine frierende Eisinsel, aus deren glattem Spiegelboden die sehnsüchtig glühendsten Palmenwälder hervorblühten, manchmal war es wieder ein enthusiastisch flammender Vulkan, der plötzlich von einer lachenden Schneelawine überschüttet wird. Sie war durchaus nicht schlecht, bei all ihrer Ausgelassenheit, nicht einmal sinnlich; ja, ich glaube, von der Sinnlichkeit hatte sie nur die witzige Seite aufgefaßt und ergötzte sich daran wie an einem närrischen Puppenspiele. Es war ein humoristisches Gelüste, eine süße Neugier, wie sich der oder jener bunte Kauz in verliebten Zuständen gebärden würde. Wie ganz anders war Franscheska! In ihren Gedanken, Gefühlen war eine katholische Einheit. Am Tage war sie ein schmachtend blasser Mond, des Nachts war sie eine glühende Sonne – Mond meiner Tage! Sonne meiner Nächte! ich werde dich niemals wiedersehen!

»Sie haben recht«, sagte Mylady, »ich glaube auch an die Wundertätigkeit eines Kreuzes. Ich bin überzeugt, wenn der Markese an den Brillanten des versprochenen Kreuzes nicht zu sehr knikkert, so bewirkt es gewiß bei Signoren ein brillantes Wunder; sie wird am Ende noch so sehr davon geblendet werden, daß sie sich in seine Nase verliebt. Auch habe ich oft gehört von der Wundertätigkeit einiger Ordenskreuze, die einen ehrlichen Mann zum Schufte machen konnten.«

So spöttelte die hübsche Frau über alles, sie kokettierte mit dem armen Sakristan, machte dem Bischof mit der abgetretenen Nase noch drollige Exküsen, wobei sie sich seinen etwaigen Gegenbesuch höflichst verbat, und als wir an den Weihkessel gelangten, wollte sie mich durchaus wieder in einen Esel verwandeln.

War es nun wirklich Stimmung, die der Ort einflößte, oder wollte ich diesen Spaß, der mich im Grunde verdroß, so scharf als möglich ablehnen, genug ich warf mich in das gehörige Pathos und sprach: »Mylady, ich liebe keine Religionsverächterinnen. Schöne Frauen, die keine Religion haben, sind wie Blumen ohne Duft; sie gleichen jenen kalten, nüchternen Tulpen, die uns aus ihren chinesischen Porzellantöpfen so porzellanhaft ansehen und, wenn sie sprechen könnten, uns gewiß auseinandersetzen würden, wie sie ganz natürlich aus einer Zwiebel entstanden sind, wie es hinreichend sei, wenn man hienieden nur nicht übel riecht, und wie übrigens, was den Duft betrifft, eine vernünftige Blume gar keines Duftes bedarf.«

Schon bei dem Wort Tulpe geriet Mylady in die heftigsten Bewegungen, und während ich sprach, wirkte ihre Idiosynkrasie gegen diese Blume so stark, daß sie sich verzweiflungsvoll die Ohren zuhielt. Zur Hälfte war es wohl Komödie, zur Hälfte aber auch wohl pikierter Ernst, daß sie mich mit bitterem Blicke ansah und aus Herzensgrund spottscharf mich frug: »Und Sie, teure Blume, welche von den vorhandenen Religionen haben Sie?«

»Ich, Mylady, ich habe sie alle, der Duft meiner Seele steigt in den Himmel und betäubt selbst die ewigen Götter!«

ZWÖLFTES KAPITEL

Indem Signora unser Gespräch, das wir größtenteils auf Englisch führten, nicht verstehen konnte, geriet sie, Gott weiß wie! auf den Gedanken, wir stritten über die Vorzüglichkeit unserer respektiven Landsleute. Sie lobte nun die Engländer ebenso wie die Deutschen, obgleich sie im Herzen die ersteren für nicht klug und die letzteren für dumm hielt. Sehr schlecht dachte sie von den Preußen, deren Land, nach ihrer Geographie, noch weit über England und Deutschland hinausliegt, besonders schlecht dachte sie vom Könige von Preußen, dem großen Federigo, den ihre Feindin, Signora Seraphina, in ihrem Benefizballette vorig Jahr getanzt hatte; wie denn sonderbar genug dieser König, nämlich Friedrich der Große, auf den italienischen Theatern und im Gedächtnisse des italienischen Volks noch immer lebt.

»Nein«, sagte Mylady, ohne auf Signoras süßes Gekose hinzuhören, »nein, diesen Menschen braucht man nicht erst in einen Esel zu verwandeln; nicht nur, daß er jede zehn Schritte seine Gesinnung wechselt und sich beständig widerspricht, wird er jetzt sogar ein Bekehrer, und ich glaube gar, er ist ein verkappter Jesuit. Ich muß, meiner Sicherheit wegen, jetzt devote Gesichter schneiden, sonst gibt er mich an bei seinen Mitheuchlern in Christo, bei den heiligen Inquisitionsdilettanten, die mich in effigie verbrennen, da ihnen die Polizei noch nicht erlaubt, die Personen selbst ins Feuer zu werfen. Ach, ehrwürdiger Herr! glauben Sie nur nicht, daß ich so klug sei, wie ich aussehe, es fehlt mir durchaus nicht an Religion, ich bin keine Tulpe, beileibe keine Tulpe, nur um des Himmels Willen keine Tulpe, ich will lieber alles glauben! Ich glaube jetzt schon das Hauptsächlichste, was in der Bibel steht, ich glaube, daß Abraham den Isaak und Isaak den Jakob und Jakob wieder den Juda gezeugt hat, sowie auch, daß dieser wieder seine Schnur Tamar auf der Landstraße erkannt hat. Ich glaube auch, daß Lot mit seinen Töchtern zu viel getrunken. Ich glaube, daß die Frau des Potiphar den Rock des frommen Josephs in Händen behalten. Ich glaube, daß die beiden Alten, die Susannen im Bade überraschten, sehr alt gewesen sind. Außerdem glaub' ich noch, daß der Erzvater Jakob erst seinen Bruder und dann seinen Schwiegervater betrogen, daß König David dem Uria eine gute Anstellung bei der Armee gegeben, daß Salomo sich tausend Weiber angeschafft und nachher gejammert, es sei alles eitel. Auch an die zehn Gebote glaube ich und halte sogar die meisten; ich lass' mich nicht gelüsten meines Nächsten Ochsen noch seiner Magd, noch seiner Kuh, noch seines Esels. Ich arbeite nicht am Sabbat, dem siebenten Tage, wo Gott geruht; ja, aus Vorsicht, da man nicht mehr genau weiß, welcher dieser siebente Ruhetag war, tue ich oft die ganze Woche nichts. Was aber gar die Gebote Christi betrifft, so übte ich immer das wichtigste, nämlich daß man sogar seine Feinde lieben soll – denn ach! diejenigen Menschen, die ich am meisten geliebt habe, waren immer, ohne daß ich es wußte, meine schlimmsten Feinde.«

»Um Gottes willen, Mathilde, weinen Sie nicht!« rief ich, als wieder ein Ton der schmerzhaftesten Bitterkeit aus der heitersten Neckerei, wie eine Schlange aus einem Blumenbeete, hervorschoß. Ich kannte ja diesen Ton, wobei das witzige Kristallherz der wunderbaren Frau zwar immer gewaltig, aber nicht lange erzitterte, und ich wußte, daß er ebenso leicht, wie er entsteht, auch wieder

verscheucht wird, durch die erste beste lachende Bemerkung, die
man ihr mitteilte, oder die ihr selbst durch den Sinn flog. Während
sie, gelehnt an das Portal des Klosterhofes, die glühende Wange an
die kalten Steine preßte und sich mit ihren langen Haaren die Trä-
nenspur aus den Augen wischte, suchte ich ihre gute Laune wieder
zu erwecken, indem ich, in ihrer eigenen Spottweise, die arme Franscheska zu mystifizieren suchte und ihr die wichtigsten Nachrichten
mitteilte über den Siebenjährigen Krieg, der sie so sehr zu interessieren schien und den sie noch immer unbeendigt glaubte. Ich erzählte ihr viel Interessantes von dem großen Federigo, dem witzigen Gamaschengott von Sanssouci, der die preußische Monarchie
erfunden und in seiner Jugend recht hübsch die Flöte blies und auch
französische Verse gemacht hat. Franscheska frug mich, ob die Preußen oder die Deutschen siegen werden. Denn, wie schon oben bemerkt, sie hielt erstere für ein ganz anderes Volk, und es ist auch
gewöhnlich, daß in Italien unter dem Namen Deutsche nur die Öst-
reicher verstanden werden. Signora wunderte sich nicht wenig, als
ich ihr sagte, daß ich selbst lange Zeit in der Capitale della Prussia
gelebt habe, nämlich in Berelino, einer Stadt, die ganz oben in der
Geographie liegt, unfern vom Eispol. Sie schauderte, als ich ihr die
Gefahren schilderte, denen man dort zuweilen ausgesetzt ist, wenn
einem die Eisbären auf der Straße begegnen. »Denn, liebe Franscheska«, erklärte ich ihr, »in Spitzbergen liegen gar zu viele Bären
in Garnison, und diese kommen zuweilen auf einen Tag nach Berlin, um etwa aus Patriotismus den ›Bär und den Bassa‹[18] zu sehen
oder einmal bei Beyermann, im Café royal, gut zu essen und Cham-
pagner zu trinken, was ihnen oft mehr Geld kostet, als sie mitgebracht; in welchem Falle einer von den Bären so lange dort angebunden wird, bis seine Kameraden zurückkehren und bezahlen, woher auch der Ausdruck ›einen Bären anbinden‹ entstanden ist. Viele
Bären wohnen in der Stadt selbst, ja man sagt, Berlin verdanke
seine Entstehung den Bären und hieße eigentlich Bärlin. Die Stadt-
bären sind aber übrigens sehr zahm und einige darunter so gebildet,
daß sie die schönsten Tragödien schreiben und die herrlichste Musik
komponieren[19]. Die Wölfe sind dort ebenfalls häufig, und da sie,
der Kälte wegen, Warschauer Schafpelze tragen, sind sie nicht so
leicht zu erkennen. Schneegänse flattern dort umher und singen
Bravour-Arien, und Renntiere rennen da herum als Kunstkenner.
Übrigens leben die Berliner sehr mäßig und fleißig, und die meisten

[18] ›Der Bär und der Bassa‹, Singspiel in einem Akt, nach dem Französischen
(Scribe), von Carl Blum (Berlin 1821). [19] Heine spielt hier auf den Dramatiker
Michael Beer und den Komponist Meyerbeer an.

sitzen bis am Nabel im Schnee und schreiben Dogmatiken, Erbauungsbücher, Religionsgeschichten für Töchter gebildeter Stände, Katechismen, Predigten für alle Tage im Jahr, Elohagedichte[20] und sind dabei sehr moralisch, denn sie sitzen bis am Nabel im Schnee.«

»Sind die Berliner denn Christen?« rief Signora voller Verwunderung.

»Es hat eine eigne Bewandtnis mit ihrem Christentum. Dieses fehlt ihnen im Grunde ganz und gar, und sie sind auch viel zu vernünftig, um es ernstlich auszuüben. Aber da sie wissen, daß das Christentum im Staate nötig ist, damit die Untertanen hübsch demütig gehorchen und auch außerdem nicht zu viel gestohlen und gemordet wird, so suchen sie mit großer Beredsamkeit wenigstens ihre Nebenmenschen zum Christentume zu bekehren, sie suchen gleichsam Remplaçants in einer Religion, deren Aufrechterhaltung sie wünschen und deren strenge Ausübung ihnen selbst zu mühsam wird. In dieser Verlegenheit benutzen sie den Diensteifer der armen Juden, diese müssen jetzt für sie Christen werden, und da dieses Volk für Geld und gute Worte alles aus sich machen läßt, so haben sich die Juden schon so ins Christentum hineinexerziert, daß sie ordentlich schon über Unglauben schreien, auf Tod und Leben die Dreieinigkeit verfechten, in den Hundstagen sogar daran glauben, gegen die Rationalisten wüten, als Missionäre und Glaubensspione im Lande herumschleichen und erbauliche Traktätchen verbreiten, in den Kirchen am besten die Augen verdrehen, die scheinheiligsten Gesichter schneiden und mit so viel hohem Beifalle frömmeln, daß sich schon hie und da der Gewerbsneid regt und die älteren Meister des Handwerks schon heimlich klagen: das Christentum sei jetzt ganz in den Händen der Juden.«

DREIZEHNTES KAPITEL

Wenn mich Signora nicht verstand, so wirst du, lieber Leser, mich gewiß besser verstehen. Auch Mylady verstand mich, und dies Verständnis weckte wieder ihre gute Laune. Doch als ich – ich weiß nicht mehr, ob mit ernsthaftem Gesichte – der Meinung beipflichten wollte, daß das Volk einer bestimmten Religion bedürfe, konnte sie wieder nicht umhin, mir in ihrer Weise entgegenzustreiten.

»Das Volk muß eine Religion haben!« rief sie. »Eifrig höre ich diesen Satz predigen von tausend dummen und abertausend scheinheiligen Lippen –«

[20] Eloah = Gott (hebräisch).

»Und dennoch ist es wahr, Mylady. Wie die Mutter nicht alle Fragen des Kindes mit der Wahrheit beantworten kann, weil seine Fassungskraft es nicht erlaubt, so muß auch eine positive Religion, eine Kirche vorhanden sein, die alle übersinnlichen Fragen des Volks, seiner Fassungskraft gemäß, recht sinnlich bestimmt beantworten kann.«

»O weh! Doktor, eben Ihr Gleichnis bringt mir eine Geschichte ins Gedächtnis, die am Ende nicht günstig für Ihre Meinung sprechen würde. Als ich noch klein war, in Dublin —«

»Und auf dem Rücken lag —«

»Aber, Doktor, man kann doch mit Ihnen kein vernünftig Wort sprechen. Lächeln Sie nicht so unverschämt und hören Sie: Als ich noch klein war, in Dublin, und zu Mutters Füßen saß, frug ich sie einst: was man mit den alten Vollmonden anfange. ›Liebes Kind‹, sagte die Mutter, ›die alten Vollmonde schlägt der liebe Gott mit dem Zuckerhammer in Stücke und macht daraus die kleinen Sterne.‹ Man kann der Mutter diese offenbar falsche Erklärung nicht verdenken, denn mit den besten astronomischen Kenntnissen hätte sie doch nicht vermocht, mir das ganze Sonne-, Mond- und Sternesystem auseinanderzusetzen, und die übersinnlichen Fragen beantwortete sie sinnlich bestimmt. Es wäre aber doch besser gewesen, sie hätte die Erklärung für ein reiferes Alter verschoben oder wenigstens keine Lüge ausgedacht. Denn als ich mit der kleinen Lucie zusammen kam und der Vollmond am Himmel stand, und ich ihr erklärte, wie man bald kleine Sterne draus machen werde, lachte sie mich aus und sagte, daß ihre Großmutter, die alte O'Meara, ihr erzählt habe: ›die Vollmonde würden in der Hölle als Feuermelonen verzehrt, und da man dort keinen Zucker habe, müsse man Pfeffer und Salz drauf streuen‹. Hatte Lucie vorher über meine Meinung, die etwas naiv evangelisch war, mich ausgelacht, so lachte ich noch mehr über ihre düster katholische Ansicht, vom Auslachen kam es zu ernstem Streit, wir pufften uns, wir kratzten uns blutig, wir bespuckten uns polemisch, bis der kleine O'Donnel aus der Schule kam und uns auseinander riß. Dieser Knabe hatte dort besseren Unterricht in der Himmelskunde genossen, verstand sich auf Mathematik und belehrte uns ruhig über unsere beiderseitigen Irrtümer und die Torheit unseres Streits. Und was geschah? Wir beiden Mädchen unterdrückten vorderhand unseren Meinungsstreit und vereinigten uns gleich, um den kleinen, ruhigen Mathematikus durchzuprügeln.«

»Mylady, ich bin verdrießlich, denn Sie haben recht. Aber es ist nicht zu ändern, die Menschen werden immer streiten über die Vorzüglichkeit derjenigen Religionsbegriffe, die man ihnen früh beigebracht, und der Vernünftige wird immer doppelt zu leiden haben. Einst war es freilich anders, da ließ sich keiner einfallen, die Lehre und die Feier seiner Religion besonders anzupreisen oder gar sie jemanden aufzudringen. Die Religion war eine liebe Tradition, heilige Geschichten, Erinnerungsfeier und Mysterien, überliefert von den Vorfahren, gleichsam Familiensakra des Volks, und einem Griechen wäre es ein Greuel gewesen, wenn ein Fremder, der nicht von seinem Geschlechte, eine Religionsgenossenschaft mit ihm verlangt hätte; noch mehr würde er es für eine Unmenschlichkeit gehalten haben, irgend jemand, durch Zwang oder List, dahin zu bringen, seine angeborene Religion aufzugeben und eine fremde dafür anzunehmen. Da kam aber ein Volk aus Ägypten, dem Vaterland der Krokodile und des Priestertums, und außer den Hautkrankheiten und den gestohlenen Gold- und Silbergeschirren brachte es auch eine sogenannte positive Religion mit, eine sogenannte Kirche, ein Gerüste von Dogmen, an die man glauben, und heiliger Zeremonien, die man feiern mußte, ein Vorbild der späteren Staatsreligionen. Nun entstand ›die Menschenmäkelei‹, das Proselytenmachen, der Glaubenszwang und all jene heiligen Greuel, die dem Menschengeschlechte so viel Blut und Tränen gekostet.«

»Goddam! dieses Urübelvolk!«

»O, Mathilde, es ist längst verdammt und schleppt seine Verdammnisqualen durch die Jahrtausende. O, dieses Ägypten! seine Fabrikate trotzen der Zeit, seine Pyramiden stehen noch immer unerschütterlich, seine Mumien sind noch so unzerstörbar wie sonst, und ebenso unverwüstlich ist jene Volkmumie, die über die Erde wandelt, eingewickelt in ihren uralten Buchstabenwindeln, ein verhärtet Stück Weltgeschichte, ein Gespenst, das zu seinem Unterhalte mit Wechseln und alten Hosen handelt – Sehen Sie, Mylady, dort jenen alten Mann mit dem weißen Barte, dessen Spitze sich wieder zu schwärzen scheint, und mit den geisterhaften Augen –«

»Sind dort nicht die Ruinen der alten Römergräber?«

»Ja, ebenda sitzt der alte Mann, und vielleicht, Mathilde, verrichtet er eben sein Gebet, ein schauriges Gebet, worin er seine Leiden bejammert und Völker anklagt, die längst von der Erde verschwunden sind und nur noch in Ammenmärchen leben – er aber, in seinem Schmerze, bemerkt kaum, daß er auf den Gräbern derjenigen Feinde sitzt, deren Untergang er vom Himmel erfleht.«

VIERZEHNTES KAPITEL

Ich sprach im vorigen Kapitel von den positiven Religionen nur, insofern sie als Kirchen unter den Namen Staatsreligionen noch besonders vom Staate privilegiert werden. Es gibt aber eine fromme Dialektik, lieber Leser, die dir aufs bündigste beweisen wird, daß ein Gegner des Kirchtums einer solchen Staatsreligion auch ein Feind der Religion und des Staats sei, ein Feind Gottes und des Königs oder, wie die gewöhnliche Formel lautet: ein Feind des Throns und des Altars. Ich aber sage dir, das ist eine Lüge, ich ehre die innere Heiligkeit jeder Religion und unterwerfe mich den Interessen des Staates. Wenn ich auch dem Anthropomorphismus nicht sonderlich huldige, so glaube ich doch an die Herrlichkeit Gottes, und wenn auch die Könige so töricht sind, dem Geiste des Volks zu widerstreben, oder gar so unedel sind, die Organe desselben durch Zurücksetzungen und Verfolgungen zu kränken: so bleibe ich doch, meiner tiefsten Überzeugung nach, ein Anhänger des Königstums, des monarchischen Prinzips. Ich hasse nicht den Thron, sondern nur das windige Adelgeziefer, das sich in die Ritzen der alten Throne eingenistet, und dessen Charakter uns Montesquieu so genau schildert mit den Worten: »Ehrgeiz im Bunde mit dem Müßiggange, die Gemeinheit im Bunde mit dem Hochmute, die Begierde, sich zu bereichern ohne Arbeit, die Abneigung gegen die Wahrheit, die Schmeichelei, der Verrat, die Treulosigkeit, der Wortbruch, die Verachtung der Bürgerpflichten, die Furcht vor Fürstentugend und das Interesse an Fürstenlaster!« Ich hasse nicht den Altar, sondern ich hasse die Schlangen, die unter dem Gerölle der alten Altäre lauern; die argklugen Schlangen, die unschuldig wie Blumen zu lächeln wissen, während sie heimlich ihr Gift spritzen in den Kelch des Lebens und Verleumdung zischen in das Ohr des frommen Beters, die gleißenden Würmer mit weichen Worten –

> Mel in ore, verba lactis,
> Fel in corde, fraus in factis[21].

Eben weil ich ein Freund des Staats und der Religion bin, hasse ich jene Mißgeburt, die man Staatsreligion nennt, jenes Spottgeschöpf, das aus der Buhlschaft der weltlichen und der geistlichen Macht entstanden, jenes Maultier, das der Schimmel des Antichrists mit der Eselin Christi gezeugt hat. Gäbe es keine solche Staatsreligion, keine Bevorrechtung eines Dogmas und eines Kultus, so wäre Deutschland einig und stark, und seine Söhne wären herrlich und

---

[21] Ein alter Spottvers auf die Jesuiten.

frei. So aber ist unser armes Vaterland zerrissen durch Glaubens-
zwiespalt, das Volk ist getrennt in feindliche Religionsparteien,
protestantische Untertanen hadern mit ihren katholischen Fürsten
oder umgekehrt, überall Mißtrauen ob Kryptokatholizismus oder
Kryptoprotestantismus, überall Verketzerung, Gesinnungsspionage,
Pietismus, Mystizismus, Kirchenzeitungsschnüffeleien, Sektenhaß,
Bekehrungssucht, und während wir über den Himmel streiten, gehen
wir auf Erden zu Grunde. Ein Indifferentismus in religiösen Dingen
wäre vielleicht allein imstande, uns zu retten, und durch Schwächer-
werden im Glauben könnte Deutschland politisch erstarken.

Für die Religion selber, für ihr heiliges Wesen, ist es ebenso verderblich, wenn sie mit Privilegien bekleidet ist, wenn ihre Diener
vom Staate vorzugsweise dotiert werden und zur Erhaltung dieser
Dotationen ihrerseits verpflichtet sind, den Staat zu vertreten, und
solchermaßen eine Hand die andere wäscht, die geistliche die weltliche und umgekehrt, und ein Wischwasch entsteht, der dem lieben
Gott eine Torheit und den Menschen ein Greul ist. Hat nun der
Staat Gegner, so werden diese auch Feinde der Religion, die der
Staat bevorrechtet und die deshalb seine Alliierte ist; und selbst
der harmlose Gläubige wird mißtrauisch, wenn er in der Religion
auch politische Absicht wittert. Am widerwärtigsten aber ist der
Hochmut der Priester, wenn sie für die Dienste, die sie dem Staate
zu leisten glauben, auch auf dessen Unterstützung rechnen dürfen,
wenn sie für die geistige Fessel, die sie ihm, um die Völker zu bin-
den, geliehen haben, auch über seine Bajonette verfügen können.
Die Religion kann nie schlimmer sinken, als wenn sie solchermaßen
zur Staatsreligion erhoben wird; es geht dann gleichsam ihre innere
Unschuld verloren, und sie wird so öffentlich stolz wie eine dekla-
rierte Mätresse. Freilich werden ihr dann mehr Huldigungen und
Ehrfurchtsversicherungen dargebracht, sie feiert täglich neue Siege
in glänzenden Prozessionen, bei solchen Triumphen tragen sogar
bonapartistische Generale ihr die Kerzen vor, die stolzesten Geister
schwören zu ihrer Fahne, täglich werden Ungläubige bekehrt und
getauft – aber dies viele Wasseraufgießen macht die Suppe nicht
fetter, und die neuen Rekruten der Staatsreligion gleichen den Soldaten, die Fallstaff geworben – sie füllen die Kirche. Von Aufopf-
rung ist gar nicht mehr die Rede, wie Kaufmannsdiener mit ihren
Musterkarten, so reisen die Missionäre mit ihren Traktätchen und
Bekehrungsbüchlein, es ist keine Gefahr mehr bei diesem Geschäfte,
und es bewegt sich ganz in merkantilisch ökonomischen Formen.

Nur solange die Religionen mit anderen zu rivalisieren haben
und weit mehr verfolgt werden als selbst verfolgen, sind sie herr-

lich und ehrenwert, nur da gibt's Begeisterung, Aufopferung, Märtyrer und Palmen. Wie schön, wie heilig lieblich, wie heimlich süß war das Christentum der ersten Jahrhunderte, als es selbst noch seinem göttlichen Stifter glich im Heldentum des Leidens. Da war's noch die schöne Legende von einem heimlichen Gotte, der in sanfter Jünglingsgestalt unter den Palmen Palästinas wandelte und Menschenliebe predigte und jene Freiheit- und Gleichheitslehre offenbarte, die auch später die Vernunft der größten Denker als wahr erkannt hat und die, als französisches Evangelium, unsere Zeit begeistert. Mit jener Religion Christi vergleiche man die verschiedenen Christentümer, die in den verschiedenen Ländern als Staatsreligionen konstituiert worden, z. B. die römisch apostolisch katholische Kirche oder gar jenen Katholizismus ohne Poesie, den wir als High Church of England herrschen sehen, jenes kläglich morsche Glaubensskelett, worin alles blühende Leben erloschen ist! Wie den Gewerben ist auch den Religionen das Monopolsystem schädlich, durch freie Konkurrenz bleiben sie kräftig, und sie werden erst dann zu ihrer ursprünglichen Herrlichkeit wieder erblühen, sobald die politische Gleichheit der Gottesdienste, sozusagen die Gewerbefreiheit der Götter eingeführt wird.

Die edelsten Menschen in Europa haben es längst ausgesprochen, daß dieses das einzige Mittel ist, die Religion vor gänzlichem Untergang zu bewahren; doch die Diener derselben werden eher den Altar selbst aufopfern, als daß sie von dem, was darauf geopfert wird, das mindeste verlieren möchten; ebenso wie der Adel eher den Thron selbst und Hochdenjenigen, der hochdarauf sitzt, dem sichersten Verderben überlassen würde, als daß er mit ernstlichem Willen die ungerechteste seiner Gerechtsame aufgäbe. Ist doch das affektierte Interesse für Thron und Altar nur ein Possenspiel, das dem Volke vorgegaukelt wird! Wer das Zunftgeheimnis belauert hat, weiß, daß die Pfaffen viel weniger als die Laien den Gott respektieren, den sie zu ihrem eignen Nutzen, nach Willkür, aus Brot und Wort zu kneten wissen, und daß die Adligen viel weniger, als es ein Roturier vermöchte, den König respektieren und sogar eben das Königtum, dem sie öffentlich so viele Ehrfurcht zeigen, und dem sie so viel Ehrfurcht bei anderen zu erwerben suchen, in ihrem Herzen verhöhnen und verachten: — wahrlich, sie gleichen jenen Leuten, die dem gaffenden Publikum in den Marktbuden irgendeinen Herkules oder Riesen, oder Zwerg, oder Wilden, oder Feuerfresser, oder sonstig merkwürdigen Mann für Geld zeigen und dessen Stärke, Erhabenheit, Kühnheit, Unverletzlichkeit oder, wenn er ein Zwerg ist, dessen Weisheit mit der übertriebensten Ruhmredigkeit auspreisen und dabei in die Trompete stoßen und eine bunte Jacke tragen, während sie darunter, im Herzen, die Leichtgläubigkeit des staunenden Volkes verlachen und den armen Hochgepriesenen verspotten, der ihnen aus Gewohnheit des täglichen Anblicks sehr uninteressant geworden und dessen Schwächen und nur andressierte Künste sie allzu genau kennen.

Ob der liebe Gott es noch lange dulden wird, daß die Pfaffen einen leidigen Popanz für ihn ausgeben und damit Geld verdienen, das weiß ich nicht; – wenigstens würde ich mich nicht wundern, wenn ich mal im Hamb. Unpart. Korrespondenten läse: daß der alte Jehovah jedermann warne, keinem Menschen, es sei wer es wolle, nicht einmal seinem Sohne, auf seinen Namen Glauben zu schenken. Überzeugt bin ich aber, wir werden's mit der Zeit erleben, daß die Könige sich nicht mehr hergeben wollen zu einer Schaupuppe ihrer adligen Verächter, daß sie die Etiketten brechen, ihren marmornen Buden entspringen und unwillig von sich werfen den glänzenden Plunder, der dem Volke imponieren sollte, den roten Mantel, der scharfrichterlich abschreckte, den diamantenen Reif, den man ihnen über die Ohren gezogen, um sie den Volksstimmen zu versperren, den goldnen Stock, den man ihnen als Scheinzeichen der Herrschaft in die Hand gegeben – und die befreiten Könige werden frei sein wie andre Menschen und frei unter ihnen wandeln und frei fühlen und frei heuraten und frei ihre Meinung bekennen, und das ist die Emanzipation der Könige.

FÜNFZEHNTES KAPITEL

Was bleibt aber den Aristokraten übrig, wenn sie der gekrönten Mittel ihrer Subsistenz beraubt werden, wenn die Könige ein Eigentum des Volkes sind und ein ehrliches und sicheres Regiment führen durch den Willen des Volkes, der alleinigen Quelle aller Macht? Was werden die Pfaffen beginnen, wenn die Könige einsehen, daß ein bißchen Salböl keinen menschlichen Kopf guillotinenfest machen kann, ebenso wie das Volk täglich mehr und mehr einsieht, daß man von Oblaten nicht satt wird? Nun freilich, da bleibt der Aristokratie und der Klerisei nichts übrig, als sich zu verbünden und gegen die neue Weltordnung zu kabalieren und zu intrigieren.

Vergebliches Bemühen! Eine flammende Riesin, schreitet die Zeit ruhig weiter, unbekümmert um das Gekläffe bissiger Pfäffchen und Junkerlein da unten. Wie heulen sie jedesmal, wenn sie sich die Schnauze verbrannt an einem Fuße jener Riesin oder wenn diese

ihnen mal unversehens auf die Köpfe trat, daß das obskure Gift
herausspritzte! Ihr Grimm wendet sich dann um so tückischer gegen
einzelne Kinder der Zeit, und ohnmächtig gegen die Masse, suchen
sie an Individuen ihr feiges Mütchen zu kühlen.

Ach! wir müssen es gestehen, manch armes Kind der Zeit fühlt
darum nicht minder die Stiche, die ihm lauernde Pfaffen und Junker im Dunkeln beizubringen wissen, und ach! wenn auch eine Glorie sich zieht um die Wunden des Siegers, so bluten sie dennoch und
schmerzen dennoch! Es ist ein seltsames Martyrtum, das solche Sieger in unseren Tagen erdulden, es ist nicht abgetan mit einem kühnen Bekenntnisse, wie in früheren Zeiten, wo die Blutzeugen ein
rasches Schafott fanden oder den jubelnden Holzstoß. Das Wesen
des Martyrtums, alles Irdische aufzuopfern für den himmlischen
Spaß, ist noch immer dasselbe; aber es hat viel verloren von seiner
innern Glaubensfreudigkeit, es wurde mehr ein resignierendes Aus-
dauern, ein beharrliches Überdulden, ein lebenslängliches Sterben,
und da geschieht es sogar, daß in grauen kalten Stunden auch die
heiligsten Märtyrer vom Zweifel beschlichen werden. Es gibt nichts
Entsetzlicheres als jene Stunden, wo ein Marcus Brutus zu zweifeln
begann an der Wirklichkeit der Tugend, für die er alles geopfert!
Und ach! jener war ein Römer und lebte in der Blütenzeit der Stoa;
wir aber sind modern weicheren Stoffes, und dazu sehen wir noch
das Gedeihen einer Philosophie, die aller Begeisterung nur eine
relative Bedeutung zuspricht und sie somit in sich selbst vernichtet
oder sie allenfalls zu einer selbstbewußten Donquichotterie neu-
tralisiert!

Die kühlen und klugen Philosophen! Wie mitleidig lächeln sie
herab auf die Selbstquälereien und Wahnsinnigkeiten eines armen
Don Quichotte, und in all ihrer Schulweisheit merken sie nicht, daß
jene Donquichotterie dennoch das Preiswerteste des Lebens, ja
das Leben selbst ist und daß diese Donquichotterie die ganze Welt
mit allem, was darauf philosophiert, musiziert, ackert und gähnt,
zu kühnerem Schwunge beflügelt! Denn die große Volksmasse mit-
samt den Philosophen ist, ohne es zu wissen, nichts anders als ein
kolossaler Sancho Pansa, der, trotz all seiner nüchternen Prügel-
scheu und hausbackner Verständigkeit, dem wahnsinnigen Ritter
in allen seinen gefährlichen Abenteuern folgt, gelockt von der versprochenen Belohnung, an die er glaubt, weil er sie wünscht, mehr
aber noch getrieben von der mystischen Gewalt, die der Enthusiasmus immer ausübt auf den großen Haufen – wie wir es in allen
politischen und religiösen Revolutionen und vielleicht täglich im
kleinsten Ereignisse sehen können.

So z. B. du, lieber Leser, bist unwillkürlich der Sancho Pansa des verrückten Poeten, dem du durch die Irrfahrten dieses Buches zwar mit Kopfschütteln folgst, aber dennoch folgst.

SECHZEHNTES KAPITEL

Seltsam! ›Leben und Taten des scharfsinnigen Junkers Don Quichotte von La Mancha, beschrieben von Miguel de Cervantes Saavedra‹ war das erste Buch, das ich gelesen habe, nachdem ich schon in ein verständiges Knabenalter getreten und des Buchstabenwesens einigermaßen kundig war. Ich erinnere mich noch ganz genau jener kleinen Zeit, wo ich mich eines frühen Morgens von Hause wegstahl und nach dem Hofgarten eilte, um dort ungestört den Don Quichotte zu lesen. Es war ein schöner Maitag, lauschend im stillen Morgenlichte lag der blühende Frühling und ließ sich loben von der Nachtigall, seiner süßen Schmeichlerin, und diese sang ihr Loblied so karessierend weich, so schmelzend enthusiastisch, daß die verschämtesten Knospen aufsprangen und die lüsternen Gräser und die duftigen Sonnenstrahlen sich hastiger küßten und Bäume und Blumen schauerten vor eitelem Entzücken. Ich aber setzte mich auf eine alte moosige Steinbank in der sogenannten Seufzerallee unfern des Wasserfalls und ergötzte mein kleines Herz an den großen Abenteuern des kühnen Ritters. In meiner kindischen Ehrlichkeit nahm ich alles für baren Ernst; so lächerlich auch dem armen Helden von dem Geschicke mitgespielt wurde, so meinte ich doch, das müsse so sein, das gehöre nun mal zum Heldentum, das Ausgelachtwerden ebensogut wie die Wunden des Leibes, und jenes verdroß mich ebensosehr, wie ich diese in meiner Seele mitfühlte. Ich war ein Kind und kannte nicht die Ironie, die Gott in die Welt hineingeschaffen und die der große Dichter in seiner gedruckten Kleinwelt nachgeahmt hatte – und ich konnte die bittersten Tränen vergießen, wenn der edle Ritter für all seinen Edelmut nur Undank und Prügel genoß; und da ich, noch ungeübt im Lesen, jedes Wort laut aussprach, so konnten Vögel und Bäume, Bach und Blumen alles mit anhören, und da solche unschuldige Naturwesen ebenso wie die Kinder von der Weltironie nichts wissen, so hielten sie gleichfalls alles für baren Ernst und weinten mit über die Leiden des armen Ritters, sogar eine alte ausgediente Eiche schluchzte, und der Wasserfall schüttelte heftiger seinen weißen Bart und schien zu schelten auf die Schlechtigkeit der Welt. Wir fühlten, daß der Heldensinn des Ritters darum nicht mindere Bewunderung verdient, wenn ihm der Löwe ohne Kampflust den Rücken kehrte, und daß seine Taten um so preisenswerter, je schwächer und ausgedorrter sein Leib, je morscher die Rüstung, die ihn schützte, und je armseliger der Klepper, der ihn trug. Wir verachteten den niedrigen Pöbel, der den armen Helden so prügelroh behandelte, noch mehr aber den hohen Pöbel, der, geschmückt mit buntseidnen Mänteln, vornehmen Redensarten und Herzogstiteln, einen Mann verhöhnte, der ihm an Geisteskraft und Edelsinn so weit überlegen war. Dulcineas Ritter stieg immer höher in meiner Achtung und gewann immer mehr meine Liebe, je länger ich in dem wundersamen Buche las, was in demselben Garten täglich geschah, so daß ich schon im Herbste das Ende der Geschichte erreichte – und nie werde ich den Tag vergessen, wo ich von dem kummervollen Zweikampfe las, worin der Ritter so schmählich unterliegen mußte!

Es war ein trüber Tag, häßliche Nebelwolken zogen dem grauen Himmel entlang, die gelben Blätter fielen schmerzlich von den Bäumen, schwere Tränentropfen hingen an den letzten Blumen, die gar traurig welk die sterbenden Köpfchen senkten, die Nachtigallen waren längst verschollen, von allen Seiten starrte mich an das Bild der Vergänglichkeit – und mein Herz wollte schier brechen, als ich las, wie der edle Ritter betäubt und zermalmt am Boden lag und, ohne das Visier zu erheben, als wenn er aus dem Grabe gesprochen hätte, mit schwacher kranker Stimme zu dem Sieger hinaufsprach: »Dulcinea ist das schönste Weib der Welt und ich der unglücklichste Ritter auf Erden, aber es ziemt sich nicht, daß meine Schwäche diese Wahrheit verleugne – stoßt zu mit der Lanze, Ritte

Ach! dieser leuchtende Ritter vom silbernen Monde, der den mutigsten und edelsten Mann der Welt besiegte, war ein verkappter Barbier!

SIEBZEHNTES KAPITEL

Das ist nun lange her. Viele neue Lenze sind unterdessen hervorgeblüht, doch mangelte ihnen immer ihr mächtigster Reiz, denn ach! ich glaube nicht mehr den süßen Lügen der Nachtigall, der Schmeichlerin des Frühlings, ich weiß, wie schnell seine Herrlichkeit verwelkt, und wenn ich die jüngste Rosenknospe erblicke, sehe ich sie im Geiste schmerzrot aufblühen, erbleichen und von den Winden verweht. Überall sehe ich einen verkappten Winter.

In meiner Brust aber blüht noch jene flammende Liebe, die sich sehnsüchtig über die Erde emporhebt, abenteuerlich herumschwärmt in den weiten, gähnenden Räumen des Himmels, dort zurückgestoßen wird von den kalten Sternen und wieder heimsinkt zur kleinen Erde und mit Seufzen und Jauchzen gestehen muß, daß es doch in der ganzen Schöpfung nichts Schöneres und Besseres gibt als das Herz des Menschen. Diese Liebe ist die Begeisterung, die immer göttlicher Art, gleichviel ob sie törichte oder weise Handlungen verübt – Und so hat der kleine Knabe keineswegs unnütz seine Tränen verschwendet, die er über die Leiden des närrischen Ritters vergoß, ebensowenig wie späterhin der Jüngling, als er manche Nacht im Studierstübchen weinte über den Tod der heiligsten Freiheitshelden, über König Agis von Sparta, über Cajus und Tiberius Gracchus von Rom, über Jesus von Jerusalem und über Robespierre und Saint-Just von Paris. Jetzt, wo ich die Toga virilis angezogen und selbst ein Mann sein will, hat das Weinen ein Ende, und es gilt zu handeln wie ein Mann, nachahmend die großen Vorgänger und will's Gott! künftig ebenfalls beweint von Knaben und Jünglingen. Ja, diese sind es, auf die man noch rechnen kann in unserer kalten Zeit, denn diese werden noch entzündet von dem glühenden Hauche, der ihnen aus den alten Büchern entgegenweht, und deshalb begreifen sie auch die Flammenherzen der Gegenwart. Die Jugend ist uneigennützig im Denken und Fühlen und denkt und fühlt deshalb die Wahrheit am tiefsten und geizt nicht, wo es gilt, eine kühne Teilnahme an Bekenntnis und Tat. Die älteren Leute sind selbstsüchtig und kleinsinnig; sie denken mehr an die Interessen ihrer Kapitalien als an die Interessen der Menschheit; sie lassen ihr Schifflein ruhig fortschwimmen im Rinnstein des Lebens und kümmern sich wenig um den Seemann, der auf hohem Meere gegen die Wellen kämpft; oder sie erkriechen mit klebrichter Beharrlichkeit die Höhe des Bürgermeistertums oder der Präsidentschaft ihres Klubs und zucken die Achsel über die Heroenbilder, die der Sturm hinabwarf von der Säule des Ruhms, und dabei erzählen sie vielleicht: daß sie selbst in ihrer Jugend ebenfalls mit dem Kopf gegen die Wand gerennt seien, daß sie sich aber nachher mit der Wand wieder versöhnt hätten, denn die Wand sei das Absolute, das Gesetzte, das an und für sich Seiende, das, weil es ist, auch vernünftig ist, weshalb auch derjenige unvernünftig ist, welcher einen allerhöchst vernünftigen, unwidersprechbar seienden, festgesetzten Absolutismus nicht ertragen will. Ach! diese Verwerflichen, die uns in eine gelinde Knechtschaft hineinphilosophieren wollen, sind immer noch achtenswerter als jene Verworfenen, die bei der Verteidigung des Despotismus sich nicht einmal auf vernünftige Vernunftgründe einlassen, sondern ihn geschichtskundig als ein Gewohnheitsrecht verfechten, woran sich die Menschen im Laufe der Zeit allmählich gewöhnt hätten, und das also rechtsgültig und gesetzkräftig unumstößlich sei.

Ach! ich will nicht wie Ham die Decke aufheben von der Scham des Vaterlandes, aber es ist entsetzlich, wie man's bei uns verstanden hat, die Sklaverei sogar geschwätzig zu machen, und wie deutsche Philosophen und Historiker ihr Gehirn abmartern, um jeden Despotismus, und sei er noch so albern und tölpelhaft, als vernünftig oder als rechtsgültig zu verteidigen. Schweigen ist die Ehre der Sklaven, sagt Tacitus; jene Philosophen und Historiker behaupten das Gegenteil und zeigen auf die Ehrenbändchen in ihrem Knopfloch.

Vielleicht habt ihr doch recht, und ich bin nur ein Don Quichotte, und das Lesen von allerlei wunderbaren Büchern hat mir den Kopf verwirrt, ebenso wie dem Junker von La Mancha, und Jean Jacques Rousseau war mein Amadis von Gallien[22], Mirabeau war mein Roldan oder Agramanth, und ich habe mich zu sehr hineinstudiert in die Heldentäten der französischen Paladine und der Tafelrunde des Nationalkonvents. Freilich, mein Wahnsinn und die fixen Ideen, die ich aus jenen Büchern geschöpft, sind von entgegengesetzter Art als der Wahnsinn und die fixen Ideen des Manchaners; dieser wollte die untergehende Ritterzeit wiederherstellen, ich hingegen will alles, was aus jener Zeit noch übriggeblieben ist, jetzt vollends vernichten, und da handeln wir also mit ganz verschiedenen Ansichten. Mein Kollege sah Windmühlen für Riesen an, ich hingegen kann in unseren heutigen Riesen nur prahlende Windmühlen sehen; jener sah lederne Weinschläuche für mächtige Zauberer an, ich aber sehe in unseren jetzigen Zauberern nur den ledernen Weinschlauch; jener hielt Bettlerherbergen für Kastelle, Eseltreiber für Kavaliere, Stalldirnen für Hofdamen, ich hingegen halte unsre Kastelle nur für Lumpenherbergen, unsre Kavaliere nur für Eseltreiber, unsere Hofdamen nur für gemeine Stalldirnen; wie jener eine Puppenkomödie für eine Staatsaktion hielt, so halte ich unsre Staatsaktionen für leidige Puppenkomödien – doch ebenso tapfer wie der tapfere Manchaner schlage ich drein in die hölzerne Wirtschaft. Ach! solche Heldentat bekömmt mir oft ebenso schlecht wie ihm, und ich muß, ebenso wie er, viel erdulden für die Ehre meiner Dame. Wollte ich sie verleugnen, aus eitel Furcht oder schnöder Gewinnsucht, so könnte ich behaglich leben in dieser seienden vernünftigen Welt,

---

[22] Amadis von Gallien, ist der älteste Ritterroman aus dem Ende des dreizehnten Jahrhunderts. Maugis d'Aigremont – der Zauberer Malegis – ist ein Held des fränkisch-karolingischen Sagenkreises.

und ich würde eine schöne Maritorne[23] zum Altare führen und mich einsegnen lassen von feisten Zauberern und mit edlen Eseltreibern bankettieren und gefahrlose Novellen und sonstige kleine Sklävchen zeugen! Statt dessen, geschmückt mit den drei Farben meiner Dame, muß ich beständig auf der Mensur liegen und mich durch unsägliches Drangsal durchschlagen, und ich erfechte keinen Sieg, der mich nicht auch etwas Herzblut kostet. Tag und Nacht bin ich in Nöten; denn jene Feinde sind so tückisch, daß manche, die ich zu Tode getroffen, sich noch immer ein Air gaben, als ob sie lebten, und, in alle Gestalten sich verwandelnd, mir Tag und Nacht verleiden konnten. Wieviel Schmerzen habe ich durch solchen fatalen Spuk schon erdulden müssen! Wo mir etwas Liebes blühte, da schlichen sie hin, die heimtückischen Gespenster, und knickten sogar die unschuldigsten Knospen. Überall, und wo ich es am wenigsten vermuten sollte, entdeckte ich am Boden ihre silbrige Schleimspur, und nehme ich mich nicht in acht, so kann ich verderblich ausgleiten, sogar im Hause der nächsten Lieben. Ihr mögt lächeln und solche Besorgnis für eitel Einbildungen, gleich denen des Don Quichotte, halten. Aber eingebildete Schmerzen tun darum nicht minder weh, und bildet man sich ein, etwas Schierling genossen zu haben, so kann man die Auszehrung bekommen, auf keinen Fall wird man davon fett. Und daß ich fett geworden sei, ist eine Verleumdung, wenigstens habe ich noch keine fette Sinekur erhalten, und ich hätte doch die dazu gehörigen Talente. Auch ist von dem Fett der Vetterschaft nichts an mir zu verspüren. Ich bilde mir ein, man habe alles mögliche angewendet, um mich mager zu halten; als mich hungerte, da fütterte man mich mit Schlangen, als mich dürstete, da tränkte man mich mit Wermut, man goß mir die Hölle ins Herz, daß ich Gift weinte und Feuer seufzte, man kroch mir nach bis in die Träume meiner Nächte – und da sehe ich sie, die grauenhaften Larven, die noblen Lakaiengesichter mit fletschenden Zähnen, die drohenden Bankiernasen, die tödlichen Augen, die aus den Kapuzen hervorstechen, die bleichen Manschettenhände mit blanken Messern –

Auch die alte Frau, die neben mir wohnt, meine Wandnachbarin, hält mich für verrückt und behauptet, ich spräche im Schlafe das wahnsinnigste Zeug, und die vorige Nacht habe sie deutlich gehört, daß ich rief: »Dulcinea ist das schönste Weib der Welt und ich der unglücklichste Ritter auf Erden, aber es ziemt sich nicht, daß meine Schwäche diese Wahrheit verleugne – stoßt zu mit der Lanze, Ritter!«

[23] Maritorne, die im ›Don Quichotte‹ auftretende schmutzige asturische Magd.

Ich weiß nicht, welche sonderbare Pietät mich davon abhielt, einige Ausdrücke, die mir bei späterer Durchsicht der vorstehenden Blätter etwas allzuherbe erschienen, im mindesten zu ändern. Das Manuskript war schon so gelb verblichen wie ein Toter, und ich hatte Scheu, es zu verstümmeln. Alles verjährt Geschriebene hat solch inwohnendes Recht der Unverletzlichkeit, und gar diese Blätter, die gewissermaßen einer dunkeln Vergangenheit angehören. Denn sie sind fast ein Jahr vor der dritten bourbonischen Hedschira geschrieben, zu einer Zeit, die weit herber war als der herbste Ausdruck, zu einer Zeit, wo es Anschein gewann, als könnte der Sieg der Freiheit noch um ein Jahrhundert verzögert werden. Es war wenigstens bedenklich, wenn man sah, wie unsere Ritter so sichere Gesichter bekamen, wie sie die verblaßten Wappen wieder frischbunt anstreichen ließen, wie sie mit Schild und Speer zu München und Potsdam turnierten, wie sie so stolz auf ihren hohen Rossen saßen, als wollten sie nach Quedlinburg reiten, um sich neu auflegen zu lassen bei Gottfried Bassen[24]. Noch unerträglicher waren die triumphierend tückischen Äugelein unserer Pfäffelein, die ihre langen Ohren so schlau unter der Kapuze zu verbergen wußten, daß wir die verderblichen Kniffe erwarteten. Man konnte gar nicht vorher wissen, daß die edlen Ritter ihre Pfeile so kläglich verschießen würden, und meistens anonym oder wenigstens im Davonjagen, mit abgewendetem Gesichte, wie fliehende Baschkiren. Ebensowenig konnte man vorher wissen, daß die Schlangenlist unserer Pfäffelein so zu schanden werde – ach! es ist fast Mitleiden erregend, wenn man sieht, wie schlecht sie ihr bestes Gift zu brauchen wissen, da sie uns aus Wut in großen Stücken den Arsenik an den Kopf werfen, statt ihn lotweis und liebevoll in unsere Suppen zu schütten, wenn man sieht, wie sie aus der alten Kinderwäsche die verjährten Windeln ihrer Feinde hervorkramen, um Unrat zu erschnüffeln, wie sie sogar die Väter ihrer Feinde aus dem Grabe hervorwühlen, um nachzusehen, ob sie etwa beschnitten waren – O der Toren! die da meinen, entdeckt zu haben, der Löwe gehöre eigentlich zum Katzengeschlecht, und die mit dieser naturgeschichtlichen Entdeckung noch so lang' herumzischen werden, bis die große Katze das ex ungue leonem an ihrem eignen Fleische bewährt! O der obskuren Wichte, die nicht eher erleuchtet werden, bis sie selbst an der Laterne hängen! Mit den Gedärmen eines Esels möchte ich meine Leier

---

[24] Gottfried Basse (1778–1825), deutscher Buchhändler.

besaiten, um sie nach Würden zu besingen, die geschworenen Dummköpfe!

Eine gewaltige Lust ergreift mich! Während ich sitze und schreibe, erklingt Musik unter meinem Fenster, und an dem elegischen Grimm der langgezogenen Melodie erkenne ich jene Marseiller Hymne, womit der schöne Barbaroux[25] und seine Gefährten die Stadt Paris begrüßten, jener Kuhreigen der Freiheit, bei dessen Tönen die Schweizer in den Tuilerien das Heimweh bekamen, jener triumphierende Todesgesang der Gironde, das alte, süße Wiegenlied –

Welch ein Lied! Es durchschauert mich mit Feuer und Freude und entzündet in mir die glühenden Sterne der Begeisterung und die Raketen des Spottes. Ja, diese sollen nicht fehlen bei dem großen Feuerwerk der Zeit. Klingende Flammenströme des Gesanges sollen sich ergießen von der Höhe der Freiheitslust in kühnen Kaskaden, wie sich der Ganges herabstürzt vom Himalaya! Und du, holde Satyra, Tochter der gerechten Themis und des bocksfüßigen Pan, leih mir deine Hilfe, du bist ja mütterlicher Seite dem Titanengeschlechte entsprossen und hassest gleich mir die Feinde deiner Sippschaft, die schwächlichen Usurpatoren des Olymps. Leih mir das Schwert deiner Mutter, damit ich sie richte, die verhaßte Brut, und gib mir die Pickelflöte deines Vaters, damit ich sie zu Tode pfeife –

Schon hören sie das tödliche Pfeifen, und es ergreift sie der panische Schrecken, und sie entfliehen wieder in Tiergestalten wie damals, als wir den Pelion stülpten auf den Ossa –

Aux armes, citoyens!

Man tut uns armen Titanen sehr unrecht, als man die düstre Wildheit tadelte, womit wir bei jenem Himmelssturm herauftobten – ach, da unten im Tartaros, da war es grauenhaft und dunkel, und da hörten wir nur Cerberusgeheul und Kettengeklirr, und es ist verzeihlich, wenn wir etwas ungeschlacht erschienen in Vergleichung mit jenen Göttern comme il faut, die fein und gesittet in den heiteren Salons des Olymps so viel lieblichen Nektar und süße Musenkonzerte genossen.

Ich kann nicht weiter schreiben, denn die Musik unter meinem Fenster berauscht mir den Kopf, und immer gewaltiger greift herauf der Refrain:

Aux armes, citoyens!

[25] Charles Barbaroux (1767–1794), einer der hervorragendsten Girondisten. Die Marseiller Konföderierten, welche B. kommen ließ, sangen die berühmte Hymne von Rouget de Lisle am 30. Juli 1792 bei ihrem Einzuge in Paris. Daher nannte man dieselbe die ›Marseiller Hymne‹.

INHALT

———

Zur Unterrichtung des Lesers

Goldmanns Taschenbücher sind in der ganzen Welt bekannt. Sie sind die größte aller Taschenbuchreihen in deutscher Sprache. Jeden Monat werden 18 bis 20 neue Bände veröffentlicht. Etwa jedes vierte Taschenbuch ist ein Goldmann-Taschenbuch.

Goldmanns GELBE Taschenbücher bilden eine Universalreihe. Sie bieten die unvergänglichen Werke der griechischen und römischen Antike sowie der neueren Literaturen – jenes Schrifttum, das den Begriff Weltliteratur verkörpert. Aber auch moderne Romane, Reisebücher, Gesetzesausgaben, Sachbücher sowie Veröffentlichungen aus den Bereichen der Wissenschaft und der Religion geben dieser Reihe ihr Gepräge. – Die Bandnummern bei Goldmanns GELBEN Taschenbüchern laufen von 301–1000 und beginnen dann wieder bei 1301.

Goldmanns Taschen-KRIMI sind so sehr bekannt, daß sie einer besonderen Empfehlung kaum mehr bedürfen. Sie sind die meistgekauften Kriminal-Romane in deutscher Sprache; innerhalb dieser Literaturgattung bietet keine andere Buchreihe eine größere Auswahl. Der Verlag achtet mit Umsicht und Sorgfalt darauf, daß nur solche Kriminal-Romane aufgenommen werden, die moralischen Maßstäben standhalten und literarischen Ansprüchen genügen. Mit Recht wird gesagt: „Wer Goldmanns Taschen-KRIMI liest, zeigt, daß er auf Niveau achtet." – Die Bandnummern bei Goldmanns Taschen-KRIMI laufen von 1 bis 300, von 1001 bis 1299, dann weiter ab 2001.

Goldmanns WELTRAUM-Taschenbücher sind eine neuartige Reihe auf dem deutschen Büchermarkt. Die in ihr erschienenen Romane und Erzählungen bieten wissenschaftlich begründete Ausblicke in die Welt von morgen. Nur die Werke der besten internationalen Autoren der Science-Fiction-Literatur erscheinen in dieser Reihe.

Alle Buchhandlungen sowie die Bahnhofsbücherstände führen Goldmanns Taschenbücher in großer Auswahl. An dem G auf dem Buchrücken sind sie leicht zu erkennen.

Überall dort, wo deutsche Bücher verkauft werden, sind Goldmann-Bücher vorrätig. Der Verlag liefert die Neuerscheinungen regelmäßig in 46 Staaten; nach fast allen anderen Ländern der Erde erfolgen Einzellieferungen.

Ein vollständiger illustrierter Katalog wird jedem Interessenten auf Anforderung kostenlos zugeschickt. Wenn auch Sie ihn wünschen, schreiben Sie bitte an den Wilhelm Goldmann Verlag, Postfach 205, 8 München 8.

Nach den Büchern fragen Sie bitte bei Ihrer Buchhandlung oder bei einer Bahnhofsbuchhandlung, die Ihre Wünsche jederzeit erfüllen können.

Johann Wolfgang von Goethe

Ausgewählte Werke in 22 Bänden

Diese Taschenbuchausgabe Ausgewählter Werke Goethes in 22 Bänden enthält jene Dichtungen, Schriften, Gespräche und Briefe Goethes, die der gebildete und bildungshungrige Mensch kennen sollte. Mit ihnen verbindet sich aufs engste der Begriff der deutschen Klassik. Seit der Begründung der Reihe Goldmanns GELBE Taschenbücher bildet die klassische Literatur ihren Mittelpunkt und gibt ihr das unverwechselbar eigene Gepräge. Erst durch das Taschenbuch sind die unvergänglichen Werke der Klassik und, im weiteren Sinne, der Weltliteratur dem Volke wieder zugänglich geworden. Das Taschenbuch dient der Bildung breitester Leserkreise. An diesem Prozeß der Volksbildung haben Goldmanns GELBE Taschenbücher hohen und entscheidenden Anteil. Um dem offenkundigen Bedürfnis vieler Leser aller Schichten Rechnung zu tragen, sich mit den unvergänglichen Werken, die den Begriff Klassik und Weltliteratur verkörpern, vertraut zu machen und des reichen Erbes zu versichern, werden in Goldmanns GELBEN Taschenbüchern nach und nach systematisch alle klassischen Dichter nicht nur der griechischen und römischen, sondern der gesamten abendländischen Literatur, insbesondere auch der deutschen Literatur, erscheinen. Es ist das Bestreben des Verlages, in der Reihe Goldmanns GELBE Taschenbücher insbesondere das Vermächtnis der klassischen Literatur zu bewahren und die Bildung auf breitester Basis zu fördern.

WILHELM GOLDMANN VERLAG MÜNCHEN

Friedrich Schiller

Ausgewählte Werke in 8 Bänden

Gedichte und Balladen. Auswahl. Band 450

Jugenddramen. Die Räuber; Kabale und Liebe; Don Carlos. Band 416

Wallenstein. Wallensteins Lager; Die Piccolomini; Wallensteins Tod. Band 434

Dramen. Die Jungfrau von Orleans; Maria Stuart; Wilhelm Tell. Band 488

Dramen der Spätzeit. Die Braut von Messina; Demetrius. Band 915

Erzählungen. Eine großmütige Handlung; Der Verbrecher aus verlorener Ehre; Spiel des Schicksals; Der Geisterseher. Band 904

Schriften zur Ästhetik, Literatur und Geschichte. Über den Grund des Vergnügens an tragischen Gegenständen; Über das Pathetische; Zerstreute Betrachtungen über verschiedene ästhetische Gegenstände; Über den moralischen Nutzen ästhetischer Sitten; Über das Erhabene; Schema über den Dilettantismus; Briefe über Don Carlos; Über Egmont, Trauerspiel von Goethe; Was heißt und zu welchem Ende studiert man Universalgeschichte? Eine akademische Antrittsrede; Etwas über die Erste Menschengesellschaft nach dem Leitfaden der Mosaischen Urkunde; Die Gesetzgebung des Lykurgus und Solon. Band 925

Schriften zur Philosophie und Kunst. Die Schaubühne als eine moralische Anstalt betrachtet; Über Anmut und Würde; Über die ästhetische Erziehung des Menschen; Über naive und sentimentalische Dichtung. Band 524

Diese Taschenbuchausgabe Ausgewählter Werke Schillers in acht Bänden bietet jene Dichtungen und Schriften, die der gebildete und bildungshungrige Mensch kennen sollte. Als Ergänzung dieser Schiller-Ausgabe ist in der Reihe Goldmanns GELBE Taschenbücher erschienen:
Bernt von Heiseler, Schiller. Leben und Werk. Band 927

WILHELM GOLDMANN VERLAG MÜNCHEN

Goldmanns GELBE Taschenbücher

Klassische Werke der deutschen Literatur

Die mit * gekennzeichneten Bände wurden gekürzt bzw. bearbeitet.

WILHELM GOLDMANN VERLAG MÜNCHEN

Goldmanns Illustrierte Weltgeschichte

8 Doppelbände

Band 1
Eduard von Tunk
Der antike Orient / Die Welt der Griechen

Etwa 3000–146 v. Chr.: Frühgeschichte · Die Völker des antiken Orient · Ägypten · Das Babylonische Reich · Das Volk Israel · Das Persische Großreich · Sparta und Athen im Werden · Der Perserkrieg · Das Zeitalter des Perikles · Der Peleponnesische Krieg · Der Alexanderzug · Die hellenistischen Staaten (Band 1501/02)

Band 2
Eduard von Tunk
Das Römische Imperium / Das Oströmische Reich

500 v. Chr. – 800 n. Chr.: Die Stadt Rom · Die Unterwerfung Italiens · Der Punische Krieg · Der Makedonische Krieg · Das Jahrhundert der Revolution · Caesar · Die Epoche des Prinzipates · Augustus · Die Zeit des Dominates · Konstantin der Große · Die Reichsteilung · Ost-Rom (Band 1503/04)

Band 3
Eduard von Tunk / Albert Renner
Das Werden des christlichen Abendlandes

5.–11. Jahrhundert: Der Untergang des Weströmischen Reiches · Goten · Vandalen · Die Merowinger · Die Karolinger · Das Reich Karls des Großen · Die Ottonen · Kaiser und Päpste im Kampf (Band 1505/06)

Band 4
Albert Renner / Eduard von Tunk
Europa im Hoch- und Spätmittelalter / Der Islam

12.–15. Jahrhundert: Die Hohenstaufen · Die westlichen Königreiche · Kultur des Hochmittelalters · Umgestaltung des Deutschen Reiches · Die europäischen Randstaaten · Das Byzantinische Reich · Die Völker Ost- und Nordeuropas · Die islamischen Völker und Reiche (Band 1507/08)

Jeder Band ist einzeln erhältlich

WILHELM GOLDMANN VERLAG MÜNCHEN

Verehrter Leser,
senden Sie bitte diese Karte ausgefüllt an den Verlag. Sie erhalten dann kostenlos die Verlagsverzeichnisse und laufend die Literaturbriefe, die Sie über die Neuerscheinungen des Verlages unterrichten, zugesandt.

WILHELM GOLDMANN VERLAG AG MÜNCHEN 8

Bitte hier abschneiden

Diese Karte entnahm ich dem Buch: _____

_____

Mein Urteil über das genannte Buch: _____

_____

_____

_____ **G**

Der—die Unterzeichnende wünscht kostenlos und unverbindlich die regelmäßige Zusendung der Verlagsverzeichnisse und Literaturbriefe des Wilhelm Goldmann Verlages.

Name: _____

Beruf: _____

Ort: ( ) _____

Straße: _____

Ich empfehle Ihnen, Ihre Verzeichnisse
auch an die nachstehende Anschrift zu senden:

Name: _____

Beruf: _____

Ort: ( ) _____

Straße: _____

Goldmann-Bücher erhalten Sie in allen Buchhandlungen, in vielen Kaufhäusern und an den meisten Bahnhofskiosken überall in der Welt, wo deutsche Bücher verkauft werden.

Für Mitteilungen:

XXII · 920 · 164 · 3200 ·

Wilhelm Goldmann Verlag AG

8000 MÜNCHEN 8

Postfach 205

Bitte mit
15 Pfg.
frankieren.
Sie erhalten die
Verzeichnisse
kostenlos